S0-AHF-322

천재가 된 제롬

JEROME BECOMES A GENIUS
by Eran Katz

Copyright © 2002 by Eran Katz

All rights reserved.

Korean Translation Copyright © 2007 by Goldenbough

Korean translation edition is published by arrangement with
Eran Katz c/o Vicki Satlow Literary Agency through MOMO Agency.

이 책의 한국어판 저작권은 모모 에이전시를 통해
Eran Katz c/o Vicki Satlow Literary Agency와 독점 계약한
(주) 황금가지에 있습니다.

저작권법에 의해 한국 내에서 보호를 받는 저작물이므로
무단 전재와 무단 복제를 금합니다.

Jerome Becomes a Genius
The Jewish Way to Brain Power

천재가 된 제롬

부와 성공을 얻는 유태인 지능의 비결

에란 카츠 | 박미영 옮김

황금가지

차례

머리말

함께 일했던 회사의 직원들과 이스라엘 북부로 여행을 떠났을 때의 일이다. 그중 한 임원이 버스에서 내 옆자리에 앉았다. 무척 조용하고 내성적인 사람이었다.

그는 자기 업무와 관련된 신문 기사를 읽으며 시간을 보내고 있었다. 그러다가 신문 읽기가 지루해졌는지, 작은 가방에서 성경을 꺼내서는 책갈피를 끼워 두었던 부분을 펼쳐 읽기 시작했다. 나는 몹시 놀랐다. 그가 평소 하느님을 경외하거나 안식일을 지키지 않는 사람이란 것을 알고 있었기 때문이다. 종교인과 거리가 먼 정도가 아니라 무신론자에 가까웠다. 그러니 평소와는 다른 이런 모습을 보고 혼란스러워서 한번 짚고 넘어가 보고 싶었다.

"종교에 관심을 갖기 시작했나요?"

나는 지나가는 말처럼 부드럽게 물었다. 그는 성경을 내려놓고 나를 뚫어지게 쳐다보며 의아하다는 듯 되물었다.

"왜요? 제가 성경을 읽고 있어서요?"

"네."

민망한 마음에 나는 사실대로 대답해 버렸다. 그는 미소 지으며 말했다.

"뭐 상관 있겠습니까? 성경 이야기를 좋아하거든요."

그는 내가 뭐라고 이야기를 꺼내기 전에 덧붙여 말했다.

"그것 말고도 성경은 얻을 것이 많은 훌륭한 책이지요."

이런 일이 있고 나서 2년 뒤였다. 내가 기억력 향상 강의를 시작했을 무렵의 어느 날, 텔레비전을 보고 있는데 전화가 걸려 왔다. 전화를 건 사람은 예루살렘에 있는 종교 학교 '예시바'의 랍비였다.

"우리 예시바에서 강의 좀 부탁드리려고 전화했습니다."

그 말에 나도 모르게 이런 대답이 튀어나왔다.

"아실지 모르겠지만 저는 종교인이 아닙니다."

"괜찮습니다."

랍비는 유쾌하게 대답했다.

"우리가 바로 당신을 잡아먹을 건 아니니까요."

이 두 가지 일은 내 인생에 있어서 중요한 교훈을 주었다.

지식과 지혜는 종교, 인종, 단체를 초월하며 한 개인의 전유물도 아니다. 그것은 온 세계의 것이다. 문제는 대부분의 사람들이 지식이란 것을 기존의 사고에 따라 전통적으로 정의하고 있다는 것이다.

버스 옆자리의 그 임원이나 예시바의 랍비는 모두 예외적인 사람

8

들이다. 그들은 상투적이며 전통적인 틀에 갇힌 지식을 배우려 하지 않았다. 기존의 세계와 거리가 있는 지식, 자신의 목적과 꼭 관계가 없더라도 새로운 지식을 배우고 싶어 한다. 이들의 태도는 지식에 필요한 개방적인 사고를 상징적으로 보여 주고 있다.

이 책을 쓰면서 친구들에게 내용을 이야기해 주자, 무신론자인 친구들은 책의 내용이 '지나치게 유태인적'이어서 흥미가 없다는 반응을 보였다. 반면 종교를 가진 이들은 너무 무신론적인 내용이라고 문제점을 지적해 주었다. 그러나 이 책은 내 친구가 아닌 모든 이들을 위해 쓴 것이다. 다시 말해서 앎을 두려워하지 않는 모든 이들에게 바치는 것이다. 더불어 이 책이 독자의 중요한 목표를 달성하는 데 많은 도움이 되기를 바라며, 자신을 극복하고 자기 영혼의 핵심에 다가가는 데 길잡이가 되기를 마음속으로 기대한다.

인간에 대한 사랑을 바탕으로 쓴 이 책을, 머리와 가슴이 넓은 모든 사람들에게 바친다.

예루살렘에서,
에란 카츠

1장

유태인은 모두 똑똑하다?

세 친구의 모임

한 사람의 인생을 바꾸는 것은 한순간에 불과하다.
우리의 친구이자 이 책의 주인공 제롬은 그 명제의 산증인이다.

미국 오클라호마 털사에 있는 메리어트 호텔 14층에서 나는 로비로 내려가는 엘리베이터를 기다리고 있었다. 아침에 강의할 내용의 요지를 머릿속으로 정리하며 조금 긴장하던 참이었다.

엘리베이터 안에는 몸집이 큰 남자가 서 있었다. 깔끔한 흰 옷을 입고 카우보이모자를 썼으며, 금 십자가 목걸이를 걸고 밝은 색 카우보이 구두를 신고 있었다. 이 커다란 카우보이의 얼굴은 무척 인상적이었다. 이제 말만 타면 될 것 같았다. 어쩌면 호텔 주차장에 말이라도 매어 놓고 왔을지 모른다.

그런데 그의 옷깃에는 내가 참석할 강연 주제가 적힌 명찰이 달려 있었다.

짐 브라운, TX 휴스턴.

엘리베이터에 올라 낯선 카우보이에게 인사를 건넸다.

"안녕하십니까."

그는 나를 쳐다보며 미소 짓다가 문득 내 옷의 이름표를 보고 소리 내어 읽었다.

"발표자 에란 카츠, 예루살렘, 이스라엘이라고요!"

미소 짓던 그의 얼굴은 곧 놀랍다는 표정으로 바뀌었다.

"진짜 예루살렘에서 오셨습니까?"

진짜 예루살렘이라니. 곧 그 말뜻을 알 수 있었다. 이스라엘의 수도 예루살렘; 미국의 수많은 소도시 중 하나가 아니라! 나는 자랑스럽게 대답했다.

"예루살렘은 세상에 하나뿐이죠."

"늘 이스라엘로 한번 여행 가는 게 꿈이었습니다. 비행기 삯으로 900달러가 들고 12시간이 걸리는 거리죠. 당신이 바로 거기서 오셨군요."

나는 어쩐지 그의 꿈을 단숨에 이룬 사람처럼 느껴졌다. 그는 웃음을 띠고는 반신반의하는 태도로 물었다.

"당신이 오늘 아침 강의를 하실 분인가요?"

"맞습니다."

나는 강의 주제와 내용을 떠올리며 이야기했다.

"무척 흥미로운 강의일 것 같군요."

그는 열성적으로 말했다.

"고맙습니다. 저도 그렇게 됐으면 합니다."

로비에 닿아 엘리베이터 문이 열릴 때 나는 대답했다.

"네, 꼭 그렇게 되리라고 생각합니다."

내리면서 그는 단호하게 덧붙였다.

"당신들 유태인들은 더없이 똑똑한 민족이니까요."

다른 때 같으면 아마도 그의 말이 인종 차별적으로 들렸을 테지만, 짐 브라운은 좋은 사람 같았고 말하는 의도도 좋은 뜻 같았다.

그런데 유태인이면 두말할 필요도 없이 똑똑하다고 말한 사람은 그가 처음이 아니다. 또한 그런 말을 누군가에게 들은 유태인도 나 하나가 아니다.

로비를 돌아다니는 동안 뿌연 구름이 머릿속에 낀 듯 신경이 쓰였다. 이런 두 가지 과제가 눈앞에 놓인 것이다.

왜 유태인들은 으레 똑똑하다고 생각하는 것일까?

지금부터 20분 만에 아침 식사를 할 만한 데는 어디일까?

그 후로 전자는 내 마음속에 항상 가장 먼저 정리해야 할 화두가 되었다. 일단 전자에 대한 질문은 뒤로 미루기로 했다. 아침 7시에 그런 철학적인 고민을 하는 것보다는, 커피 한 잔과 크루아상 한 조각이 강의 내용을 효과적으로 검토하는 데 도움이 될 것 같았다.

그로부터 1주일 뒤였다. 언제나처럼 라디노 카페에서 이타마르와 제롬을 만났다. 이 멋진 카페는 예루살렘에 있는 작고 정취 있는 마을 나흘라오트의 좁은 골목길 안에 숨어 있어서, 아는 사람이 그리 많지 않다.

이 카페는 제롬이 석간신문 배달을 하다 찾아낸 곳이다. 서정적인 라디노풍의 하시딤(동유럽의 정통 유태교인─옮긴이)의 음악과 매혹적인 오렌지 빛 불이 눈에 띄었던 것이다. 왠지 지하 세계 같은 느낌을 주는 곳이었다. 그는 길 쪽으로 나 있는 계단을 네 칸 밟아 내려가서 불빛에 비친 작은 동굴을 보았다. 바닥에는 이란산 카펫이 깔려 있었고 둥근 탁자가 방 안 곳곳에 놓여 있었다. 아늑하고 멋진 곳이었다. 그곳 주인 파비오는 라디노어(유태교의 2대 집단 중 하나인 세파라딤 유태인의 언어—옮긴이)의 열렬한 애호가여서, 낭만적인 선율의 순수 라디노 음악을 구석에 감춘 스피커로 퍼뜨리고 있었다. 세월이 흐르는 동안 그는 힘들여 그곳을 가꾸었다. 뒤쪽 벽을 헐어 카페 뒤뜰로 문을 내었다. 안뜰에도 과일나무를 심고 그의 사촌이 조각한 청동상 몇 점을 세우는 등 정성을 쏟았다.

그곳이 매주 금요일 아침 10시에 우리가 만나는 곳이다. 우리는 그때그때 기분이나 날씨에 따라 동굴에 앉거나 정원에 나가 앉았다.

카페의 다른 손님들은 한창 낭만에 빠진 연인이거나 우연히 이곳을 발견한 여행객들이었다. 우리 셋도 우연히 만났다.

이타마르 포르만은 대학에서 함께 공부한 친구다. 나는 함께 수강했던 세미나의 과제를 빌려 복사하면서 그를 알게 되었다. 그가 도와주겠다는 걸 내가 기쁘게 받아들인 것이다. 이타마르는 공부에 관한 한 천재적이어서, 이런 친구만 있다면 굳이 기를 쓰고 학점을 따는 데에 무리하지는 않아도 되겠다고 생각했다. 특히 시간과 정력을 대대적으로 투자해야 되는 과목의 경우, 시간이 부족하면 가끔 그에게 과제를 부탁하며 사례를 하곤 했다. 이를테면 이탈리아에서 월드컵이 열렸던 1990년의 여름 같은 때, 내게는 '영국 식민 통치에서 오늘날까지 이스라엘과 아랍의 관계' 같은 문제보다는 네덜란드의 축구 선수 마르코 판 바스턴과 루트 홀리트가 더 중요했다.

세월이 흘러 이타마르는 정치학 교수가 되었고, 대학에서 만나 사귄 여인 달리아와 결혼하여 오므리와 노아라는 쌍둥이를 두었다.

제롬과 나는 피아트127 자동차 덕분에 처음 만났다. 주차장에서 후진을 하는데 그의 피아트가 내 스바루를 들이받았다. 힘껏 경적을 눌렀지만 소용이 없었다. 그는 후진하면서 백미러를 보지도 않고 네덜란드와 브라질의 축구 경기를 듣고 있었다. 프랭크 레이카르트가 득점을 올려서 네덜란드가 유리해지는 순간, 그는 기어를 후진으로 이동했다. 누군가 골을 넣는 그 순간에 제대로 후진을 한다는 것이 현실적으로 불가능하다는 걸, 열광적인 축구 팬으로서 이해할 수밖에 없었다.

사고 합의를 보기 위해 차에서 내린 젊은 남자는 마르고 큰 키에 인상적인 검정 곱슬머리로, 록 가수 버디 홀리처럼 까만 정사각형 선글라스를 끼고 있었다. 가장 눈에 띄었던 것은 골다 메이어의 초상화가 그려진 총천연색 셔츠였다. 얼마나 괴짜인지 느낌이 왔다. 이스라엘인의 영원한 할머니인 전 총리 골다 메이어의 얼굴이 박힌 셔츠를 입고 돌아다닐 수 있는 사람이 세상에 몇이나 될까? 어쨌든 그때부터 우리는 좋은 친구가 되었다.

제롬은 내 친구 가운데 무척 특이한 사람이었다. 호주에서 태어나 이스라엘로 와서 산 지 25년이 되었는데도, 처음 이민 왔을 때처럼 말에 전형적인 악센트가 있었다. 그는 또 눈에 띄는 화려한 색상의 셔츠를 입는 취미가 있었는데, 그것은 하와이나 카리브 섬에서 수입해 온 것들이었다. 그 위에다 다른 사람들은 엄두도 못 낼 정도로 특이하게 예술가들의 얼굴 그림을 찍어서 입고 다녔다. 존 본 조비를 비롯해서 보노나 다른 록 스타들, 그 밖에도 리비아의 정치가 가다피, 미 국무장관을 지낸 매들린 올브라이트, 심지어는 배트맨 옷을 입은 넬슨 만델라도 있었다. 그는 이 특이한 셔츠를 팔면서 생활하고 있었다.

어쨌든 제롬은 재미있는 사람이었다. 유머 감각도 풍부하고 삶을 즐기며 인생에서 어려움이 닥치면 값진 경험으로 받아들였다. 그는 친구도 많을 뿐더러 친구들과 파티를 자주 하며 지냈다.

"이분들은 내 수준 있는 친구들이야."

몇 번 그 파티에 갔을 때 그는 다른 친구들에게 우리를 이렇게 소개하곤 했다.

앞서 이야기했듯이 우리는 평소와 마찬가지로 라디노 카페에서 만났다. 이 특별한 금요일이 우리의 삶을 어떻게 바꾸어 놓을지 모르는 채로.

우리는 마주 앉아 제롬의 사업과 최근 내가 여행하고 돌아온 미국에 대해 이야기를 나누었다. 이야기가 거의 끝날 무렵 나는 문득 엘리베이터에서 만났던 짐 브라운을 떠올렸다. 그래서 그와 나누었던 이야기를 친구들에게 해 주었다.

"유태인들이 원래부터 똑똑하다고 누가 처음에 결정한 걸까?"

나는 이타마르에게 물었다.

"그건 그냥 신화에 가까운 고정관념인 걸까? 아니면 신빙성 있는 진실한 얘길까?"

이타마르는 깍지 낀 손을 머리에 얹으며 하늘을 쳐다보았다.

"생각해 보자."

그는 조금 시간이 지난 뒤 큰 소리로 이야기했다.

"예나 지금이나 유태인한테는 '두뇌'와 '지능'이라는 꼬리표가 붙어 다니고 있어. '유태인식 사고'라는 표현도 널리 알려져 있고, 그건 유태인이나 비유태인이나 하나같이 즐겨 썼던 표현이지."

이타마르는 잠깐 말을 멈추고 생각에 잠겼다가 계속 말을 이었다.

"재미있긴 해. 그런 믿음은 어떻게 만들어졌을까? 그게 올바른 믿음인 걸까? 학문적으로는 한 번도 그 문제를 깊이 생각해 보지 않았는데."

"그건 그냥 유태인에게 반감을 갖고 쓰는 표현이 아닐까?"

나는 나름대로 답을 내어 보았다. 이타마르는 대답했다.

"꼭 그렇다고 볼 순 없어. 예전의 감정으로부터 좀 더 자유로워진 사람들이라면 이 점에 분명 동의할 거야. 물론 거기엔 어쩌면 엷은 질투의 감정이 섞여 있을지도 모르지. 질투는 칭찬으로부터 시작되는 거니까."

"반면에 반유태주의자들은 유태인들에 대한 부정적인 측면에서 '유태인식 사고'에 접근했지."

"그건 확실해."

문득 제롬이 대화에 끼었다.

"반유태주의자들은 똑똑한 유태인들을 위험하다고 생각했어. 그런 부류가 일종의 신화를 만든 거고. 유태인식 사고를 교활하고 불길하고 비열한 것으로 간주한 거야."

이타마르는 그 말에는 별로 깊이 의미를 두지 않았다.

"어쨌든 흥미로운 점은, 유태 민족은 그들을 미워하거나 도와준 사람들 가릴 것 없이 최소한 한 가지 동의를 얻는 데엔 성공했다는 거야. 세상 그 누구도 유태인들을 멍청하다고 생각하지는 않는다는 거지. 이런 결정적인 고정관념이 유태인들을 사로잡고 있고, 이 고정관념과 함께 자라난 아이들은 유태 민족이 모두 똑똑하고 현명하며 예리한 사고력을 가졌다고 생각하게 되는 거야."

나는 이타마르를 주의 깊게 바라보고 있었다. 이런 화제가 나오면 언제나 그의 체계적이고 논리적인 사고 과정을 엿볼 수 있었다. 이타마르는 질문을 하면 단 한 번도 아무 생각 없이 건성으로 답한 적이 없었다. 언제나 깊이 생각하고 문제를 해결하려고 했다. 그때 이타마르는 문득 무슨 생각이 났는지 이어서 말했다.

"그런데 이렇게 일반화된 관념이 유태인들에게만 있는 것은 아니야. 다른 민족들도 이와 비슷하게 고유의 특징들이 꼬리표로 붙어 있으니까. 구두쇠 스코틀랜드인, 게으른 멕시코인, 정확한 스위스인, 성실한 일본인, 아는 체하는 독일인…… 브라질인들은 어떻지?"

"기쁨에 넘치는 브라질인."

내가 말했다. 제롬이 끼어들었다.

"월드컵이 끝난 뒤엔 그렇지 않을걸."

"그렇다면 쿠바인들은?"

이타마르가 계속 물었다. 제롬은 두 번 생각하지 않고 대답했다.

"쿠바인들은 수영을 잘하지."

"그래?"

"그럼. 그렇지 않고서야 어떻게 미국의 플로리다 해변에 도착할 수 있었겠어."(1980년 카스트로 독재 정권을 피해 12만 명의 쿠바인이 플로리다로 도망친 사건을 가리킴 — 옮긴이)

그 후 우리는 다른 여러 민족에 대한 농담을 하면서 한참 동안 웃었다. 각자 알고 있는 세계 민족에 대한 농담은 다 나온 것 같았다. 그 화제가 이윽고 끝나자 우리는 서서히 침묵 속으로 빠져 들었다. 제롬은 손가락으로 커피 잔을 건드리면서 꿈꾸듯이 찬찬히 바라보았고, 나는 설탕 봉지를 만지작거렸으며, 이타마르는 다리를 떨면서 카페로 들어서는 노부부의 모습을 바라보고 있었다.

"유태인들은 똑똑하다……."

이타마르는 혼잣말하면서 그 주제를 다시 탁자 위에 올려놓았다.

"흥미롭군."

농담하면서도 내내 생각하고 있었던 모양이다.

"이런 고정관념이 어떻게 생겨났는지 알아봐야겠어."

쉽게 잊을 수 없는 주제인가 보았다. 그래서 나는 물었다.

"너는 어떻게 생각해? 난 정통 유태교인들의 종교 학교 예시바에서 '기억력 향상'이란 주제로 가끔 강의를 했어. 강의가 끝나고 젊은 학생들이 와서 하는 말이, 학습이나 기억력 향상 요령에 대한 내용 중 많은 부분을 이미 자기들이 활용하고 있다고 하더라고. 여기서 흥미로운 점은, 같은 내용으로 다른 데서 강의를 했을 때는 이런 얘기를 들은 적이 없다는 거야."

이타마르는 눈을 반짝이며 허리를 쭉 펴고 내게로 가까이 의자를 당겨 앉았다.

"정말이야?"

"그렇다니까."

"그거 놀라운 얘긴데."

그는 왠지 모르게 흥분한 것 같았다. 정원에 있는 오렌지나무를 뚫어지게 바라보면서도 머릿속은 그 문제로 가득 차 있는 것처럼 보였다.

"뭐가 놀랍지?"

제롬이 물었다.

"두 가지 점을 생각해 보자고."

이타마르는 나름대로 분석했다.

"이런 고정관념은 유태인의 지혜와 총명함을 바탕으로 만들어진 거야. 그리고 우리는 수세기 동안 사용해 왔던 그 실제적인 기술을 자연스럽게 습득하고 있다는 점."

그는 잠깐 생각하다가 이어서 말했다.

"내 생각이 맞다면 우리에겐 놀랄 만한 그 무엇이 있다는거야. 유태 민족이 똑똑하다는 이야기는, 유태인에게는 독특한 지능 계발의 기술이 있고 수천 년 동안 그것을 잘 지켜 오고 있다는 뜻과 같아. 이걸 주제로 괜찮은 책 한 권 쓸 수 있겠는데."

"뭘 하려고?"

제롬은 이타마르의 말뜻을 잘 이해하지 못하는 것 같았다.

"물론 전 세계에 있는 사람들이 우리 유태 민족의 학습 특성에 대해 읽을 수 있게 해 주겠다는 거지."

이타마르는 완전히 열중해서 손으로 탁자를 두드리며 말했다.

"이렇게 생각해 보자. 예컨대 우리가 네덜란드 아이들을 가르친다면, 어떻게 그 아이들에게 공부 내용을 기억하게 할 수 있을까? 그건 바로 예시바에서 유태인 학생들에게 탈무드를 가르치는 것과 같은 방식이겠지. 또 사업하는 사람들에게라면, 유럽의 상인들에게 그랬던 것처럼 현명하게 협상하는 방법을 가르칠 수도 있겠지. 심지어 프라하에 있는 '마할랄'이나 다른 유태인 종교 학교에서 가르치는 방법을 그대로 써먹어서, 옥스퍼드 학생들에게 어떻게 모든 과목에서 A학점을 받을 수 있는지 가르쳐 줄 수 있고."

"그들 말로는 그걸 천재라고 부르지."

내가 덧붙였다.

"바로 그거야!"

이타마르가 흥분한 듯 소리쳤다.

"그 성공적인 학습 기술이 어째서 예시바에서만 활용된 걸까? 왜 모든 사람들이 그 즐거움을 느껴 보지 못했을까? 무슨 뜻인지 알겠어? 우리가 유태인의 이 좋은 두뇌에 숨겨진 비밀을 찾아낼 수 있을 거야."

그는 머릿속에 펼쳐진 생각들을 이야기했다. 이타마르의 그 같은 열정에 나도 감탄하고 있었다. 그 주제와 관련된 책을 펴내서 세계인들에게 읽히겠다는 것은 의심할 여지 없는 좋은 아이디어였다. 나는 어째서 그런 생각을 좀 더 빨리 할 수 없었을까?

제롬은 잠깐 그 의견에 트집을 잡았다.

"방해해서 미안한데 '우리'란 정확하게 누굴 가리키는 거지? 나 같은 사람과는 좀 무관한 주제 같아. 첫째, 나는 솔직히 말해서 힘겹게 SAT를 통과했어. 그 책에 배우자를 얻기 위한 지능을 계발하는 기술이 있다면 모를까, 그렇지 않고서야 별 관심이 없어."

제롬은 이렇게 말하고는 미소를 지으며 바로 덧붙였다.

"어쨌든 카리브 해안 시장에 대해서는 도움이 되겠군. 어쩌면 그 책이 내가 그곳에서 장사하는 데 도움이 될 수도 있으니까. 그곳 사람들에게 나는 똑똑한 유태인이오, 광고해서 나쁠 거 없지 뭐."

"에란, 너는 어떻게 생각해? 이 주제에 대해서 말야."

이타마르가 물었다.

"흥미로운 주제라고 생각해."

나는 참지 못하고 그 자리에서 대답했다.

이타마르는 가방을 챙기더니 종업원에게 계산서를 갖다 달라고 손짓했다.

"다음에 만날 때까지 나는 유태인들이 똑똑하다는 대중적인 믿음이 어떻게 이루어져 왔는지 알아보겠어. 내 머릿속에 몇 가지 가설이 있긴 하지만."

그는 냅킨에 무언가 몇 줄 적더니 그것을 가죽 가방 주머니에 집어넣고 의자에서 일어났다.

"미안하지만 오늘은 일찍 가 봐야겠어."

그러자 체룸도 자리에서 일어나면서 선글라스를 썼다.

"나도 이만 실례. 화장품 판매업자 알프레드와 약속이 있거든."

그는 바지 뒷주머니에서 지갑을 꺼내려고 뒤적거렸다.

"계산은 내가 할게."

우리는 인사를 나누고 헤어졌다. 나는 생각에 몰두한 채 자동차를 세워 둔 곳으로 걸어갔다.

마을의 골목길 오후는 조용했다. 귀밑머리를 길게 늘어뜨린 아이들이 밖에서 뛰어다니고 있었다. 술래잡기라도 하는 모양이었다.

주차장 옆에는 시장으로 들어가는 입구가 있었다. 그 근처에서 나는 초등학교 은사였던 리프먼 선생님을 보았다. 20년 만에 다시 뵙게 된 것이다. 아마도 수업 시간에 선생님을 괴롭힌 지 20년 만인 것 같기도 했다. 나는 예의 바르게 인사해야겠다고 생각하고는 길을 건너서 선생님의 어깨를 두드리며 활짝 웃었다.

"안녕하세요, 리프먼 선생님."

선생님은 뒤를 돌아보더니 나를 기억해 내려고 노력하는 듯했다.

"요시?"

"에란이에요."

"에란 바렌슈타인!"

"에란 카츠요."

"에란 카츠. 아, 에란 카츠!"

선생님은 잠깐 웃으며 내 이름을 불렀다.

"물론이지. 기억하고말고."

선생님은 오랜 제자를 만나 기쁜 듯이 보였다.

나는 선생님 건강은 어떤지, 지난 20년 동안 어떻게 지냈는지 여쭤 보았다. 생각해 보니 그건 경솔한 짓이었다. 겉으로 보기에도 선생님은 많은 일들을 겪은 듯했다. 사실 매년 여러 가지 일들이 생겼을 것이고 그것을 힘들여 해결하면서 살아 왔을 것이다. 큰 고생의 흔적이 느껴졌지만 이제는 좀 편하게 쉬실 만한 때가 아닌가 생각했다.

여러 가지 이야기를 하다가 나는 문득 친구들과 했던 이야기를 자랑스럽게 화제로 꺼냈다. 선생님을 괴롭히고 수업 시간에 도망쳤던 문제아였던 내가, 어떻게 유태인 두뇌의 비밀에 대해 연구하고 책을 쓰기로 마음먹었는지 설명했다.

"연구할 게 뭐가 특별히 있을까?"

선생님은 여전히 선생님다운 목소리로 물었다.

"그건 의심할 여지 없는 사실인걸. 유태인들은 정말 똑똑하단다."

그렇게 말하는 선생님도 무언가 믿을 만한 근거나 이론이 있는 것 같지는 않았고, 다만 일방적으로 그렇게 믿어 온 것처럼 보였다. 나는 어린 시절 내가 선생님의 수업 시간에 왜 도망쳤는지 어렴풋이 알 것 같았다.

어쨌든 선생님과 만난 뒤 나는 더욱 마음이 굳어졌다. 선생님의 이와 같은 단선적인 사고는, 하느님이 모든 유태인에게 좋은 두뇌를 주지는 않았다는 증거이다. 어쩌면 선생님 덕분에 그 고정관념과 뿌리 깊은 신화를 파헤쳐 보아야겠다는 내 의지가 더욱 커졌는지도 모른다.

유태인이 발명한 것

유태인은 어떻게 하여 세상 사람들에게
총명한 이미지의 대명사로 받아들여져 왔을까?
그리고 그러한 인식은 얼마나 믿을 만한가?

정확히 일주일이 지난 뒤 우리는 라디노 카페에서 다시 만났다. 일주일 동안 서로 연락한 적은 없지만 여기서 만나는 것은 언제나처럼 당연한 일이었다.

나는 궁금증과 함께 일종의 기대감에 부풀어 있었다. 이타마르가 주제에 대해 자료를 조사하고 모았는지, 그때와 다름없이 이 문제에 관심을 갖고 있는지 궁금했다.

먼발치에서 나는 카페 입구에 서 있는 제롬을 보았다. 그는 구겨진 신문을 손에 만 채 내가 지금까지 보았던 셔츠 가운데 가장 눈에 띄는 희한한 것을 입고 있었다. 총천연색 넓은 정글의 나무 사이를 뛰어다니는 코피 아난 유엔 사무총장의 얼굴이 그려진 셔츠였다.

카페 주인 파비오가 우리를 반겼다. 우리는 늘 앉는 동굴 쪽 탁자 앞에 앉았다. 10분 뒤에 이타마르가 밝은 감색 양복을 잘 차려입고 들어왔다. 꽤 고급스러워 보이는 노란 넥타이도 눈에 띄었다.

"제롬, 옷이란 저렇게 입는 거야."

이타마르에게서 눈을 떼지 않고 내가 말했다.

"오늘 정말 멋지군. 넥타이에 분홍과 연둣빛이 조금 들어 있었으면 좋았을 텐데."

"연구소에서 오늘 회의가 있었거든."

그렇게 말하며 이타마르는 자리에 앉아 가방에서 종이 뭉치와 책 몇 권을 꺼냈다. 얼굴이 무언가 소기의 성과를 거둔 듯 만족스러워 보였다.

"어때? 그 총명한 유태인이라는 주제에 대해 알아본 결과야."

그는 종이를 뒤적이며 말했다. 이 조사를 무척 의욕적으로 한 모양이었다. 그러니 우리에게 인사도 생략하고 이런저런 잡담을 하지도 않았으며, 자기가 무엇을 찾았는지 곧바로 본론으로 들어간 것이다.

"지난주에 우리가 헤어지고 나서 다양한 가능성을 생각해 봤어. 그러다가 우선 유태인들은 인류 최대 난국 속의 생존자라는 피할 수 없는 결론에 도달했지. 역사적으로 유태인들이 얼마나 많이 두드려 맞았는지, 몇 번이나 학살과 반란을 겪었는지 알고 있지? 쫓겨나고 유배당한 건 또 얼마나 되는지. 바빌로니아와 스페인, 유럽에서 나치에게 박해를 받았지. 600만 명이란 유태인이 학살당하는 끔찍한 일을 겪었지만, 유태 민족은 아직도 살아 있고 그 후손들이 세계 곳곳에서 성공을 거두고 있어. 그들은 어떻게 살아남았을까? 규모가 더 큰 민족, 위대한 문명을 가진 민족들도 그러지 못했는데 말이야. 고대 이집트는 어디에 있지? 민주주의를 처음 시작했던 플라톤과 아리스토텔레스의 나라, 고대 그리스는 어디에 있지? 기술의 발전을 이룩했던 로마는 어디에 있을까? 그들은 마치 종이탑이 무너지듯 사라져 버렸지."

예쁘장한 종업원이 우리 앞으로 다가오자 이타마르는 조용히 말을 멈추었다. 그는 에스프레소를 주문했고 나는 카페라테를, 제롬은 카푸치노를 주문했다.

"그런데 유태인들은 살아남았어."

종업원이 자리를 뜨자 이타마르가 계속했다.

"군대의 힘을 빌리거나 인위적으로 만든 것이 아니지. 유태인은 불가능한 상황에서 자신들의 정체성을 지키기 위해 전통을 지속시켜 나가야만 했어. 그런 능력은 높은 지능과 총명함에서 나오는 것이지. 다시 말해서 유태인은 변화하는 환경 속에서 어떻게 자신들의 머리를 써야 하는지를 배웠던 거야. 그 배움으로 성공할 수 있었고, 그 배움이 주변의 적들에게 영향을 미쳤어. 기술도 발전시켰고. 이런 과정을 통해 성경을 외워서 지키게 된 거야. 어쨌든 나는 여기에 초점을 맞춰서 연구를 시작했어."

"그렇다면 유태인이 다른 민족보다 유난히 총명해진 이유가 뭘까?"

내가 질문했다.

"잠깐."

이타마르는 내 말을 막더니 약간 다른 방향의 견해를 내놓았다.

"나는 사실 유태인이 총명하다는 그 믿음이 어떻게 쌓여 온 건지 조사하고 싶었어. 그리고 너의 질문. 정말로 유태인이 다른 민족보다 더 총명한가? 여기에도 문제가 있어. 그 질문을 유태인 모두를 대상으로 일반화해서 생각하는 것에는 무리가 있지. 어떤 사회든 약자와 강자가 있고 선한 사람과 악한 사람, 총명한 사람과 우둔한 사람들이 있게 마련이니까. 기독교인, 회교도, 힌두교도 그리고 다른 종교인들이더라도 내가 아는 사람들 중에는 유태인 못지않게 총명하고 똑똑하고 성공을 거둔 이들이 많거든."

이타마르의 이야기를 듣고 나는 리프먼 선생님과 만났던 일을 떠올렸다.

"유태인에도 인종 차이가 있잖아. 어떤 유태인들로 대상을 규정해야 할까? 아슈케나짐(동유럽 유태인—옮긴이)? 세파라딤(아시아, 아프리카 계통 유태인—옮긴이)? 정통 유태교인? 무신론자 유태인들? 너무 다양하군. 이스라엘인, 미국인, 프랑스인…… 적어도 내 생각에는 누가 더 총명하냐는 질문은 큰 의미가 없는 거야. 나는 세계적으로 유태인을 왜 총명한 민족으로 인정하고 있는지가 흥미로워. 이런 믿음은 어떻게 생겨난 걸까? 이런 고정관념이 어떻게 만들어진 것인지가 더 재미있지. 아니 땐 굴뚝에 연기가 날 리 없으니까. 바로 이 점을 나는 알아보고 싶어."

그는 자신의 의견을 분명히 하고 다시 종이를 뒤적이며 중얼거렸다. 제롬은 탁자 아래 둘둘 말아 갖고 있던 스포츠 신문을 흘끔흘끔 내려다보았다. 가엾은 제롬은 우리의 대화가 재미없는 모양이었다. 그러다 문득 제롬은 내 시선을 느꼈는지 신문을 탁자 위에 올려놓았다.

"레알 마드리드가 루이스 피구 선수를 5,600만 달러에 영입했다는 기사 보았어?"

그는 우리에게 이 대화에 참여하지 않겠다고 선언하는 것 같았다.

"정말 대단한 결론이군."

나는 놀라서 말했다. 한편 이타마르는 눈을 들어 제롬을 무시하는 듯한 시선으로 바라보았다.

"우린 지금 정말 흥미로운 이야기를 하고 있는데 너한테는 그게 흥미로운 거야? 포르투갈 선수가 공차기로 수백만 달러를 번다는 이야기 말이야. 너에겐 지적인 면이라곤 조금도 없는 거냐?"

제롬은 씨익 웃었다.

"이타마르! 너도 포르투갈 선수 루이스 피구를 알아? 놀랍군."

이타마르는 겸연쩍은 듯 웃었다.

"그럴 수도 있지. 우연히 2000년도 유럽 월드컵 게임의 4분의 1쯤 보았거든."

그가 조용히 대답했다. 나도 역시 놀랐다. 나는 이타마르가 축구 경기를 생전 안 보는 줄로만 알았다. 그는 평소 축구에 관심이 없었으며 부정적이기까지 했다. 이타마르는 종이를 몇 장 넘기면서 자기 생각을 이야기했다.

"간단히 말해서 내가 알아낸 건, 유태인들은 자신들에게 힘을 불어넣어 주는 그 어떤 특별한 가치가 얼마나 중요한지를 알고 있어. 그 가치는 두려움, 질투심, 미움 그리고 놀라움 등 여러 측면에서 비롯되는데 세세한 통계는 나중에 다루기로 하지. 그래서 유태인의 총명한 두뇌를 둘러싼 신화에 대한 내 첫 번째 결론은, 세상에 유명한 유태인이 얼마나 많냐는 것이야. 이 점에 대해 생각해 봐. 이름만 들어도 여러 다양한 분야에서 세계적으로 재주 있는 유태인들이 많다는 것을 알 수 있으니까. 그들이 인류에 미친 영향이 무척 결정적이라는 것도. 모세, 스피노자, 프로이트, 아인슈타인, 카를 마르크스와 예수까지도 유태인이었지."

그때 제롬이 스포츠 신문을 읽다 말고 이야기를 꺼냈다.

"예수는 유태인 가운데 종교를 개종한 사람이니 무척 혁명적인 인물이라고 볼 수 있겠군."

"내가 리스트로 작성한 사람들은 유태인들 중에서도 가장 영향력 있는 사람들이야."

이타마르가 계속 이야기했다.

"하지만 유태인들은 거의 모든 분야에서 두각을 나타내고 있어. 문학에서는 요세프 아그논, 숄렘 알레이헴, 아이작 싱어, 프란츠 카프카, 아이작 아시모프, 필립 로트, 해롤드 로빈스 모두 유태인이야. 클래식 음악 부문에서는 아이샤 헤페츠, 이츠하크 펄만, 다니엘 바렌보임, 아이작 슈테른, 알터 루빈슈타인 그리고 더 많이 있지. 연예계에서도 존경받는 유태인들이 꽤 있어. 바브라 스트라이샌드, 빌리 조엘, 에릭 클랩튼, 사이먼과 가펑클, 폴 앵카, 게리 숀펠드, 재키 사이먼, 마르셀 마르소, 래리 킹, 데이비드 코퍼필드, 윌리엄 슈테너까지도 유태인이지."

"데이비드 코퍼필드도 유태인이야?"

제롬이 놀란 듯 물었다.

"우리 어머니께서 그 이야기를 들으시면 좋아하시겠군."

이타마르가 계속했다.

"영화계는 유태인들에게 점령당한 거나 마찬가지야. 영화계에서 누가 유태인인지 알고 있어?"

"그럼, 잘 알고 있지."

내가 대답했다.

"우디 앨런, 마르케스 형제, 더스틴 호프먼……."

"맞아. 이것 좀 봐."

이타마르는 자료를 넘기면서 말했다.

"스티븐 스필버그, 베트 미들러, 해리슨 포드, 율 브리너, 폴 뉴먼, 마이클 더글러스도 유태인이야."

"프랑켄슈타인."

눈으로는 신문을 읽으면서 제롬도 거들었다. 이타마르는 놀라서 제롬을 쳐다보았다.

"프랑켄슈타인?"

"그 이름도 유태인식 이름이잖아. 아닌가?"

제롬이 웃었다.

"그러자면 뽀빠이나 포켓몬도 유태인이겠네."

내가 큰 소리로 웃자 제롬이 고개를 저었다.

"무슨 소리야. 포켓몬은 일본 건데. 그 이름을 보면 알잖아. 피카츄, 기글리팝, 버터플, 그런 전통적인 이름은 명나라 때부터 시작되었다고."

"하지만 명나라는 중국 왕조인데."

나는 제롬의 말을 정정했다.

"산업 분야에서는 어떨까?"

이타마르는 다시 자료를 찾아보며 이야기를 계속했다.

"로칠드 가문, 라이흐만, 에스티 로더, 맥스 팩터, 조지 소로스, 랄프 로렌, 리바이스의 창립자인 스트라우스, 벤 코언과 게리 그린필드, 프랑스 자동차의 대명사인 시트로엥, 리스트가 넘칠 정도로 많지."

"키신저도 유태인인데."

문득 내가 기억해 냈다.

"맞아. 정치에서는……."

이타마르는 메모를 내려다보았다.

"그래, 키신저. 디즈데일리도 유태인이었어. 오스트리아의 브루노 카레이스키도. 프랑스 수상이었던 피에르 만데스, 그 외에도 얼마든지 있지."

"내 기억으로 뽀빠이는 아마 루마니아 사람이었지?"

제롬이 말했다.

"그 이름은 루마니아 이름인 포페스쿠에서 따온 거야."

우리는 모두 함께 웃었다.

여종업원은 우리가 주문했던 커피를 가지고 와서 각자의 앞에 나누어 주었다.

"유태 민족은 축복받은 재능을 갖고 있는 게 확실해."

내가 결론을 지었다.

"유명한 유태인들의 이름을 나열해 보면 유태인 두뇌에 대한 신화가 어떻게 생겨난 건지 쉽게 이해될 것 같은데. 어느 분야든지 유태인들이 없는 곳이란 없잖아."

"나는 그렇게 생각지 않아. 내가 내린 결론은 그것과는 조금 다르거든."

이타마르는 탁자 위에 자료를 펼치면서 우리에게 물었다.

"너희들은 뉴턴, 코페르니쿠스, 마하트마 간디, 레오나르도 다 빈치, 미켈란젤로, 에이브러햄 링컨과 모하메드의 공통점이 무엇이라고 생각해?"

"모두 런던에 있는 거리 이름 아닌가?"

제롬이 말했다.

"그들 모두 유태인이 아니라는 게 공통점이야."

나는 이타마르의 말뜻을 알 수 있었다.

"그들 중 단 한 사람도 유태인이 아니었어."

이타마르는 그 말을 다시 되뇌었다.

"그렇지만 그들 한 사람 한 사람은 각 분야에서 인류에 큰 업적을 남겼지. 자기들의 분야에서. 그렇다면 우리가 가진 유태인들의 명단과 어떤 차이가 있는 걸까?"

제롬은 그제야 신문을 접어 탁자 위에 내려놓았다. 이타마르는 말했다.

"더 깊이 있는 연구를 할 필요없이, 유태인이라고 해서 그 재능이 눈에 띄는 것이 아니라 재능을 가진 사람 가운데 유태인이 눈에 띄는 거야. 솔 벨로라는 작가가 유태교에 대해 질문을 받은 적이 있는데 그는 이렇게 빈정대듯 대답했더군. '나는 내가 유태인이란 걸 잘 알고 있습니다. 그리고 나는 미국인이면서 작가입니다.' 이렇게 말야."

이타마르는 그의 말을 바꾸어 보았다.

"다시 말해서 재능 있는 유태인은 어느 분야에서든 눈에 띈다는 거야. 재능이 있으면서 동시에 유태인이기 때문이지. 그 어느 누구도 천재 물리학자 스티븐 호킹을 가리켜 '저 사람이 천재 기독교인 과학자예요.' 라고 말하지 않아. 기독교인과 재능은 별 관계 없다고 생각하기 때문이야. 그러나 유독 유태인들에게는 그렇다는 거지."

"그 말이 맞아."

제롬이 동의하면서 웃었다.

"진부한 사실이지. 인구에서 차지하는 비율과는 관계없이 유태인을 별다르게 보는 거야. 그래서 유태인은 똑똑하다는 그런 믿음이 계속되는 거야."

"인구 비율과 관계없다는 게 무슨 뜻이야?"

내가 물었다.

"그건 간단해. 미국, 영국, 이탈리아에 사는 보통 사람들에게 전 세계의 유태인 인구가 얼마나 될 것 같냐고 물어봐. 몇 백만 정도 될 거라는 답을 들을 수 있을 거야. 전 세계 인구의 15퍼센트 정도 된다고 말하는 사람도 있을 것이고 50퍼센트에 이른다고 이야기할 수도 있겠지."

그는 이렇게 설명했다.

"아니야, 그렇게 과장하지 마. 50퍼센트까진 아니지. 나는 전 세계 인구의 10~15퍼센트 정도가 유태인이라고 생각하는데."

제롬이 말했다.

"역시 제롬도 그렇게 생각하지?"

이타마르가 기뻐하며 소리쳤다.

"우리도 균형 감각을 잃고 있는 거야."

이타마르가 넘기던 자료 속에서 「통계학」이라는 제목이 보였다. 그가 그 내용을 읽어 주었다.

"자료에 따르면 2001년 유태인 인구는 전 세계 60억 인구 중 총 1,400만이었어. 이것은 전 세계 인구의 0.25퍼센트에 불과해. 10퍼센트도 15퍼센트도 아닌 0.25퍼센트란 말야. 고작 그 정도야. 이게 이 지구에 존재하는 유태인의 수야."

"흥미롭군."

"놀라운걸."

나와 제롬이 거의 동시에 말했다.

"우주에 나가 있는 러시아계 유태인의 숫자도 포함된 건가?"

"물론이지. 지난주에 태어난 내 조카딸도 포함된 숫자야."

이타마르가 넘기는 자료 속에서 통계 숫자가 가득 적힌 노란 별지가 나왔다.

"사실 통계로만 따지면, 유태인의 인구가 적은 데 비해 재능 있는 사람의 비율은 다른 민족에 비해 무척 높은 편이야."

이타마르는 준비해 온 내용을 우리에게 나누어 주었다.

"『과학의 역사』라는 저서에서 조지 새튼은 14세기까지의 과학에 대해 연구하고 있어. 주로 중세에 대해 연구했는데 그 시기의 과학적이고 지적인 발달뿐 아니라 문화와 인종이 다른 그룹이 이룩한 업적의 가치를 비교했지. 그 전문 분야는 교육, 기술, 수학, 물리, 화학, 의학 등이었어."

"교수는 없어?"

제롬이 끼어들었다.

"물론 그것도 포함해서."

이타마르는 잘못을 들킨 아이처럼 얼굴이 빨개졌다.

"간단히 말해서…… 그 시기에 전 세계를 이끌던 과학자 중 17.6퍼센트가 유태인이었다는 거야."

이타마르가 요약했다.

"그 시기에 전 세계에서 차지하는 유태인의 비율은 어느 정도였지?"

"1퍼센트였어."

내 물음에 이타마르는 기다렸다는 듯이 대답했다.

"라파엘 프타이 교수가 쓴 책에 그렇게 나와 있는데. 새튼은 그 내용에 대해서는 언급하지 않았어. 다시 말해서 그 당시 유태인 과학자들의 숫자는 유태인이 아닌 과학자의 18배였다는 거야. 유태인 과학자들이 세계 여러 나라에서 어떤 업적을 남겼는지를 비교해 보면 더욱 놀라워. 스페인의 경우를 볼까?"

이타마르는 줄기차게 말을 이었다.

"중세 스페인에서는 훌륭한 과학자들 가운데 41퍼센트가 유태인이었어. 그 당시 유태인의 숫자는 스페인 전체 인구의 2.7퍼센트를 차지했지. 스페인의 유태인 과학자 수는 비유태인 과학자의 25배가 될 정도로 높은 숫자였다고 해."

"유태인의 전성기였군."

이 시기의 역사는 그렇게 제목을 붙여도 좋을 것이었다. 이타마르는 다시 자료를 넘겼다. 그는 우리에게 새로운 자료를 돌렸다. 제롬에게 자료를 주면서 그는 말했다.

"제롬, 우리에게 이 자료를 읽어 주고 너는 이 내용을 어떻게 이해했는지 말해 주겠어?"

제롬은 자료를 받아다가 소리 내어 읽기 시작했다.

"1819년에서 1935년, 유태인들은 독일 경제 활동의 20퍼센트를 움직이고 있었다. 그들은 독일 전체 인구의 1퍼센트도 되지 않았다. 1952년 하버드대학 학생 중 24퍼센트, 코넬대학의 23퍼센트, 프린스턴대학의 20퍼센트가 유태인이었다. 미국 전체 유태인의 수는 미국 인구의 3퍼센트밖에 되지 않았다. 이것만 보면 각국의 주요 부문에서 유태인이 차지하는 비율이 무척 높다는 걸 알 수 있다."

그는 읽다가 지루하다는 듯 손가락을 흔들기 시작했다.

"재산이 10억 달러쯤 되는 미국인 가운데 3분의 1이 유태인이군.

미국을 이끄는 저명한 대학의 교수 중 20퍼센트가 유태인이기도 하고. 미국의 변호사 사무실 중 40퍼센트가 누구의 것일까? 알아맞혀 봐. 힌트 줄까? 불교도도 힌두교도도 아니야."

제롬은 자료를 손에서 내려놓았다. 탁자 아래로 자료가 떨어졌으나 굳이 잡지 않았다.

"뭐야?"

이타마르가 말했다. 나도 제롬의 무관심한 듯한 태도가 답답했다.

"너는 이 주제의 결론을 짓자는 거야, 어떻게 하자는 거야? 진지하게 대답 좀 해 봐."

제롬은 놀랍다는 듯 우리를 번갈아 바라보았다.

"왜들 그래?"

그는 다시 자료를 주워다가 신경질적인 목소리로 말하기 시작했다.

"음, 내 생각엔."

그러나 입이 잘 떨어지지 않는 것 같았다.

"그러니까 이 자료의 결론은…… 이렇게 내릴 수 있어…… 자, 어디 한번 볼까…… 실은 별로 새로운 사실은 아니지만."

그는 갑자기 몸을 똑바로 세워 앉았다.

"가톨릭 교인 중 45퍼센트가 『해리 포터』책을 읽기 좋아하고 전 세계 회교도인 중 17퍼센트가 휴가를 다녀오지 않았다고 해. 아일랜드인의 22퍼센트가 기네스 맥주를 마시고 영국인들의 15퍼센트가 펑크족이라고 해. 그런데 유태인들은 다르지. 무척이나 총명하고 성공적이고 멋진 데다 활력이 넘치고 원동력이 있어."

그는 실망스러운 듯 웃었다.

"사실 이 자료들은 전혀 의심할 여지없이 내가 그저 단순한 유태인이 아니라는 것을 증명해 주는 거야. 왜 이들 유태인들이 억만장자인지 설명할 순 없지. 반면 나는 평범하게 생활비를 벌면서 방 두 개짜리 아파트에서 만화 잡지를 구독하며 살고 있지.”

뒤섞여 있는 자료 밑에서 나는 스포츠 신문을 꺼내 제롬에게 건네주며 말했다.

“계속 읽어 봐, 친구.”

“다 읽었어.”

“피구 선수에 대해 다시 읽어 보라고.”

나는 그를 보고 웃으면서 말했다.

“분명 네가 이해하지 못한 부분이 있을 거야. 이 주제는 너에게 별 도움이 되지 않는 내용인 것 같아.”

제롬은 신문의 한 면을 펼쳐서 소리를 내어 읽기 시작했다.

“펜싱 선수로 선발된 사람이 덴마크에 있는 훈련소에 갔다는군.”

“그것 봐. 벌써 재미있는 기사를 찾았잖아. 적어도 통계나 확률과는 전혀 관계없는 내용이잖아.”

이타마르도 조금 전에 있었던 일들은 아랑곳하지 않고 웃었다. 그가 손짓을 하자 여종업원이 곧 우리에게로 다가왔다.

“콜라 주세요.”

“네.”

그녀는 대답하고 나서 나와 제롬에게 물었다.

“주문하시겠어요?”

“아, 아뇨.”

“하이네켄.”

제롬이 재빨리 말했다.

"하이네켄은 유태인이 아니었어. 내가 알기로는……."

이타마르가 말했다.

종업원이 탁자 위에 놓인 컵을 정리할 때 우리 셋은 탁자로부터 조금 떨어져 앉았다.

그녀가 가고 나서 이타마르는 깍지 낀 손가락을 머리 위로 쭉 뻗어 올렸다. 그러고 나서 무언가 생각난 듯 갑자기 자기 가방을 들어 올렸다. 제롬은 신문을 읽고 있었다.

"어디 갔더라?"

그는 중얼거리면서 가방을 뒤지다가 새로운 자료를 꺼냈다.

"여기 있군. 다른 놀라운 자료를 보겠어?"

나는 고개를 끄덕였다.

"그래. 뭔데 그래?"

"노벨상."

"그게 왜?"

"노벨상은 1년에 한 번 전 세계인을 대상으로 재능이나 능력이 탁월한 사람들에게 주는 것 맞지?"

"나도 그렇게 알고 있는데."

"만일 지적 능력이 뛰어난 엘리트 그룹이 노벨상을 받을 수 있다고 가정한다면, 유태인은 지금까지 얼마나 많이 노벨상을 수상했는지 살펴보는 것도 의미가 있겠지?"

"그럼, 그렇고말고."

내가 대답했다.

"수상자는……."

이타마르는 자료에 희미하게 나타난 부분을 가리키며 말했다.

"1901년 이후 노벨상 수상자는 모두 270명이야. 그중 유태인이 몇 명일 것 같아?"

그는 거의 속삭이듯이 말했다.

"122명이야. 전체 수상자의 45퍼센트라고. 놀랍지 않아?"

"뭐가 놀라워?"

문득 제롬은 머리를 들어 우리를 쳐다보았다. 이타마르의 목소리가 너무 작아서 우리 얘기를 놓친 모양이었다.

"믿을 수 없어."

나는 조금 과장된 목소리로 말했다. 이타마르는 고개를 끄덕였다.

"나도 결과가 이렇게까지 나올 줄은 몰랐어."

"왜? 지금 무슨 이야기를 하고 있는 건데?"

제롬이 마침내 신경질을 냈다.

"그 펜싱 선수는 언제 돌아와?"

내가 제롬에게 물었다. 그는 그제야 자기를 놀린다는 것을 깨달았다. 이타마르가 대신 대답했다.

"노벨상 얘기를 하는 중이었어. 노벨상을 받은 유태인이 무척 많다는 얘기 말야. 이 사실은 널리 홍보도 되어 있어. 이것도 유태인의 두뇌 신화를 만들어 내는 데 중요한 요인이 되니까."

이타마르는 자료를 보면서 계속 이야기했다.

"그리고 어느 분야에서든 상당히 눈에 띄는 역할을 해 왔지. 중요하고도 다양한 분야에서 자기들의 업적을 이룩한 거야. 이건 미국의 방송 분야에 대한 건데……"

그가 다른 자료를 보여 주었다.

"주의 깊게 살펴봐. 할리우드에 있는 주요 스튜디오들, 그러니까

디즈니, 유니버설, MCA, 터치스톤, 캐러밴 등은 마이클 아이재너가 경영을 하고 있어. 데이비드 게펜, 스티븐 스필버그, 제프리 카첸버그 등에 의해 영화사가 움직이는 거지. 미국에 있는 3개 방송사 ABC, CBS와 NBC도 유태인들에 의해 움직이고 있어. 신문사도 마찬가지야. 타임스, 뉴스위크, 워싱턴 포스트, 뉴욕 타임스, 월스트리트 저널의 경영인도 유태인이야. 그곳에서 일하는 편집인들은 말할 것도 없고. 또 유태인들은 거대한 음악 회사도 경영하는 데다 라디오 방송국, 출판사, 그 외에도 많은 곳이 있어. 간단히 말해서 온 세상이 글로벌화되면서 방송은 우리의 삶과 생각에 지대한 영향을 미치고 있잖아. 그래서 결국 유태인들은 삶의 여러 분야에 크게 영향력을 행사하고 있다는 거지."

이타마르는 미소를 띠며 이야기를 요약했다. 나는 입술을 오므리며 말했다.

"그건 마치 반유태주의를 선동하는 것처럼 들리는걸."

"네 말이 맞아."

이타마르가 소리치면서 양손을 마주쳤다.

"인터넷에서 반유태주의에 대한 내용을 뽑아 왔어."

"그 내용이 어떤 건데?"

"반유태주의가 유태인 두뇌에 관한 신화를 만드는 세 번째 이유야. 자료를 정확히 보면서 시작해 볼까. 수많은 유태인들이 미국의 언론 분야에 종사하고 있어. 그건 사실이야. 문제는 반유태주의 조직이 내놓는 유태인에 대한 해석과 결론이 왜곡되어 있다는 거야. 역사적으로 볼 때 유태인을 싫어하는 사람들은 사회적으로 유태인은 위험하다는 분위기를 조장하고, 또 그것을 퍼져 나가게 하는 데 성공하지. 세계를 자기 손아귀에 넣고 흔들기 위해 유태인에 대한 음모론을 만들어 퍼뜨리는 거야. 이런 일이 생기면 유태인들은 어떻게 하는 줄 알아? 그럴 때야말로 유태인 두뇌의 힘을 빌리는 거야. 유태인을 싫어하는 사람들은 그것을 일종의 '작전'이라고 하지."

"사실 그렇게 많은 유태인들이 언론에서 중요한 위치를 거의 다 차지하고 있다면 쉽게 큰 영향을 미칠 수 있을 텐데."

"나는 그렇게 생각하지 않아."

이타마르는 내 생각에 반대했다.

"왜 그렇지 않지? 이봐, 언론은 우리를 세뇌시키잖아. 유태인들이 언론을 지배하고 있고. 더 이상 어떤 논리적인 결론을 내릴 수 있겠어? 유태인들은 우리의 머리도 지배할 수 있다는 거야. 이성적이고 논리적이지 않아?"

나는 내가 내린 결론에 나름대로 만족하며 말했다. 이타마르는 손을 흔들면서 그게 아니라는 듯 머리를 흔들고는 말문을 열었다.

"첫째, 그렇게 말하는 건 별로 자존심 없어 보이는걸."

이타마르는 나를 똑바로 쳐다보며 말했다. 순간 나는 기분이 조금 나빠졌다.

"둘째, 극장의 영화나 텔레비전 프로그램에 유태인들이 전도하려는 사상이 감춰져 있거나 드러난다고 생각해? 아니면 그것들이 유태인의 가치 기준을 너한테 세뇌시키려고 노력하던가? 나는 그런 장면은 기억나지 않는데."

그 말에 나는 재빨리 예를 들었다.

"예를 들어 스티븐 스필버그가 만든 「ET」에서는 '민얀'이라는 유태인의 아침 기도 모임 장면이 나왔고, 클린트 이스트우드는 「서부의 황야」에서 바에 들어갈 때마다 메주자(성경 말씀을 넣은 장식품으로 문설주 오른편에 단다.——옮긴이)에 입을 맞추곤 했어. 그리고 그가 해가 지는 황야를 말을 타고 달리면서 기도문을 중얼거리는 걸 본 적도 있어.”

“나는 조지 클루니가 영화 속에서 환자의 팔에 트필린(유태인 남자들이 기도할 때 사용하는 성경 말씀을 넣은 상자와 끈——옮긴이)을 묶어 주는 것을 본 적 있어.”

제롬이 대화에 끼어들었다. 이타마르가 대꾸했다.

“나는 그게 혈압기인 줄 알았는데. 하도 비슷하게 생겨서.”

이타마르는 자료를 가방에 집어넣고 나서 숟가락으로 탁자를 두드리며 힘주어 말했다.

“어쨌든 유태인들이 할리우드를 지배한다는 말은 맞는 말이야. 그렇지만 유태교가 할리우드를 지배하지는 않아.”

“그걸 다른 사람들에게도 이해를 시켜야 하는데.”

제롬이 말했다.

“노력을 해 봤지만 그리 쉽진 않아.”

“미안, 잠깐 화장실에 다녀올게.”

제롬이 자리에서 일어났다. 이타마르는 자료를 정리해서 내 앞으로 밀었다.

“앞으로 집필할 책의 첫째 장을 위해 주는 거야.”

나는 자료를 받아서 오늘 아침에 산 호밀 빵이 들어 있는 비닐봉지에 넣었다.

“유태인 두뇌 신화가 만들어진 원인이 세 가지라는 데에 우리가 모두 동의한다면……”

이타마르가 요약하기 시작했다.

"유명한 유태인들은 여러 분야에서 실제적인 영향력을 행사하고 있어. 통계학적으로도 유태인은 적은 인구 수에 비해 무척 영향력이 높다는 것을 알 수 있지. 또한 반유태주의도."

나는 이 이야기를 냅킨에 빠르게 받아 적었다. 그는 덧붙였다.

"더욱 흥미로운 것은, 사람들은 유태인들이 성공하는 것이 그들의 지적 능력과 관계가 있다고 생각하는 거야."

"논리적인 생각 아닌가?"

나는 의아했다.

"또 다른 원인도 있어. 이른바 동기라는 것이지. 하지만 유태인들은 정말 그들의 지적 능력으로 성공할 수 있는 그런 좋은 은총을 특혜로 받았는지도 모르지. 너무 많은 요인들 때문에 유태인은 적대받아 왔고, 행운이란 좀체 없었으니까 그들은 어떤 식으로든 그 '체제'를 이겨 나가야만 했지. 네가 처음에 유태인들이 다른 민족보다 더 똑똑하냐고 질문했던 것 생각나? 그에 대한 내 대답은 '아니'야. 유태인이라고 더 총명하지 않았어. 하지만 겉으로 드러난 걸 보면 확실히 다른 사람들과는 달리 현명하고 똑똑해 보이지. 이 부분이 바로 우리 연구의 다음 단계야. 유태인들이 기본적으로 특별한 지혜가 있었다면, 지능을 계발하는 데 사용했던 기술이 좀 예외적이었다는 데에 있지."

이타마르는 셔츠 주머니에서 작은 수첩을 꺼내며 웃었다.

"자, 시작해 볼까."

"뭘?"

나는 그가 너무 쉽게 원래 주제로 다시 돌아온 게 놀라웠다.

"기본 원리 얘기야."

나는 그 말뜻을 이해하려고 한동안 이타마르를 쳐다보았다.

"기술 계발 전에 기본 원리가 있어."

그는 되풀이해서 말하며 나를 바라보았다. 나는 조용히 그를 마주 보았지만 그는 아무 설명도 하지 않았다. 나는 약간 답답해졌다.

"다시 말해 줄래? 세 번쯤 말하면 이해할 수 있을 것도 같은데."

"이해가 안 돼? 예를 들어 컴퓨터를 산다고 치면, 사기 전에 미리 다루는 법을 익히잖아. 그런 것처럼 먼저 일반적인 내용을 배워야 하지 않겠어?"

침묵이 흘렀다. 나는 아무래도 잘 이해할 수 없었다. 제롬은 사소한 것조차 뒤늦게 이해하는 데 선수지만, 이타마르는 이따금 설명이 필요한 단계를 건너뛰는 재주가 있다. 그는 타인의 능력과 이해력을 굳게 믿는 경향이 있다.

"그럼 그 기본 원리란 것에 대해 말해 보지 그래?"

내가 되물었다. 그가 예를 들어 주었으나 나는 여전히 이해하지 못한 상태였다. 그는 이어서 말했다.

"유태인에게는 그들만의 행동 양식이나 사고방식, 또는 뭔가 특별한 것이 있을 거야. 다른 민족에게는 없는 어떤 장점이 주어졌을 거라고."

"그럴지도 모르지. 그런데 어디서 그걸 알아내지?"

"알아낼 필요없어. 그걸 지금 우리가 생각하고 있는 중이니까."

우리는 잠시 말없이 앉아 있었다. 나중에는 지겨워졌다. 나는 좌절해서 말했다.

"이 주제에 대체 어떻게 접근해야 할지 모르겠어. 머릿속에 전혀 생각이 떠오르지 않는걸."

그러는 사이 제롬이 화장실에서 돌아와 탁자 옆에 자리를 잡고 앉으며 물었다.

"이번엔 또 뭐가 고민이야?"

"유태인과 다른 민족의 차이점을 찾아내려고 머리를 싸매는 중이야. 유태인들의 지능이 왜 뛰어난지를 설명할 수 있는 근거를 찾으려는 거야."

제롬은 손을 깍지 끼고 머리를 흔들며 말했다.

"할례를 하잖아."

"아!"

이타마르는 천천히 머리를 끄덕거렸다.

"그게 유태인들의 지적 능력과 뭐가 관련이 있을까?"

제롬은 눈을 감았다. 아마도 실제의 경험을 바탕으로 답을 찾으려고 노력하는 모양이었다. 그러다가 갑자기 눈을 뜨더니 말했다.

"장애인의 경우와 같아. 한 기관을 다치면 신체의 다른 부분이 그 부분의 기능을 대신하려는 것 말이야. 예를 들어 맹인은 후각이 발달한 것과 같은 거 아닐까?"

침묵이 흘렀다. 우리는 제롬이 농담을 한다는 것을 알고 있었지만 오늘처럼 어린애같이 군 적은 없었다.

"그렇다면 너는 할례를 했는데 왜 신체의 어느 다른 부분도 아무 보상을 받지 못한 거야?"

이타마르는 내내 이 문제로 고심하는 듯이 보였다. 그렇게 15분이 지나는 동안 우리는 인간의 신체, 의복, 제롬의 유치한 셔츠, 이스라엘 펜싱 선수뿐 아니라 평상시에는 잘 떠오르지 않는 화제에 대해서까지 이야기를 나누었다. 그러면서 커피를 한 잔씩 더 마셨다. 시간은 벌써 12시 30분이었다. 오늘은 이쯤 해 두기로 했다.

밖으로 나오는 길에 이타마르는 문득, 유태인들이 가진 지적 능력의 원천에 대해 첫 번째 원리조차 아직 찾지 못했다는 것을 떠올렸다.

"할례 말고도……."

그는 허공을 바라보며 말했다.

"너희들은 유태인들이 어떤 점에서 남다르거나 특별하다고 생각해?"

"유태인들은 배가 고파!"

내가 말했다. 점심 식사 시간이 가까워진다는 신호인지 뱃속에서 꼬르륵 소리가 나고 있었기 때문이다.

"난 심각하게 묻는 거야. 다음 주에는 그 남다른 능력의 원리에 무엇이 있는지 이야기하도록 하자."

"그래, 원리는 다음 주에 찾자고."

"뭔가 작은 거라도 좋으니 좀 생각해 봐."

이타마르는 거의 애원하듯이 말했다.

"어쩌면 유태인들은 뭔가 색다른 걸 이루었는지도 몰라. 유태인이 뭘 발명했지? 뭐 좀 특이한 것 말야. 어떤 게 있을까?"

"유태인은 베이글 빵을 만들었어!"

제롬은 배고픔을 참지 못한 듯 이야기했다.

"아니, 좀 진지하게 말해 봐."

그때 문득 이런 목소리가 끼어들었다.

"그들은 하느님을 발명했지요."

말하면서 다가온 사람은 카페 주인 파비오였다. 우리 셋은 그를 쳐다보았다. 그는 우리가 무슨 주제로 이야기하는지 눈치를 챈 것 같았다. 의아해하는 우리를 보며 그는 이타마르에게 이렇게 말했다.

"여러분은 유태인들이 무엇을 발명했으며 그들의 지적 능력이 어디서부터 비롯되는지 알고 싶은 거죠. 맞습니까?"

그는 아르헨티나 억양이 섞인 말투로 물었다.

"네, 맞아요."

이타마르가 놀라서 말을 더듬었다.

"그 문제로 이렇게 오랫동안 이야기를 나눈 건가요?"

우리 셋은 잘못을 하다 들킨 아이들처럼 머리를 끄덕였다. 한순간 나는 조금 민망해졌다. 펜싱 선수 얘기를 계속하는 편이 차라리 덜 부끄러웠을지도 모른다.

"유태인들에게는 넘치는 상상력이 있어요."

파비오는 카운터 뒤에 서서 말했다.

"하느님이 언제 어디서나 존재한다는 것은 분명합니다. 그분이 우리를 창조하셨지요. 그 전의 사람들은 파라오와 우상을 숭배하기도 했어요. 그러나 유태인들은 아니에요. 그들은 좀 남다른 생각을 했지요."

파비오는 두 손을 모았다.

"내 생각에 유태인들은 무언가 '추상적인 것'을 믿은 최초의 사람들입니다. 거기서부터 모든 게 시작된 겁니다."

나는 밝게 미소 지으며 이타마르를 바라보았다.

"바로 그거야!"

제롬은 우리 둘을 얼싸안으며 행복한 목소리로 말했다.

"어째서 우린 그걸 미처 생각 못했을까? 유태인이 하느님을 발명했다는 것 말이야!"

유태인식 상상력 "불가능을 꿈꿔라"

불가능해 보이는 목표라 할지라도, 그것을 꿈꾸고 상상하는 순간
이미 거기에 다가가 있는 셈이다. 상상력은 생존의 힘이다.

1주일이 빠르게 지났다. 우리는 카페 라디노를 향해 걷고 있었다. 문가에 서서 우리를 보고 인사하는 파비오가 먼발치에서 보였다. 그 모습이 마치 우리를 기다리고 있는 것처럼 보여서 상당히 부담스러웠다.

"파비오가 어떻게 우리가 만나는 시간을 알고 있지?"

제롬이 놀라서 말했다.

"내 기억으로는 2년 전부터 쭈욱 저래 왔는걸."

이타마르가 이렇게 말했다. 우리 셋은 파비오에게 손을 흔들어 주었다.

"괜히 우리가 정년 퇴직한 삼 형제 같다는 생각 들지 않아?"

"그래, 맞아."

내가 동의했다. 그러자 제롬이 목소리를 높였다.

"미안하지만 말야. 주말에는 아이들과 가족 시간을 보내느라고 금요일 오전에 만나는 거잖아. 양로원의 노인들처럼. 보통 사람들은 저녁에 만나는데."

"문제는, 제롬은 보통 일을 밤 11시에 시작해서 새벽 3시에 마친다는 거야. 제롬의 사전엔 아침이란 낱말은 없잖아."

"내가 보통 사람이기 때문이지."

그가 거드름을 피우며 말했다.

"보통 사람들은 아침에 일하기 시작해."

"나는 그들보다 더 많이 일한다고. 나도 사업가야. 사무실이랑 비서가 있다니까. 너희들은 없잖아."

"너의 사무실은 《내셔널 지오그래픽》에 실릴 만한 곳이야. 이국적이잖아. 어느 누구도 지나간 흔적이 없는 데다, 사람이 발 들여놓을 틈조차 없을 정도잖아."

이타마르가 웃음을 터뜨렸다.

"아무도 네 비서를 본 적이 없고 말야."

제롬이 더 변명할 이야기를 꺼내기 전에 파비오가 다가와서 우리와 악수를 했다.

"어떻게 지냈습니까? 자, 들어오세요."

파비오는 우리를 맞이하는 게 즐거워 보였다. 이타마르가 앞장서서 들어가다가 내게로 얼굴을 돌리고 물었다.

"지난주에 팁을 너무 많이 준 거 아냐?"

"그래서 저러는 것 같지는 않은데."

제롬이 걱정스러운 얼굴로 말했다.

"내 생각으로는 파비오도 유태인 두뇌의 신화에 얽힌 비밀에 관심이 많아서 이렇게 적극적으로 나오는 것 같아."

제롬의 말이 옳았다. 카페에 들어가자 파비오는 우리가 지난주에 멈췄던 부분부터 바로 이야기를 꺼냈다.

"유태인들이 하느님을 발명했다는 이야기 기억해요?"

우리 셋은 조용히 머리를 끄덕였다.

"뭘 마실 건가요?"

그렇게 물으면서 파비오는 네 번째 의자에 자리를 잡고 앉았다. 이날 결과적으로 파비오 덕분에 보람 있는 시간이 되었다. 우리는 유태인의 지성에 숨겨진 첫 번째 원칙을 발견한 것이다.

"수천 년 전 광야에서 한 부족이 떠돌고 있었지요."

파비오가 연극의 첫 막을 여는 내레이션처럼 말문을 열었다.

"시간이 흘러 그 부족이 큰 유태 민족이 되었습니다."

파비오는 경제적으로 수지가 더 맞을 만한 매혹적인 카페를 열기 전에, 대학에서 철학을 공부하고 조교 생활도 했다고 한다. 그런 과거가 있어서인지 그는 지금도 여전히 지성적인 대화를 좋아했다.

"유태 민족에게는 광야에서 살아가면서 따라야 할 지도자와 율법이 있었습니다. 그 민족은 일이나 사회적인 면에서 그들 주변에 있는 다른 민족과 유기적인 관계에 놓여 있었고요. 유태 민족은 다른 민족과 문화와 예술 면에서 서로 차이가 있었어요. 그럼에도 한 가지 점에서는 같았는데, 그것은 자신들의 삶과 죽음과 우주를 지배하는 초월적인 힘이 있다는 사실을 믿는 것이었습니다. 모든 민족들에게는 파라오나 그 밖의 다른 우상이 있었지요. 유태인들은 그것을 보고 이런 식으로 이야기를 나누었을지 모릅니다.

'공터에서 가나안인들의 새로운 신을 보았나?'

'아니. 그게 어떻게 생겼는데? 그 신에게는 어떤 기능이 있는데?'

'그는 대지를 풍요롭게 하고 비를 내리게 하며 머리의 이와 충치를 비롯하여 청년들의 당뇨병에 효과가 있어.'"

우리는 여기까지 듣고 웃었다. 파비오는 강사를 했다면 꽤나 인기가 있었을 것 같았다.

"기본적으로 유태인들은 우상 숭배라는 개념이 불편했던 겁니다."

그는 계속 말을 이었다.

"또한 유태인들은 하느님이 자신들에게 특별하고 대단한 힘이 된다는 것을 믿었습니다. 그뿐 아니라 유태인과 이교도들의 신들 사이에 가장 눈에 띄게 다른 점이 있다면, 그때나 지금이나 예외적이고 형태를 규정할 수 없다는 점입니다. 유태인들의 하느님은 구체적이지 않지요. 모습이나 색, 냄새가 없고 볼 수도 만질 수도 없습니다. 다만 그 실체를 상상해 볼 수밖에 없었지요. 이것은 실로 어려운 과제였습니다. 로마인과 그리스인들처럼 발전된 민족들도 구체적으로 그림이 그려지는 신을 믿었고, 다른 민족의 신들도 쉽게 믿을 수 있는 그 무엇이었거든요. 그러한 신들은 눈에 보이는 '사실'과 같았고, 보이는 대로 존재했습니다. 보이지 않는 것은 존재하지 않았지요. 얼마만큼의 지능과 창조적인 수준에서 추상적인 하느님을 받아들일 수 있을지, 여러분도 한번 생각해 보십시오. 그는 모세에게 가시덤불이 타는 모습을 보여 주셨습니다. 그러나 그는 가시덤불도 불도 아닐 뿐더러 그것을 뛰어넘는 그 무엇이죠.

그는 어떻게 생겼을까, 그의 특징은 무엇이고 정확하게 어떤 분일까? 유태인들은 이런 생각에도 불구하고 그 존재를 믿기로 했습니다. 그러자면 꼭 필요한 것이 상상력이었죠. 타민족들은 이런 유태인들을 조롱하고 경멸했습니다.

'대체 어떤 하느님을 모시기에 눈으로 볼 수 없다는 거지?'

그러나 유태인들은 그들이 아무리 무시하고 회의적인 태도를 보여도 그에 맞서 싸우면서 눈을 감고 하느님께 기도했습니다. 그들의 상상 속에 있는 하느님께 말이죠. 그리고 상상 속에서 하느님의 모습과 특징을 머릿속에 구체화했습니다. 그러면서 그 모습을 머릿속에 떠오르게 해 주신 초월적인 힘에게 기도를 올렸지요. 마침내 그들은 그것이 진실이라는 것을 알게 되었습니다. 그 초월적인 힘이 하느님이시라고요. 그 어느 누구도 눈에 보이는 하느님이 진짜라고 말하지 못한다고요."

여기까지 이야기한 파비오는 이런 질문을 우리에게 던졌다.

"그리고 수천 년이 흘렀습니다. 세계 3대 종교가 유태교의 특징인 유일신 사상을 받아들였어요. 초월적인 힘은 인간의 상상을 한 꺼풀 벗기는 힘이 있죠. 하느님을 믿는 사람이라면 기독교인이나 유태교인, 회교도인 모두 내 말뜻을 잘 알 거예요. 하느님을 생각할 때 어떤 형상이 떠오르나요? 좋든 싫든 무언가가 눈앞에 떠오르지 않습니까?"

"그래요."

내가 대답했다.

"나는 돌아가신 할아버지가 떠오릅니다. 이유는 왠지 모르겠어요. 하느님이란 단어를 생각하는 순간 그런 단순한 형상이 뿌옇게 떠오르거든요."

"이타마르, 당신은 어때요?"

이타마르는 자기 뇌에 명령을 내리듯이 눈을 감고 있었다.

"하느님……."

그러다가 입을 열었다.

"내가 생각하는 하느님은, 구름으로 만들어진 형상이고 흰 수염이 있는 남자인데 무척 인상적으로 생겼어요."

"제롬, 당신은요?"

제롬은 파비오를 쳐다보더니 허공에 대고 손짓하며 말했다.

"나는 공기 중에 떠 있는 형상이 보여요. 움직임이 있는 그 형상은 유연하게 공중에서 떠돌아다니지요. 손을 머리 뒤에 두고 있어요. 절제된 동작으로. 그리고……."

제롬의 결론은 알 만했다.

"관중들의 환호를 받으며 골대에 골을 넣는군요."

그는 주먹을 쥐고 한쪽 손바닥을 치면서 둥근 원을 그려 보였다.

"농구 선수 마이클 조던 얘깁니다."

나는 다른 사람들이 알아들을 수 있도록 얘기했다.

"카발라(유태교 신비주의 ─ 옮긴이)에서는 다양한 감각을 사용해서 하느님을 글자나 색으로 생각하기도 합니다. 그것은 하느님을 특정한 형상으로 대하는 것을 금했기 때문이지요."

파비오는 강의를 계속했다.

"랍비 요셉은 13세기 말에 널리 알려졌던 분인데 '관대한 요셉'이라고 불렸어요. 그는 신앙인들은 '하느님'이라는 글자를 눈앞에 떠올리면서 하느님을 상상해야 한다고 말했습니다. 그러면 목소리를 듣고 사물의 냄새를 맡고 청각을 통해 큰 소리와 고함 소리를 듣게 될 것이라고. 시각을 통해 그의 형상을 보고 후각을 통해 냄새를 맡고 미각을 통해 맛을 보고 촉각을 통해 느끼게 되면, 성스러운 글자에 색이 입혀지고 옷을 입은 상태로 피어나게 될 거라고. 그것이 예언의 형상, 이미지라고 랍비 요셉은 말했지요."

우리는 그가 오래된 기억 속에나 묻혀 있을 법한 이야기들을 혼동 없이 인용하는 모습에 놀랐다. 우리의 감탄하는 얼굴을 보고 파비오는 부끄러운 듯 웃었다.

"전통적으로 인정받는 다른 견해도 있습니다. 랍비 탄훔은 자신의 책에 이렇게 썼지요. 여호와라는 이름을 말할 때 머릿속으로 불이 붙은 바퀴 속에 여호와라는 글씨가 함께 구르도록 그려 보라고요. 이런 상상은 극소수 사람들만 할 수 있어요. 그 이유는 정신적인 노력이 요구되기 때문이죠. 때로는 진실에 도달하려면 능력 자격 요건에 제한을 둘 필요가 있습니다. 그래야 아무나 덤벼드는 걸 막을 수 있으니까요."

"그렇군요."

내가 고개를 끄덕였다.

"우리는 전자레인지 시대에 살고 있으니까요. 사람들은 다 완성된 상태, 즉 인스턴트식으로 받아들이길 바라죠. 예를 들어 많은 사람들이 책을 읽는 대신 영화를 보러 가는 걸 더 즐깁니다. 그게 훨씬 더 쉬운 일이기 때문입니다. 영화 속 이야기는 배우나 세트라는 실물을 통해 눈으로 볼 수 있으니까요. 그러니까 책을 읽을 때처럼 두뇌를 쓴다든지 많은 긴장을 할 필요가 없다는 겁니다."

"'생각을 한다는 것은 고통이다.' 체코 정치가 얀 마사리크가 그렇게 말했지."

이타마르가 덧붙였다. 파비오가 말을 이었다.

"그렇다면 왜 하느님의 형상과 음성, 냄새를 상상하려고 노력해야 할까. 이미 만들어져 있는 우상을 살 수 있는데. 잘 만들어진 우상을 통해 하느님의 형상을 보면 되지 않나? 이교도들은 이렇게 생각했습니다. 우리 시대에도 대부분의 사람들이 이렇게 생각하지요. 심지어는 유태인들도 때로 우상에게 기도하는 것이 더 쉽다고 생각했어요. 어쨌든 유태인들은 다른 길을 선택했습니다. 어느 시점에선가 그들은 진흙으로 빚어진 덩어리는 부서질 수도 있다는 사실을 알게 됩니다. 하느님은 사람의 힘으로 나타내려고 해서는 안 되고, 초월적인 힘 그대로 놓아 두어야 한다는 걸 깨달은 것입니다. 이 논리적인 결론이 여러분으로 하여금 스스로 질문을 던지고 생각하는 계기를 마련해 줄 겁니다. 어떻습니까? 그 초월적인 힘이 궁극적인 결론일까요? 유태인은 그 질문에 대해 생각하면 할수록 하느님이 완전한 인간의 이미지를 가졌다는 놀라운 결론에 도달했습니다. 그 순간 그들은 상상력이 곧 힘이라는 것을 알게 됐지요. 상상의 세계에서 하느님을 떠올릴 수 있고 믿을 수 있고 느낄 수 있다면, 그 상상력을 통해 예외적이고 창조적인 생각에 가 닿을 수 있습니다. 다른 사람들은 그걸 미처 생각지 못했지요. 상상은 현실을 바꿀 수 있습니다. 관대한 랍비 요셉은 상상력을 '예언의 이미지'라고 불렀어요."

"상상이 현실을 바꾼다니 대단하군요."

나는 어느새 파비오의 설명에 흥분하고 있었다.

"랍비 요셉만 상상력을 예언이라고 이야기한 게 아닙니다. 랍비 예후다도 유태인의 상상력에 대해 이야기하면서, 상상력은 논리적인 것보다 더 분명하다고 말했습니다. 그것은 정말 눈으로 볼 수 있는 최상의 것을 얻는 것이고 하늘의 주인을 보는 것입니다. 예후다는 상상력이란 현실에서뿐만 아니라 논리적으로도 강한 힘을 갖는다고 말했습니다. 다시 말해서, 논리적이지 않은 어떤 사실이라도 창조적인 상상력의 도움으로 이해할 수 있다는 겁니다."

"정말 맞는 말이네요. 놀랍습니다."

이타마르가 말했다.

"중세에 살던 사람이 언젠가는 인류가 달에 가게 될 거라는 걸 믿었을까요? 오랜 세월이 흐르고 나서야 사람들은 어떻게 하면 달에 갈 수 있을지를 상상했습니다. 인간은 그 방법을 구체화시켜서 꿈을 이룬 겁니다. 또 다른 예를 들어 볼까요. 고대인이 언젠가 수천 킬로미터 떨어진 곳에 있는 사람의 얼굴을 볼 수 있을 거라고 상상이나 했을까요."

"텔레비전 말이로군요."

이타마르가 말했다.

"텔레비전, 라디오, 팩스……."

"정말 그렇군요."

제롬이 재미있다는 듯 말했다.

"덴마크 팀이 월드컵에서 우승할 거라고 누가 상상이나 해 봤을까?"

그는 머리를 갸우뚱거렸다. 침묵이 흘렀다. 우리는 신앙심이 부족한 제롬을 타이르듯 그를 바라보았다. 게다가 월드컵에서 덴마크 팀이 우승한 적도 없는데 말이다. 우리는 우리 귀를 믿을 수 없었다.

"그건 그리 좋은 예라고 볼 수 없겠는데."

이타마르가 말했다.

"아인슈타인도 그의 창조적인 상상력으로 상대성 원리라는 결론에 도달할 수 있었던 것을 감사하게 생각했어."

문득 나는 책에서 읽은 내용이 생각나서 우리의 대화를 다시 원래 궤도에 돌려놓으려고 노력했다.

"그의 자서전을 보면 상상력을 바탕으로 상대성 원리를 발전시켰다고 하지. 그는 열여섯 살의 어느 여름날, 공상에 잠겨 기분 좋게 길을 걷고 있을 때 이런 생각을 했어.

'인간이 빛의 속도로 달릴 수 있을까?'

아인슈타인이 보기에 대부분의 사람들은 이런 터무니없는 질문은 생각도 잘 하지 않을 뿐더러 곧 포기해 버리기 일쑤였어. 그러나 아인슈타인은 달랐지. 답을 찾을 때까지 10년 동안 상상력을 동원해서 연구에 몰두했다고 해."

내 머릿속엔 아인슈타인 말고도 또 한 가지 이야기가 떠올랐다.

"세계적으로 완벽한 기억력을 가졌다고 알려진 러시아계 유태인 솔로몬 셰라셰프스키는 자유로운 상상력을 기초로 한 연상 기법을 써서 마음만 먹으면 무엇이든지 기억한다는군. 예를 들어 아무 뜻도 없는 수백 개의 단어를 단 한 번만 읽어 주어도 처음부터 끝까지 모두 기억해 내는 거야. 더 놀라운 건 그 순서조차 정확하다는 거지. 8년이 지나고 나서 심리학자 로리는 그에게 물어보았어. 아직도 그 단어들을 기억하고 있느냐고 말야. 말할 것도 없이 그는 그 세월 동안 그 단어들을 떠올리거나 써먹을 일이 없었는데도 기억을 하고 있었지. 1920년에 소련의 심리학자들은 그의 뛰어난 기억력에 대해 연구하기 시작했어. 그래서 셰라셰프스키가 랍비 요셉과 같은 기술을 사용하고 있다는 사실을 알아냈어. 그건 즉 오감을 최대한 살린다는 점인데, 음악을 들으면서도 색깔을 보았다고 해. 소리의 냄새를 맡을 수 있었다고도 하지. 그 밖에도 여러가지 신기한 일화가 많아. 예를 들어 유명한 심리학자 비고츠키와 대화하던 중 '자네 목소리는 어찌 그리 약하고 곧 허물어질 것 같은가!' 이렇게 말했다고 하지. 그는 로리 앞에서 뜻도 없는 단어를 외우면서 그의 머릿속에 상상의 그림과 자신의 능력을 연결하는 것뿐 아니라 맛과 몸무게, 모든 걸 동원하는 자세로 임했어. 이를테면 모스크바에 있는 연구소로 가는 길에 담에 드리워져 있는 자작나무 가지의 짠맛이 자신을 그리로 이끈다고 생각했어. 나는 기억력 향상 세미나에서 매일같이 상상력을 기초로 한 기술을 가르치고 있어. 셰라셰프스키도 인간적인 상상력을 이제까지 그 누구도 도달하지 못한 단계로 끌어올리는 데 성공했다는 증거를 보여 주고 있지."

"에란은 목소리가 맑고 매력적이군."

제롬이 또다시 주제에서 벗어나는 대꾸를 했다.

"갈매기와 고래 소리의 조화라고나 할까."

이타마르는 웃으면서 파비오에게 손을 들어 보였다.

"잠깐만요. 뭔가 좀 분명하지 않은 게 있어요. 창조적인 상상력은 유태인들만 물려받은 게 아니지요. 지금 화제는 유태인의 지능에 대한 건데, 우리가 관심을 갖고 있는 내용은 유태인들이 타 민족과 다른 예외적인 능력을 가지고 있었느냐는 점이에요. 예외적인 상상력이란 게 유태인의 고유한 능력과 특별히 어떤 관계가 있는 건가요? 아니면 다른 종류의 능력인가요? 제가 잘 이해가 되지 않아서 하는 질문이에요."

파비오의 대답은 그리 오래 기다리지 않아도 되었다. 그는 마치 모든 질문에 준비가 되어 있는 것처럼 보였다.

"그렇지요. 유태인들에게는 특별히 창조적인 상상력이 있었습니다. 그럴 수밖에 없는 상황이었으니까요. 그들은 오로지 상상력의 도움으로만 자신들의 슬픈 현실을 이겨 낼 수 있다는 사실을 알고 있었어요. 얻어맞고 쫓기는 역사 속에서 창조적인 상상력만이 자신들의 상황을 바꿀 수 있다고 생각했지요. 오로지 그것만이 폭군의 굳게 닫힌 마음을 꿰뚫을 수 있었고요. 폭력적인 지배자들을 설득하기 위해서, 다른 민족들이 자신들 앞에 내놓는 장애물을 피하기 위해서였습니다. 또한 유태인은 창조적인 경험으로 자신들의 어려운 상황을 바꾸려고 했죠. 상상력으로 인해 힘든 현실로부터 빠져나오는 데 성공할 수 있었고, 상상력이 그들을 고결하고 정신적인 영역으로 이끈 겁니다. 그게 핵심입니다. 「미친 여름」이란 프랑스 영화를 봤나요? 1980년대 젊은이들에게 무척 인기가 있었는데 기억나는지 모르겠네요."

"그럼요."

제롬이 기쁜 듯 호응을 보였다.

"꿈은 나의 현실……"

제롬이 즐겁게 노래부르기 시작했다. 나는 그 노래를 듣고 문득 추억 속으로 빠져들었다. 하이파에 있는 '아쯔몬'이라는 극장을 떠올렸다. 숨이 막힐 것 같은 스탠드에 답답하게 끼어 앉아 또래 친구들 수백 명과 함께 흥분된 마음으로 노래를 부르고 있던 내 모습을 떠올렸다.

"조금 전의 노래 가사를 주의 깊게 들었습니까?"

파비오가 고개를 들고 물었다.

"꿈은 나의 현실."

이타마르가 말했다.

"이 노래를 만든 사람들은 분명히 젊은이들의 사랑과 분홍빛 꿈에 대해 생각했을 거예요. 아마도 그게 빅터 프랑켈이 아우슈비츠에 있을 때 좌우명으로 삼았던 내용과 같다는 것은 생각지 못했겠지요. 자의식은 땅에 떨어지고 배고픔과 화장과 가스실이 있는 현실 속에서 빅터 프랑켈은 긴 의자에 누워 단 한 가지만을 생각했습니다. 그게 상상력이지요. 그가 『사람은 의미를 찾는다』라는 책에 쓴 내용입니다."

"그건 읽었어요."

이타마르가 실망스러운 표정으로 입을 비틀며 말했다.

"프랑켈은 삶 속에서 붙들고 있던 작은 꿈과 상상력이 있었습니다. 그것이 그에게 희망을 주었지요."

파비오는 가방에서 작은 책을 꺼내어 노란 책갈피로 표시를 해 둔 곳을 펼쳤다.

"들어 볼래요?"

그가 머뭇거리며 우리에게 물었다.

"듣고말고요."

제롬이 말했다.

"안 들으면 난 우울증에 걸릴 겁니다."

파비오는 책을 자신의 얼굴 쪽으로 가까이 가져갔다.

"다리의 끔찍한 상처가 드러났다. 아픔으로 인해 내 눈에는 눈물방울이 맺혔다. 나는 수용소에서 일터로 가는 긴 줄에 서 있었다. 매섭고 차가운 돌풍이 우리를 때렸다. 나는 그때 우리의 불행한 삶에서 일어나는 무수히 사소하며 끝없는 문제를 곰곰이 생각하고 있었다. 오늘 저녁 식사는 무엇일까. 소시지를 덤으로 주진 않을까, 빵 조각을 무엇과 바꿀까? 이런 상황을 참을 수 없어서 나는 매일같이 생각에 잠겼다. 사물을 잘 살피고 돌볼 수 있는 눈빛을 가지고 다른 생각에 몰두했다. 그러다가 문득 나 자신이 환한 불빛 아래 따뜻하고 기분 좋은 강의실의 교단에 서 있는 것을 발견했다. 강의를 듣는 청중들은 푹신한 안락의자에 앉아 있었다. 나는 집단 수용소의 심리학에 대한 강의를 했다. 그 순간 내 영혼을 우울하게 만들었던 것들은 갑자기 객관적인 것들이 되었고, 물리적인 시각에서 멀어졌다. 이러한 방법으로 어떻게든 나는 그 상황을 극복하는 데 성공했다. 고통의 시간 위에서 나는 그들이 과거의 강이라도 되는 것처럼 그들을 바라보았다. 그다음 나는 생각의 주제를 나 자신에 대한 과학적, 심리학적 연구로 바꿨다."

"정말 우울하기 짝이 없는 이야기로군요. 그들이 연구 주제를 바꾼 것처럼 우리도 다른 주제로 바꾸는 게 어떨까요?"

제롬이 말했다.

"그 반대입니다."

파비오는 탁자 쪽으로 몸을 구부리며 말했다.

"우울한 이야기가 아닙니다. 영감으로 가득 찬 긍정적인 이야기지요. 왜냐하면 모든 논리적인 것에 반하는 것처럼 보였던 프랑켈의 상상이 현실로 바뀌었기 때문입니다. 빅터 프랑켈은 언어 치료학의 대부이면서 동시에 20세기의 중요한 심리학자 중 한 사람입니다. 그래서 그는 나치 수용소에서 풀려난 후 전 세계에 있는 140여 개가 넘는 대학으로부터 강의 초빙을 받아 자신의 경험과 학설에 대해 강의했습니다. 상상력이 프랑켈에게 삶을 준 겁니다. 그것이 그를 버티게 하고 희망을 준 거죠."

"정말 놀라운 예로군요. 인간 승리예요. 상상력은 가장 끔찍한 현실도 이겨 내게 하고 성공으로 이끄는군요."

이타마르가 감동을 받은 듯 말했다.

"유태인의 상상력에는 뭔가 흥미로운 점이 또 있다는 걸 찾았습니다."

파비오가 자료를 넘기면서 말했다.

"유태인들은 상상력을 통해 여러 가지 아이디어를 얻는 재능이 있다는 겁니다."

그는 큰 목소리로 말을 이었다.

"프리츠 란츠라는 독일 학자가 그 점에 대해 연구한 내용이 있습니다. 사실 그의 논문은 나치 리더십에 대한 것이지만, 그 자신은 과학적인 연구를 바탕으로 반유태주의에 반대했습니다. 그는 유태인들의 성향에 장점이 많다고 말하고 있어요. 혁명과 관련된 움직임에 있어서 상상력이 변화를 꾀하는 도구로 이용되었다는 겁니다. 또 그는 19세기 마르크스와 러셀, 로자 룩셈부르크, 트로츠키 모두 유태인이었다고 설명하고 있어요. '그들 유태인들은 자신들이 믿고 있던 유토피아적인 생각에 자유를 주었다. 이것이 진실된 확신을 가지고 군중들을 설득할 수 있었던 이유였다.'고 말이죠."

"이스라엘이라는 국가도 역시 유토피아적인 생각의 산물이었어요. 테오도르 헤르츨의 열정적인 상상력의 열매였죠."

이타마르가 옆에서 말을 거들었다.

"마침내 모든 유태인들이 함께 살 수 있는 나라, 그들이 원하는 대로 자유롭게 움직여 가는 나라 말입니다. 그것도 수백만 명의 모슬렘들로 둘러싸인 중동 땅에 말이지요."

"천연자원도 물도 없는 사막에."

내가 덧붙여 말했다.

"정말 무모한 생각이었어요."

제롬의 말이었다.

"800만 개의 의견을 가진 500만 유태인들이 국가를 세우고 통치하는 데 성공했다니, 어떻게 그런 생각을 할 수 있었는지……."

"그게 바로 핵심입니다. 이스라엘이라는 국가가 존재하고 있다는 사실이, 유태인에게 논리적이면서도 강력한 상상력이 있다는 또 다른 증거랍니다."

파비오가 자신의 생각을 말했다.

"지금과 다른 현실을 상상하면 이 현실에서는 부족한 기회와 논리를 하나 더 갖게 되고, 결국엔 그것을 이루게 된다는 거예요."

"자기 성취 세미나에서 여러 강사들이 다루는 내용도 바로 그런 겁니다."

내가 말했다.

"맞아요. 유태인들은 벌써 오래전부터 이 사실을 알고 있었어요. 그들에게 있어서 상상력이란 본능과도 같은 것이었어요. 지능 계발의 기본적인 첫째 조건인 상상력이 그들을 생존하도록 해 주었죠."

"난 자기 성취 세미나의 모든 핵심 주제가 '변화를 얻으려는 상상력' 이란 것이 믿어지지 않는데요. 다 쓸데없는 짓 아닌가."

제롬이 종업원에게 손짓을 하면서 말했다.

"코로나 맥주 주세요."

"그건 없는데요. 다른 걸로 하시지요."

파비오가 말하자 제롬은 놀란 표정이었다.

"코로나 맥주가 없어요? 라틴 맥주의 왕인데!"

파비오는 민망스럽다는 듯 웃고는 종업원에게 말했다.

"계산은 내가 할 테니 이분에게 골드스타를 갖다 주세요."

종업원이 자리를 뜨자 내가 물었다.

"너는 왜 그게 쓸데없는 거라고 생각해?"

제롬은 잠시 우리가 무얼 이야기하고 있었는지 잊어버렸던 듯 새삼스럽게 떠올리려는 모습이었다.

"또 다른 현실을 상상한다는 것 말인데. 내가 조르지오 아르마니처럼 부자가 되고 성공할 거라고 상상한다면 결국은 아르마니처럼 된다는 거잖아. 그런 말도 안 되는 소리가 어디 있어?"

"분명 아르마니는 될 수 없겠지."

이타마르가 말했다.

"그렇지만 '제롬처럼' 성공한 부자가 될 수는 있겠지."

"대단하군."

제롬은 경멸하듯 손사래를 쳤다.

"그만두자고. 이 주제는 정말 지루해. 주제를 좀 바꿔 보자."

"어떤 주제?"

이타마르가 물었다.

"너희들이 말하는 유태인의 지능, 유태인의 두뇌, 유태인의 머리, 유태인의 해골바가지, 머릿가죽……에 대한 모든 연구 제목 말이야. 통틀어 뭐라고 부르는 게 좋을지."

"제롬, 무슨 얘길 하고 싶은 거야?"

내가 물었다.

"글쎄, 나도 모르지."

"너는 유태인의 두뇌에 관한 비밀을 찾아내는 게 별로 재미없어?"

이타마르가 냉소적으로 물었다.

"그게 나한테 어떤 도움이 되지? 너희들은 천재의 요인과 근원을 찾아내는 게 나 같은 사람을 도와주는 거라고 생각해?"

이타마르는 눈을 빛내며 제롬을 쳐다보고는 확고하게 대답했다.

"그래!"

"오, 그래?"

"난 진지하게 말하는 거야."

이타마르가 말했다.

"아하, 그렇단 말이지. 알았다고."

제롬이 고집스럽게 대꾸했다. 이타마르는 침착하게 말했다.

"이 문제를 증명하기 위해서라면 난 너와 싸울 수도 있어."

"관두자."

제롬은 그를 쳐다보지도 않고 말했다. 문득 이타마르는 자기 가방을 열더니 그 속에서 수표책을 꺼냈다. 아무 말도 하지 않고 그는 펜을 가져다가 수표에 서명을 했다. 제롬은 의아하다는 눈으로 나를 쳐다보았다. 나도 이타마르의 갑작스러운 행동이 무슨 뜻인지 모르는데다가 다만 놀라서 어깨를 으쓱해 보였다. 나뿐만 아니라 모두 놀라워하고 있었다. 이타마르는 평소 진지하고 생각이 깊으며 앉은자리에서 갑자기 수표를 꺼내 보일 만한 사람은 아니었다.

그는 서명한 수표를 제롬에게 건넸다. 제롬은 얼빠진 얼굴로 수표를 바라보았다.

"지금 뭐 하자는 거야?"

"제롬이 실험에 참가하겠다고 하면 난 여기 적은 수표 금액만큼 제롬에게 줄 수 있어."

"두뇌 이식 실험이라도 하겠다는 거야? 농담으로라도 그런 말은 말아 줘."

"아니, 네가 너 자신의 두뇌를 발달시키는 실험이야. 그런데 지금까지 너 같은 사람에게는 시도하지 않았던 방법으로 해 보려는 거야."

그렇게 말하며 이타마르는 웃었다.

"이른바 유태식 방법이지."

"잘 이해를 못했는데."

제롬은 불편한 듯 의자에 앉은 채 꿈지럭거렸다. 이타마르는 공책에서 종이 한 장을 뜯었다.

"너는 믿지 않지만 자기 성취 세미나에서 하는 대로 해 보자. 네가 올해 안으로 이루고 싶은 일 두 가지를 이 종이에 적어 봐. 아니, 앞으로 3년 안에 이루길 바라는 목표로 해 두는 게 좋겠군. 3년 안에 두 가지 목표. 그러는 동안 나는 에란과 함께 유태인들이 자기들의 목표를 이루는 데 사용했던 여러 기술들을 모을 거야. 책으로 모을 거니까 그 책은 나중에 너를 위한 개인 지침서가 될거야. 조건은 우리가 새로운 사실이나 기술을 하나씩 발견할 때마다 그것들을 네가 실천하는 거야. 무슨 뜻인지 알겠어?"

이타마르의 실험 아이디어 자체는 흥미로웠다. 문제는 타인의 존경과 사랑과 응원에 둘러싸여 이 실험을 성공적으로 이끌기 위해 뽑힌 사람이 제롬이라는 점이다.

제롬은 약간 흥분한 채로 대답했다.

"뭐 별문제 없겠군."

"자, 그럼 쓰도록 해."

이타마르가 명령하듯이 말했다.

"뭘 쓰라는 거지?"

"이루고 싶은 두 가지 목표."

"그거야 간단하지."

제롬은 펜을 집어 들더니 두 번 생각하지도 않고 썼다. 그는 써 내려가면서 말했다.

"첫째, 은행에 100만 달러 잔고를 갖는 것."

"좋은 목표로군. 두 번째는?"

제롬은 잠시 망설였다. 그는 걱정스럽게 우리를 쳐다보았다.

"모두들 웃지 않겠다고 약속해."

그러면서 종이에 숫자 2를 쓰고 점을 찍었다. 민망한 듯한 얼굴이었다.

"모두에게 말은 하지 않았지만, 얼마 전부터 경영학을 공부하고 싶었어. 그게 도움이 될 것 같아서."

"훌륭해요! 그대로 쓰세요."

파비오가 소리쳤다.

"둘째, 경영학 공부."

이타마르는 제롬이 쓴 종이를 가져다가 들여다보고는 말했다.

"아주 좋은데."

"무슨 뜻이지?"

"이왕 유태식 방법으로 하기로 했으면 제대로 끝까지 해 보기로 하지. 파비오가 뭐라고 이야기했는지 기억해?"

"내가 바라는 걸 상상하는 것 말야?"

파비오가 말했다.

"정확하게 나타내자면, 붙잡을 기회와 논리가 부족한, 지금과는 다른 현실을 상상하는 것."

이타마르가 제안했다.

"목표를 높이 잡아. 은행 잔고 100만 달러는 현실적인 바람이고 경영학 공부도 별문제 아니잖아."

"그럼 뭐라고 쓸까? 5,000만 달러? 그건 너무 터무니없는 생각이잖아."

"훌륭해. 그대로 쓰라고."

이타마르의 말에 제롬은 믿지 못하겠다는 듯 망설이다가 마침내 5,000만 달러라고 썼다. 그리고 얼마 동안 말없이 그 문장을 뚫어지게 들여다보았다.

"은행 잔고 5,000만 달러라니."

제롬은 작은 목소리로 말했다. 순간 나는 그의 눈에 불꽃이 번쩍이는 것을 보았다. 그는 그 문장을 보는 것 자체가 떨리는 모양이었다. 하긴 자기로선 엄두도 안 날 금액인 5,000만 달러를 썼으니.

"그다음은 공부 얘기를 해 볼까. 너는 그저 공부만 하는 걸로 그치고 싶은 게 아니라 학위도 바라지."

이타마르가 말했다.

"학위는 무슨 학위?"

제롬은 장난스럽게 웃다가 말했다.

"나도 너처럼 박사가 되고 싶긴 하지만."

이타마르는 만족스럽게 웃었다.

"둘째."

제롬이 빠르게 다시 써 내려갔다.

"경영학 박사 학위 취득."

이제 제롬은 비로소 우리 대화의 주제가 재미있어지는 것 같았다. 이타마르의 아이디어는 성공적이었다.

"자기 능력 밖의 목표를 세운다는 게 어떤 의미인지 알아?"

이타마르는 제롬의 대답을 기다리지도 않고 말했다.

"이제 넌 어떻게 하면 5,000만 달러를 벌 수 있는지 그것에만 모든 생각을 집중하는 거야. 그러면 그다지 주의를 기울이지 않고도 200, 300만 달러를 벌 수 있는 방법을 쉽게 찾게 될 거야. 그건 이미 자신을 최초의 100만 달러 이상의 위치에 두게 되는 거지. 또 네가 박사가 되겠다는 목표를 가지면 너는 공부하는 동안 이미 박사가 된 것처럼 행동한다는 거야. 다시 말해서 공부하는 내용이 쉬워지고, 정신적으로 자기가 이미 아무 문제가 없다는 걸 알게 되는 거야. 이렇게 표현해도 될지 모르겠는데 그게 소위 일반적인 자기 성취 세미나와 유태인식 세미나의 차이점이야."

파비오가 덧붙었다.

"보통 다른 사람들은 현실적인 목표를 세우고 그것을 이룰 수 있는 현실적인 방법을 생각하라고 말합니다. 그러나 유태식 세미나에서는 이렇게 가르칩니다. 자기 현실에 비추어 볼 때 말도 안 된다 싶은 것을 상상하라고. 자기에겐 조금 벅찰 수도 있는 비현실적인 목표를 세워서 그것을 어떻게 이룰 수 있는지 그 실제적인 방법에 대해 생각하는 거죠. 그건 불가능한 일이 아닙니다. 모든 게 다 가능하죠."

이타마르가 말했다.

"보통 사람들이 필요로 하는 것보다 훨씬 더 많이 버는 사람들이 무척 많아. 젊은이들 중엔 어렵게 긁어모아 집세만 300달러를 내는 사람도 있어. 인간을 달에 보낸다는 계획도 현실적인 것은 아니었고. 먼저 나는 걸 배우고 나서 실행에 옮기는 거야. 큰 결과를 얻기 위해 능력을 계발시켜야 하는 거야. 그러다 보면 로켓과 같은 추진력이 생기게 되지. 정말 간단한 진리야."

"그리고 그 결과는 오로지 자기 자신에게 달린 거고."

내가 그들의 말을 요약해 주었다. 제롬은 시선을 어두운 마룻바닥으로 돌렸다.

나는 탁자 위에 놓인 냅킨 꽂이에서 작은 냅킨을 꺼내어 그 위에 유태인의 지능 계발에 대한 첫 번째 원칙을 썼다.

상상력으로 예언하기. 상상력의 힘으로 비논리적인 것을 논리적으로 바꾸기.

"좋아, 그럼 이제 여기서 어떻게 발전하는 거지?"

제롬이 물었다. 아까와는 달리 진심으로 발전하길 바라는 것 같은 모습이었다. 그리고 그건 이미 발전하고 있는 모습이었다.

"갑자기 기분이 좋아지는걸. 어떻게 이 느낌을 설명해야 할지는 모르겠지만."

제롬은 나를 줄곧 쳐다보고 있었으나 그의 머릿속 생각은 다른 곳으로 흘러가고 있는 것 같았다. 이타마르는 제롬의 어깨를 격려하듯이 두드렸다. 파비오가 자리에서 일어섰다.

"그럼 저는 이만, 정리해야 할 일이 있어서요."

"정말 대단한 강의였어요."

이타마르는 파비오와 악수를 나누었다. 나도 일어나서 파비오에게 말했다.

"책에서 한 꼭지는 당신에게 바치겠습니다."

"고마워요, 파비오 선생."

제롬도 마음을 다해 말했다.

"맥주가 무척 맛있었어요."

"난 다음주에는 얼굴을 못 보겠는데."

나는 이타마르와 제롬 두 사람에게 말했다.

"며칠 동안 여행을 가거든."

"우리의 연구가 점점 흥미로워지고 있는데 하필 지금?"

제롬이 말했다.

"초콜릿 사 가지고 올게."

"난 단 건 질색이야."

"그럼 뭐라도 작은 선물을 갖다 주지."

나는 살짝 미소를 지었다.

"유태인 두뇌에 얽힌 또 다른 원리를 찾아내서 가져올 것을 약속할게."

나는 어떻게 될지도 모르면서 먼저 약속부터 했다. 그러면 반드시 이루어질 테니까.

머무르지 말고 늘 방랑하라

육체적으로 방랑하는 것과 현명해지는 것 사이에는 어떤 관계가 있는가?
그리고 창조력을 키우기에 가장 좋은 장소는 어디인가?

파리로 가는 고속 열차 안에서 나는 유태인 두뇌의 두 번째 비밀을 찾아냈다. 기차가 앤트워프의 기념 역사에서 천천히 빠져나가고 있을 때, 나는 차창 밖으로 지나치는 회색 아파트들을 한동안 물끄러미 쳐다보고 있었다.

어떤 남자가 거친 숨을 몰아쉬면서 비어 있는 내 맞은편 자리에 앉았다. 그의 나이는 오십 정도 되어 보였고 큰 안경에 감색 양복을 입고 있었다. 반들거리는 머리에는 검정 모자를 쓰고 있었다.

그의 이름은 새뮤얼 골드만이라고 했다. 앤트워프 출신의 사업가인 그는 런던에 사는 그의 사촌과 함께 사업차 곳곳을 돌아다닌다고 했다.

나는 새뮤얼과 만난 이틀 동안 통찰력이 혁명적으로, 또 구체적으로 발전했다.

처음 우리의 대화는 지극히 작고 평범한 데에서 시작되었다. 우리는 예루살렘에 대한 이야기를 나누고 있었다. 그는 8년 전에 방문했던 체르니호브스키와 헤르초그 사거리에 작은 놀이터와 큰 분수대가 있었다고 말했다. 그런데 나는 그곳과 가까운 데에서 사는 데다가 거의 매일 운전해서 그 사거리를 지나다니곤 했기 때문에, 다른 건 몰라도 지금 그곳에 없는 유일한 것이 놀이터와 분수대라는 사실을 알고 있었다.

"미안하지만 새뮤얼."

나는 일부러 미소 지으며 말했다.

"놀이터와 분수대는 없어요."

"있는데요."

새뮤얼이 고집을 부렸다.

"루핀 거리에서 오면 거길 지나치게 되는데요? 나무 사이에 솟은 탑이 보일 겁니다."

"혹시 다른 사거리와 헛갈린 것 아닌가요?"

새뮤얼은 기억을 되살리려는 듯 잠시 생각을 하더니 확신에 찬 미소를 지으며 말했다.

"거기 맞아요. 헤르초그와 체르니호브스키!"

"새뮤얼, 제가 거기 살아요."

나는 조금 불쾌해져서 말했다.

"벌써 몇 년 동안 지나다니는 사거리에 무엇이 있는지 아무렴 제가 기억을 못할까 봐서요?"

"무척 논리적이군요. 거기 살기 때문에……란 말이죠?"

새뮤얼이 미소 지었다. 이렇게 확신에 찬 모습이 나의 신경을 건드렸다. 내 평온한 마음을 어지럽히는 것이 있다면 잘 모르면서 끝까지 우기는 사람들이다. 더 정확하게 말하면, 특별히 내가 잘 아는 사실에 대해서 우겨 대는 사람들이다. 나는 가방에서 휴대전화를 꺼내어 우리 앞에 있는 작은 탁자 위에 올려놓았다.

"내 아내 야엘은 예루살렘에서 태어났어요. 지금 내 아내에게 전화를 해서 우리 둘 중에 누가 맞는지 알아보도록 하죠. 전화를 걸기 전에 내기를 할까요?"

새뮤얼은 미소를 지으면서 고개를 끄덕이더니 바로 대답했다.

"파리에 도착하면 커피 한잔 하는 게 어떨까요. 당신이 바쁘지만 않다면."

"그러죠. 커피 한잔 사 주신다면 기쁘게 마시겠습니다."

나는 아내에게 전화를 걸어 물었다.

"십자가 수도원 있는 곳 말야. 헤르초그와 체르니호브스키 사거리에 분수대가 있어? 누구랑 내기를 좀 했거든."

아내와 통화를 하면서 나는 새뮤얼을 바라보며 씩 웃었다.

야엘이 잠시 조용히 있다가 말했다.

"놀이터는 있는데 분수대는 아니에요. 그건 영국 통치 시대의 둥근 수비탑이에요. 그런데 그게 분수대처럼 생기긴 했어요."

나는 아내의 말에 흠칫 놀라 새뮤얼을 흘끔 쳐다보고 머리를 창문으로 돌렸다.

"놀이터도 그런 탑도 없다고 했는데."

조용히 혼잣말을 하다가 아내에게 다시 물었다.

"그거 확실해?"

"왜 그래요? 당신 장난 치는 거예요?"

나는 풀이 죽은 눈빛을 감추며 다시 새뮤얼을 바라보았다.

"아냐, 난 진지해. 뭐 그냥 커피 한잔 잃은 것뿐이야."

새뮤얼과 나는 가르 드 노드 역에서 내려 괜찮은 카페를 찾으려고 길을 걸었다. 제임스 본드 같은 은색 가방을 든 새뮤얼의 발걸음은 활기에 넘치고 있었다. 걸어가다가 문득 그는 연둣빛 불이 켜져 있는 집의 지붕을 보고 손가락으로 가리켰다. 나는 눈을 들어 그 멋진 지붕을 보고 놀랐다.

"당신은 정말 좋은 풍경을 놓치는 법이 없군요."

나는 그를 추켜세우면서, 그의 그런 소질 덕분에 우리가 지금 카페를 찾고 있다는 사실을 다시금 떠올렸다.

"그게 나의 유태인식 생존 본능입니다."

그 말에 나는 깜짝 놀라서 쓰고 있는 책의 내용과 이 유태인 사이의 관계를 떠올렸다. 옆에서 걷는 동안 나는 그가 꽤 흥미로운 사람이라고 생각했다. 원래 처음의 내 계획은 15분 정도 내기 빚을 갚은 뒤 오늘 저녁 내가 도착하기를 기다리는 친구를 만나러 가는 것이었다. 그러나 마음속에서 무언가가 내 발길을 붙들었다. 지금 이 사람과 함께 시간을 보내지 않으면 후회할 거라고.

새뮤얼은 반대편 길가에 있는 작은 카페 '비스트로'를 가리켰다. 재빠르게 길을 건너 카페로 들어서자 입구에서 따뜻한 바람 한 자락이 얼굴을 스쳐 지나가며 우리를 맞이했다. 나무로 된 어두운 색 마룻바닥과 흐릿하고 아름다운 불빛 때문에 분위기가 매우 편안해 보였다.

손을 잡은 연인이 커다란 유리창 옆자리에 앉아 거리를 바라보고 있었다. 다른 자리에는 한 젊은이가 나도 언젠가 읽은 적이 있는 책을 들고 앉아 있었다. 한 손으로는 담배를 피우던 손가락을 머리 위에 올리고 있었는데, 가느다란 담배에서 흰 연기가 피어올랐다. 우리는 구석 자리에 앉아 계속 이야기를 나누었다. 15분이 지나고 나서야 나는 종업원이 주문을 받으러 오지 않는다는 걸 알았다.

"왜 아무도 오지 않을까요?"

그렇게 말하면서 나는 머리를 돌려 보았다.

"우린 지금 파리에 와 있으니까요."

새뮤얼이 대답했다.

나는 아차 싶었다. 그래, 맞아! 어떻게 그걸 잊었을까? 관광객들에게 그다지 친절하지 않은 종업원들이 있는 나라, 프랑스에 와 있었지. 내가 몇 번 손을 흔든 뒤에야 검정 옷을 입은 젊은 남자 종업원이 우리가 있는 탁자로 왔다.

나는 프랑스에서 예전에 범법자들에게 사회봉사 이행 명령 대신 서비스업을 명령했다는 것을 떠올렸다. 그만큼 '서비스'라는 낱말은 이 나라와는 무관해 보였다. 그들은 그저 거기 서서 오고 가는 사람들을 바라보고 펜 끝으로 주문서를 두드리며 기다리고 있었다. 그들은 주문을 받지 않았으며 메뉴를 가져다주지도 않았다. 그들은 마냥 기다리면서 손님들의 주문을 기다리고 있었다. 파리를 여행해 본 적이 있는 사람이라면 누구라도 내 말뜻을 이해할 것이다.

이 카페의 종업원도 그렇게 시큰둥한 얼굴을 하고 서 있었다. 우리가 주문을 끝내자마자 종업원은 재빠르게 주방으로 사라져 갔다. 안타깝게도 나는 물을 한 잔 달라고 부탁하는 걸 잊었다. 다시 불러세운다는 것은 프랑스의 종업원들한테는 엄두도 낼 수 없는 일이었다.

이탈리아의 마피아 사이에도 어린이와 여자들은 해치지 않는다는 묵계가 있듯이, 프랑스 식당에도 손님들과 종업원들 사이의 암묵적인 합의가 있다. 주문할 때 함께 부탁할 것을 잊었다면 그걸로 끝이다. 어쩔 수 없는 일이다. 그러나 나는 목이 말랐다.

종업원이 커피를 가져와서 탁자 위에 커피를 던지듯 내려놓았을 때, 나는 미소를 지으면서 뭔가 더 요구할 게 있다는 표시를 했다. 종업원은 깜짝 놀란 표정으로 나를 바라보았다.

"어려운 일이 아니라면 물 한 잔 가져다주실 수 있을까요."

종업원은 충격을 받은 것 같았다. 손님이 그런 말을 하리라고는 전혀 예상치 못한 얼굴이었다. 그는 화가 난 듯 약하게 떨리는 목소리로 대답을 하고 가더니 물을 가지고 돌아왔다.

"물 주문하셨죠?"

"작은 잔으로요."

나는 가능한 한 주문의 양을 줄이려고 노력했다. 온몸이 마비된 듯한 종업원의 모습을 보는 것이 불편했다. 그는 짧은 프랑스어 몇 마디를 내뱉고는 입술을 오므린 채 약간 떨면서 주방으로 걸어 들어갔다.

새뮤얼은 이런 상황을 보면서 미소 지으며 말했다.

"저런 부류의 사람들은 말이죠."

그의 시선은 그 종업원이 주방으로 사라질 때까지 줄곧 따라갔다. 그러고 나서 그는 내게로 몸을 굽혀 조용히 속삭였다.

"그는 파리 사람이 아니고 중부 출신이에요. 내 생각엔 루아르 지역인 것 같은데. 돈을 좀 벌러 왔을 겁니다."

"그것도 당신의 유태인식 생존 본능인가요?"

내가 웃으며 물었다.

"사람들을 알아보고 판단하는 능력 말예요."

"물론이죠."

그가 힘을 주어 대답했다.

"이런 재주는 우리 아버지께 물려받은 겁니다."

새뮤얼은 의자에 몸을 기대더니 다리를 꼬고 앉았다.

"나는 베를린에서 태어났어요. 세 살 때 그곳에서 도망쳤지만. 몇 년 동안 프랑스에서 살았는데 그때 앤트워프로 이사를 했어요. 거기서 보석 가게를 열었고요. 가끔 유태인 종교 학교인 예시바에서 나오면 저녁때는 아버지와 함께 일하곤 했어요. 아버지 옆에서 가게 일을 보다가 깨달았는데, 아버지는 들어오는 손님마다 그 사람에 대해 잘 알아맞히는 거였어요. 처음에 보자마자 그가 어떤 일을 하는지, 그의 가족 상황은 어떤지 등등. 그래서 이건 아버지께서 만들어 내신 말입니다. '유태인의 생존 본능'요. 쫓기며 살던 유태인들은 일생 동안 어느 곳에서 낯선 사람을 만나면 크든 작든 모든 특징에 본능적으로 주의를 기울였어요."

종업원이 돌아왔을 때쯤 새뮤얼의 말은 끝났다. 종업원은 정말로 작은 물컵을 내려놓았다. 그가 그날의 가장 골치 아픈 손님들로부터 서둘러 벗어나려고 하는 순간, 새뮤얼은 그를 대화에 끌어들였다. 처음에 종업원은 냉랭했으나 차츰 얼굴에 웃음이 번졌다. 그러더니 결국 자기 자리로 돌아가기 전에 새뮤얼과 따뜻하게 악수까지 했다.

"믿을 수가 없어요."

종업원이 자기 자리로 돌아간 뒤 내가 놀라서 말했다.

"프랑스인 종업원을 웃게 만들다니. 레종 도뇌르 훈장감이에요."

"저 사람은 정말로 블루아 사람이었어요. 중부의 루아르 계곡에 있는."

새뮤얼은 만족스러운 듯 말했다.

"저쪽도 틀림없이 당신의 사람 알아보는 능력에 감탄하고 깊은 인상을 받았을 겁니다."

새뮤얼은 가방에서 파이프를 꺼내 담배를 싸서 그 안에 넣고 불을 붙였다. 나는 의자에 편히 앉아 내가 쓰고 있는 책의 주제를 이야기했다. 제롬과 이타마르, 그들의 실험과 내기를 비롯해서 파비오가 먼저 말한 '상상력에 대한 원칙'을 설명한 다음 나는 새뮤얼이 말한 내용으로 돌아왔다.

"그렇다면 지능은 생존 본능과 관련이 있다는 거겠죠. 본능이란 무얼까요. 사물에 주의를 기울이는 능력을 계발한다는 것 아닐까요?"

"그렇고말고요."

새뮤얼이 말했다.

"그러나 그것뿐만은 아닙니다. 본능이란 개념에는 일상생활 속에서 상황을 분석하고 새로운 상황과 빠른 변화에 적응하는 능력도 포함되어 있죠. 이런 성향은 유태인들에게 잘 발달되어 있는데 이것은 유태인들이 한 번도 정주할 공간을 가지지 못했다는 사실과 관계가 있습니다. 그들은 언제나 '떠날 준비'가 되어 있었어요. 자신들이 내쫓길 때를 대비해서. 그런데 항상 그런 상황과 맞닥뜨렸지요. 또한 유태인들의 특출한 능력은 그들이 늘 대도시에 몰려 살았다는 것과도 관련이 있습니다."

"도시에 사는 사람들이 더 지능이 높다는 말씀입니까?"

나는 그의 이야기에 놀랐다.

"일반적으로 말해서 그렇죠."

그가 대답했다.

"그 점에 대해서는 해명을 해 주셔야겠는데요."

나는 웃으며 말했다. 새뮤얼은 흰 연기를 내뿜더니 담배 쌈지를 닫았다.

"1800년대까지는 전 세계 인구의 대부분이 시골에 있었습니다. 농업이 많은 사람들에게 근본적인 수입원이었죠. 인간에게 있어서 가장 중요한 사실 하나는 인간이 흙으로부터 왔다는 것이었어요. '경제적인 안정과 육체적으로 안락한 수준에 이르기 위해' 라는 목표는 오늘날까지 모든 사람들이 갈망하는 것이지만, 유태인들에게는 그다지 어울리는 말이 아닙니다. 그들에게는 그런 기회가 주어지지 않았기 때문에 경제적인 안정이나 육체적인 안주를 가져 볼 기회가 없었지요. 자신들의 땅에 대한 법적인 권리를 빼앗기지 않기 위해 그들은 역사 속에서 계속 이방인 통치자 아래 살았으니까요. 유태인들은 땅을 소유하고 재산을 모으게 되었지만 그 재산을 몰수당하고 추방당하기까지 그리 오랜 시간이 걸리지 않았습니다. 유태인들은 다양한 방법으로 경제적인 제한을 받으며 고통을 겪었지요. 직업에 있어서도 어떻습니까. 지저분하고 어두운 분야의 일에 속하는 고리대금업, 부동산업 또는 서비스 업종인 의학, 법학, 컨설팅에 종사했지요. 이런 종류의 직업은 도시적인 일입니다. 자연스럽게 유태인들은 도시의 중심부로 옮겨 갔어요. 20세기 초 유태인의 74~95퍼센트가 도시에서 살았습니다. 이방인들은 매우 강한 제한과 명령으로 유태인들을 탄압했지만, 그것이 오히려 일반인들에 비해 유태인에게는 장점이 되었다는 것이 역설적이지요. 유태인들이 도시에 몰려 산 것이 결과적으로 그들의 성공에 밑거름이 되었으니까요. 시골 쥐가 사촌인 도시 쥐의 초대를 받는다는 내용의 만화 영화를 본 적 있나요?"

"예. 본 적 있습니다."

"사촌인 도시 쥐는 경험이 풍부하고 배운 것도 많고 문화 생활을 하는 성공적인 삶을 살고 있죠. 만화 영화에서는 도시 생활에서의 교육과 성공만을 그리지 않았어요. 도시의 여피족과 같은 이미지가 헛된 것은 아니라는 뜻을 담고 있지요. 지능 분석을 연구하는 많은 사람들은 다양한 인구가 모인 도시 생활과 좀 더 높은 지능 사이에는 관계가 있다고 지적합니다. 하버드대학의 사회학자 나단 글라절은 19세기 말, 20세기 초 시골에 살던 사람들과 비교해서 도시에 살면서 상업에 종사하던 유태인들이 성취 업적 및 지능이 높다고 밝히고 있습니다. 유태인과 도시의 관계는 결국 도시가 지능에 영향을 미친다고 볼 수 있고, 유태인들이 도시에 집중해서 산 것이 그들의 지성적인 삶에 도움을 주었다는 겁니다."

"어째서 도시 사람들의 지능이 더 낫다고 보십니까? 시골에는 없는 그 무엇이 도시에 있기라도 한가요?"

나는 의아해서 물었다.

"좀 더 긴장된 삶이랄까요. 자극에 대한 빠른 반응을 요구하고 생존 능력을 키울 수 있지요."

나는 잘 이해가 되지 않았다.

"도시의 삶은 자극적인 요소로 가득 차 있습니다. 도시는 우리로 하여금 쉴 새 없이 주의 깊게 생각하게 만듭니다. 뉴욕에서 택시를 잡으려고 해 본 적 있습니까? 이것조차도 높은 수준의 지능과 즉흥적인 반응 그리고 창의적인 사고가 요구되는 일입니다."

"핵심적인 이야기로군요."

말하면서 나는 웃었다.

"농담하는 게 아닙니다. 그냥 길가에 서서 손만 들어도 노란 택시가 옆에 와서 멈출 거라고 생각하는 사람이 있다면, 그는 현실적인 사람이 아닙니다. 진짜 뉴욕 사람이라면 택시를 잡기 위해서는 계획을 가지고 나서야 한다는 걸 압니다. 어디로 갈 건지, 길 어느 쪽에 서야 하는지, 호텔이나 백화점 앞같이 어디가 택시를 잡기에 가장 좋은 장소인지 알아봅니다. 말하자면 피곤한 삶이라고 할 수 있지요. 도시 생활의 이러한 긴장은 생존 지능을 발달시킵니다. 스트레스를 받는 조건 속에서나 계속 변화하는 도시 생활의 상황 속에서 즉각적인 반응을 필요로 한다는 거예요. 이 점은 도시에 사는 모든 사람들에게 해당되지요. 유태인들의 사고와 반응 능력이 다른 도시 사람들에 비해 빨랐던 것은, 그들이 소수였기 때문입니다. 어느 민족이든 소수란 원 지역인들과는 다른 장점이 있지요. 편안한 날이 없고 삶의 덧없음과 무상함을 느끼며, 자신들의 지위를 얻고 지키기 위해 투쟁해야 했으니까요. 어려운 상황 속의 삶이 오히려 생존 지능을 높이는 데 도움을 준 겁니다. 택시를 예로 들었지만 그뿐만 아니라 삶의 모든 면에서 항상 두 발짝 앞서 나가 생각해야 했어요. 유태인들은 소수 민족으로서 자신들의 상황을 언제나 냉철하게 분석해야 했고, 자신들이 어떤 악조건에 강한지를 생각해야 했어요. 조금 사정이 여유로우면 전략을 발전시켜 성공을 앞당기고, 최악의 상황에서는 살아남기 위해 노력해야 했고요. 이렇게 빠른 변화에 적응하는 능력은 쌓이고 쌓여 매우 수준 높은 사고를 형성했습니다. 쓰라린 경험들 덕에 그들은 절대로 편안하게 안주할 수 없는 운명이란 걸 깨달았습니다. 누구든지 감정적인 고통 상태에 적응한다는 것은 자신의 주변에 대해 좀 더 정신을 바짝 차리고 세심한 주의를 기울인다는 뜻입니다. 유태인들은 이런 과정을 거쳐 마치 도시 쥐처럼 지역 주민들과 친숙해졌어요. 이것은 유태인에게만 해당되는 건 아닙니다. 로마에 가면 로마인처럼 행동하라고 했죠. 미국 대학에서 중국인 학생들이 높은 학업 성취율을 보이는 것도 이와 같은 맥락에서 설명이 가능합니다."

나는 그의 이야기를 곱씹어 보았으나 아직도 분명치 않고 미진한 문제들이 있었다.

"그래요, 북적거리는 도시 생활의 넘치는 활기와 경쟁 상태를 잘 이겨 내는 것이 사고 지능을 계발시키는 데 도움을 준다는 것은 논리적인 결론 같군요. 우리도 결국 도시 생활에 적응이 되었으니 말입니다."

"한편으론 그것이 이 논리의 약점이기도 합니다."

그가 말했다.

"무슨 뜻이지요?"

"적응하는 것, 편안하게 느끼는 것 말입니다. 무슨 일이든 결국에는 적응하게 되죠. 그런데 그 점이 우리의 개성과 지성을 발전시키는 데 큰 장애물이 된다는 겁니다. 만약 유태인들의 쓰디쓴 경험으로부터 무엇인가 배울 수 있다면 그것은 '불편함의 원칙' 이죠. 우리의 지능을 계발하고 성공적인 삶을 살기 위해서는 만족을 느껴서도 안 되고 경제적인 안정감과 육체적인 안락함의 수준에 도달했다고 생각해서도 안 되고 매일매일 앞으로 나아가면서 육체와 정신이 방랑해야 한다는 겁니다. 누구나 편안하다고 느끼는 순간 두뇌는 활동을 멈추게 됩니다. 단순해지는 거죠. 당신이 편해지면 그 상황을 당연하게 받아들이게 됩니다. 생각하는 것을 멈추어 버리고요. 당신이 앞으로 걸어가는 군중의 일부라고 가정해 봅시다. 만약 모든 사람이 특정한 한 길로 걸어가면 자기도 모르는 사이에 그 길이 맞는 길인가 보다고 생각하게 될 겁니다."

"재미있는 원리군요."

밖에서는 경찰차가 시끄러운 경적 소리를 내고 빠르게 지나갔다.

"나는 이런 이야기들을 모아 어떻게 제롬의 사업에 도움을 줄지 열심히 생각하고 있어요. 제가 이야기했던 그 청년 말입니다."

"그는 무슨 일을 합니까?"

새뮤얼이 물었다. 나는 그가 즐겨 입는 난감한 패션에 대해 이야기했다.

"사업은 잘되나요?"

"괜찮은 편이랍니다. 고정 수입도 있고 단골들도 있고요. 그런데 그 사업으로 부자가 되진 못할 거예요. 당신의 말마따나 그 일은 그에게는 꽤 편해요. 어쨌든 먹고살 수는 있고요."

"만약 그가 만족한다면 그걸로 그만입니다."

새뮤얼이 말했다.

"그렇지만 제롬은 사업을 발전시키고 싶어 해요. 변화가 필요하다는 거예요. 그래서 자신도 새로운 아이디어를 생각해 내려고 애썼지만 그다지 특별한 것이 떠오르지 않았다는 겁니다."

"그는 어디서 일을 하죠?"

"예루살렘에서요."

"그러면 어디에서 사업 아이디어를 연구했답니까?"

"물론 예루살렘이죠……?"

나는 그가 조금 이상한 질문을 한다고 생각했다. 새뮤얼은 머리를 흔들었다.

"지금 우리가 왜 여기 앉아 있는 줄 아십니까?"

그가 질문을 하더니 곧 말을 이었다.

"예루살렘에서 오랫동안 산 사람이면 내기에서 지게 마련입니다. 왜 그런지 아세요? 그는 자신이 일하던 도시에 적응이 되어 있고 또 그것이 편하거든요. 다른 것들을 돌아볼 수 있는 능력을 잃을 때까지 그 상태는 지속될 겁니다."

"요지가 뭡니까?"

나는 보기 좋게 내기에서 진 사실이 떠올라 민망해져서 웃었다.

"감각이 무뎌진다는 겁니다. 새로운 것들을 창조적으로 생각할 수 없게 되지요. 사람이 한곳에 너무 오래 앉아 있으면 사고에 제한을 받게 됩니다. 이미 모든 것에 익숙하기 때문에 더 이상 자극이 없으니까요. 하늘 아래 새로운 것이 없는 것처럼 감각도 무뎌지는 거예요. 제롬은 자기가 너무나 잘 알고 있는 곳에서는 더 이상 새로운 아이디어를 떠올릴 수 없을 겁니다. 이제 알에서 깨어날 시간이지요. 떠돌아다니면서 생활의 무대를 바꾸어야 합니다."

"그럼 예루살렘에서 텔아비브로 사무실을 옮겨야 할까요? 그러는 게 그에게 도움이 되는 겁니까? 어떻게 생각하세요?"

"도움이 되고말고요. 그렇다고 엄청나게 큰 변화를 줄 필요는 없어요. 다른 곳에서 생각하고 준비하는 시간을 충분히 가지는 게 좋지요. 다른 곳을 여행하면서 머릿속에 떠도는 불특정 다수의 생각을 논리적인 것으로 바꾸는 겁니다. 어떤 실험실에서 우리에 갇혀 있던 쥐와 이리저리 돌아다니던 쥐 사이에는 차이가 있다는 것을 알아냈어요. 떠돌아다니던 쥐는 다양한 환경의 풍부한 세계를 즐겼어요. 변화하는 여러 가지 자극을 즐겼다는 것이지요. 장난감, 딸랑이, 불빛, 냄새 등. 그래서 그 쥐가 지능 면에서 더 뛰어나다는 결과가 나왔죠. 그 쥐들이 죽은 뒤 뇌를 각각 조사해 보았더니 떠돌이 쥐 쪽이 몇 가지 면에서 더 계발되어 있었다고 해요. 떠돌이 쥐들의 뇌의 껍질이, 자극을 받지 않았던 쥐들에 비해 더 두껍다는 것이었어요. 몇 개의 효소가 신경 말단인 시냅토솜과 연결되어 있었죠."

조금은 전문적인 이야기였다. 그는 설명을 계속했다.

"새로운 장소에는 시각적인 자극이 있습니다. 육체는 감각을 날카롭게 만들어 변화를 주는 방어 기제로 활용하고, 사물을 받아들이는 수용의 단계와 창의적인 사고의 단계를 높여 줍니다. 이 모든 것이 새로운 상황에 대처하기 위한 반응입니다. 굳이 애써 노력할 필요는 없어요. 그건 자기 자신의 내면에서 필요에 의해 자연스럽게 일어나는 일이니까요. 외국에서 지내다가 본국으로 돌아오는 사람들은 이런 느낌을 잘 알 겁니다. 에란 씨 본인의 경우만 생각해 봐도 그래요. 당신은 외국에 나갔다가 돌아올 때, 자신이 세상을 보다 많이 아는 사람이 되어서 돌아왔다는 생각이 들지 않습니까? 그 느낌은 많은 세상 경험을 하고 새로운 것들을 보았기 때문에 생겨납니다. 그래서 자신이 좀 더 교육받고 좀 더 똑똑한 사람이라고 생각하게 되는 겁니다. 그렇지 않나요?"

"뭐 그런 것 같기도 합니다."

나는 쑥스러워서 웃었다.

"또한 자존감도 커지게 됩니다. 우리가 런던이나 파리에서 생기는 일을 잘 처리할 수 있다면 모국으로 돌아와서는 말할 것도 없죠. 우리는 외국에서 돌아올 때 생각이 커진 상태로 돌아오게 됩니다. 자신의 차원이 달라지는 거죠."

"그럼 자신의 그릇이 작다고 느껴질 땐 다른 곳으로 여행을 떠나야 되겠네요?"

나는 그가 말한 내용을 이렇게 요약해 보았다.

"그럼요. 왜냐하면 모든 사람들은 자신이 슬럼프에 빠졌다고 느끼는 시기가 있는데, 그때 그들은 일의 능률도 올리지 못하고 창의적인 생각도 못 합니다. 그리고 그 시기에는 동기 부여도 잘 되지 않아요. 미래가 보이지 않는 답답한 느낌이 마치 말도 없이 진흙에 빠진 마차와도 같습니다."

"어떤 느낌인지 알겠어요."

"그러나 반드시 외국에 나가야만 하는 건 아닙니다. 다른 도시에 가서 있어 보는 거지요. 여기서 중요한 건 원래의 장소가 아닌 다른 장소에 가서 있어 본다는 겁니다. 어떤 사람이 창의성을 폭발적으로 끌어올리고 진정 성공하기를 원한다면 자신의 따뜻한 보금자리를 떠나야만 합니다."

"그 이야길 들으니 속담 가운데 전문가에 대해 정의를 내린 것이 떠오르네요."

"전문가에 대한 정의? 그게 뭐죠?"

"전문가란, 다른 곳으로부터 온 사람이다."

"정답이군요."

새뮤얼이 웃었다.

"마치 '자신의 고향에서 환영받은 예언자는 없다.'는 속담과 같은 내용이군요. 자신의 치부나 실수를 다 아는 고향에서는 성공할 수 없다는 거죠. 고향이 아닌 다른 곳에서만 쇠사슬 같은 구속으로부터 자유로워질 수 있고 자신에 대한 사회적인 편견으로부터 벗어날 수 있습니다. 다시 말해서 제대로 된 능력을 펼칠 수 있게 되는 거예요. 따라서 유태인들은 언제나 아웃사이더였기 때문에 성공할 수 있었어요. 아웃사이더가 되면 정신적으로나 육체적으로 한곳에 얽매이지 않고, 위험을 무릅쓰고 새로운 것을 시도해 볼 수 있을 정도로 편하고 자유롭지요."

"여기 이 음료수 이름도 아웃사이더로군요."

나는 대뜸 말하고 나서 곧 후회했다. 몇 시간 동안 지적인 인상을 주려고 한 노력이 순식간에 모두 사라져 버리는 듯했다.

"네. 정말 그렇군요."

그가 빈정거리듯이 웃었다.

"그런데 정말 몇몇 유명한 아웃사이더들이 역사의 한 페이지에 들어가는 데 성공했어요. 나폴레옹, 카를 마르크스 그리고 저주받을 히틀러까지도."

"그게 무슨 뜻입니까?"

"나폴레옹 보나파르트는 완전한 프랑스인이 아니었습니다. 그는 이탈리아의 섬 코르시카에서 태어났는데, 나중에 프랑스로 이민을 갔어요. 마르크시즘은 카를 마르크스의 이름을 붙여 러시아의 공산주의자들이 사용했던 이론이죠. 마르크스는 독일인인데 영국으로 이민을 간 뒤에야 그곳에서 자신의 이론을 펴냈어요. 사실 그는 러시아에 한 번도 가 본 적이 없답니다. 그리고 히틀러로 말할 것 같으면 원래는 오스트리아인이었어요."

"맞아요."

"사실 오스트리아 사람들은 그 사실을 염두에 두지 않으려고 노력합니다. 히틀러는 자기가 태어난 나라에 대해 실망하고는 독일로 이민을 가기로 정했어요. 그래서 새로운 터전에 자신의 운을 걸게 되지요. 어떤 의미로는 그곳에서 성공을 거둔 셈이고."

새뮤얼은 입술을 모으더니 의자를 바로 하고 가볍게 기침했다.

"어쨌든 장소에 변화를 주는 건 절대로 필요한 일입니다. 많은 사람들이 줄곧 같은 장소에서 실패를 했어도 다른 장소로 옮겨 성공을 하는 수가 많습니다. 간단히 말해서 사업의 미래를 위해서는 더 창의적이고 능동적으로 생각할 필요가 있다는 거예요. 제롬도 지금까지가 본 적 없는 그 어떤 곳으로 여행을 가야 해요."

"바로 그거예요. 앞으로의 우리 대화에 좀 더 집중하려면 나도 일단 육체적으로 가벼워질 필요가 있겠는데요."

그는 내 말이 무슨 뜻인지 이해를 잘 못하는 것 같았다.

"그러니까 잠깐 화장실에 다녀오겠다는 겁니다."

나는 의자에서 일어나며 웃었다.

화장실 옆에서 공중전화를 보고 나는 잠깐 멈춰 섰다. 카페나 레스토랑에서 그런 걸 볼 때마다 나는 친구들에게 전화를 걸고 싶어서 참을 수 없었다.

나는 주머니에서 휴대전화를 꺼내 제롬에게 전화를 걸었다.

"제롬."

"오, 이게 웬일이야!"

제롬은 내 목소리를 알아들었다.

"안녕, 친구. 이렇게 이른 저녁 시간에 어쩐 일이신가?"

"너 내일 여기로 왔으면 좋겠는데."

내가 말하자 수화기 건너편에서는 침묵이 흘렀다.

"아니, 아니야. 그냥 해 본 말이야."

내가 다급하게 말했다. 그러나 제롬은 진지하게 물었다.

"내가 내일 아침 파리로 왔으면 좋겠다고?"

"응. 우리 프로젝트의 한 과정이거든."

"그렇군. 내일 파리로 말이지?"

"그래."

제롬은 이해할 수 없다는 듯 조용한 목소리로 중얼거렸다.

"너 좀 흥분한 것 같은데."

"네가 만나면 좋을 것 같은 사람이 있어. 그런데 여기 파리에 와서 서로 얼굴을 맞대고 만나는 게 중요해."

"장난이 아니야. 800달러나 드는 일이라고."

"5,000만 달러를 벌 거잖아? 그것과 관련된 일이라니까."

나는 무어라 설명할 수 없는 자신감으로 가득 차서 말했다.

"계획 없이 갑자기 여행을 떠나 본 적이 몇 번이나 있어? 일단 와 봐. 네가 놀랄 만한 일이 있으니까."

탁자로 돌아와서 나는 작은 냅킨에 유태인의 지능에 관한 두 번째 원칙에 대해 썼다.

2 한곳에 머무르지 말고 항상 정신적, 육체적으로 방랑하라. 편안함을 느끼며 안주해서는 안 된다.

새뮤얼과 1시간 정도 더 이야기를 나눈 뒤 우리는 내일 저녁 다시 만나기로 하고 헤어졌다.

　다음 날 오후 2시 정각에 세인트 폴 호텔 내 방문 앞에 제롬이 작은 가방을 들고 서 있었다. 대단한 제롬! 정말로 여기까지 오고야 만 것이다.

끝없이 의심하는 유태인 학생들

유태인 어린이에게 언제나 부족하지 않은 것은 무엇인가?

소크라테스는 기초적인 지성 발달을 위해 왜 탈무드 방식의 토론을 이용했을까?

빨간 낙엽이 인도에 굴러 떨어졌다. 석양이 질 무렵 우리는 센 강을 따라 이야기를 나누며 조용히 걷고 있었다. 마른 잎을 밟으면서 바스락거리는 소리를 듣다가 문득 나는 외투 안주머니에서 흰 봉투를 꺼내어 제롬에게 건넸다.

"너를 놀라게 해 주려고 준비했지."

제롬은 천진난만하게 웃으면서 손 빠르게 봉투를 열었다.

"믿을 수가 없군!"

그는 내가 산 두 장의 축구 경기 표를 손에 들고 외쳤다.

"파리 생 제르맹 대 마르세유의 경기라니!"

제롬은 긴 손가락을 내 어깨에 얹고는 흥분해서 말했다.

"최고야, 고마워! 유럽에서 축구를 보게 되다니. 제대로 날 놀라게 하는군."

우리가 생 미셸의 골목길에 다다랐을 때 어둠은 이미 도시에 내려 앉아 있었고, 진열된 초록색 책 가판대가 문을 닫기 시작했다. 수많은 관광객들이 오고 있었다. 거리에는 사람이 많았다. 우리는 10분쯤 지나 조용한 골목길에 이르렀다. 그곳에 있는 테라스 카페는 빈센트 반 고흐가 그린 것 같은 골목에 자리한 유일한 커피숍이었다.

새뮤얼은 야외 탁자 자리에 앉아 우리가 오기를 기다리고 있었다. 나는 시계를 보았다.

"우리 모두 일찍 왔네요."

나는 새뮤얼과 악수를 나누었다.

"5분 전에 왔어요."

새뮤얼은 말하면서 제롬에게 악수를 청했다.

"새뮤얼입니다. 만나서 반갑습니다."

"제롬입니다."

제롬은 조심스럽게 새뮤얼의 손을 잡더니 곧 거침없이 물었다.

"그런 모자를 쓰고 돌아다니는 게 겁나지 않나요?"

이럴 줄 알았다니까. 나는 이마에 손을 얹고 체머리를 흔들었다. 새뮤얼은 소리 내어 웃었다. 이런 질문을 받고도 그리 당황한 것 같아 보이지 않았다. 오히려 이렇게 받아치는 것이었다.

"그쪽은 자크 시라크 대통령의 얼굴이 그려진 티셔츠를 입고 돌아다니는 게 두렵지 않나요? 그것도 파리에서."

"전 오히려 파리 사람들이 좋아할 거라고 생각했거든요."

제롬이 웃었다.

"재미있는 분이네."

제롬은 그렇게 말하며 의자에 앉았다.

"너는 처음 만난 사람에게 어떻게 그렇게 말할 수 있어?"

내가 물었다.

"왜, 뭐가 어때서. 난 처음 만난 누군가 나에게 이상형의 아가씨가 어떤 사람이냐고 물어봐도 좋은데 말야. 혹시 괜찮은 아가씨가 주위에 없으신가요?"

제롬은 새뮤얼에게 물었다. 이렇게 말하는 제롬은 정말 개념이라곤 없어 보였다. 제롬은 우리 실험의 의미를 제대로 알고 있는 걸까.

"어떤 사람을 찾는데요?"

새뮤얼이 묻자 제롬은 탁자 위로 손을 올리고는 말했다.

"뭐 크게 바라지는 않아요. 예쁘고 똑똑하고 유머 감각이 있고 1987년에 산 야후와 마이크로소프트 주식이 있는 여성을 찾고 있어요."

참으로 자세한 희망 사항이었다.

"그 커플이 잘 살아가려면 마지막 조건이 가장 중요하죠."

"역시 재미있는 친구로군."

새뮤얼이 나를 돌아보며 말했다.

"그렇게 봐 주시다니 다행입니다."

나는 졌다는 듯 두 손 두 발 다 들었다.

1시간 동안 우리는 다양한 주제에 대해 이야기를 나누었다. 새뮤얼이 미리 계획하고 온 것인지 잘은 모르겠지만, 어제 우리의 대화에서도 그랬듯이 우연히(또는 필연이었을까?) 우리는 유태인 두뇌에 대한 또 다른 원칙에 대해 이야기를 하게 되었다.

자연스럽게 이야기를 하는 동안 제롬은 경영학을 공부하기로 결정한 사연을 들려주었다. 새뮤얼은 그 결정에 대해 칭찬을 하며 몇 가지 조언을 하다가 문득 물었다.

"당신은 왜 유태인들이 모든 질문에 항상 대답하려고 애쓰는지 압니까?"

그 농담을 알고 있는 듯 제롬이 웃었다.

"그건 잘 알려진 이야기지요. 유태인은 어떤 엉뚱한 질문을 받더라도 반드시 대답을 한다는 것 아닙니까. 모든 궁금증에 대해 답을 구하려고 애쓰는 유태인의 성향을 잘 보여 주지요."

새뮤얼이 말했다.

"그런데 그 얘기는 세상 전체에 대한 은유를 담고 있습니다. 에란이 어제 당신들의 프로젝트에 대해 말해 주었는데요. 호텔로 돌아가다가 문득 유태인의 지능은 유태교식 교육과 공부에서 비롯되는 우수한 사고에 기초한다는 생각이 들었습니다. 모든 사람들은 이해와 배움에 대한 열망, 즉 알고자 하는 욕구가 있어요. 그러나 모든 사회가 교육을 가장 우선적으로 생각하지는 않습니다. 일부 교사들은 자질도 부족하고 경험도 많지 않아요. 핑계가 많지요. 예산도 없고 있다 해도 복지 시설을 개선하는 데에 쓰는 게 고작입니다. 교실 확충이나 도서 구입 대신 돈 나갈 다른 곳이 너무 많은 거예요. 하지만 유태인들은 세상을 바라보는 눈이 항상 남달랐습니다. 열심히 공부하는 것을 견딜 수 없다면, 무식한 상태를 견뎌 내야 할 것이라고 랍비 모세 에벤 에즈라가 말한 바 있지요. 그런데 살다 보면 자기가 아는 것을 숨길 순 있지만, 무지하다는 걸 숨긴다는 건 불가능하게 마련입니다. 역사적으로 유태인들은 무척 궁핍하고 고생스러웠어요. 오늘날도 예루살렘에 정통 유태교인들이 모여 사는 곳 가운데 일부를 보면 대부분의 사람들이 극빈층으로 살고 있습니다. 그런데 아이들이 하루 종일 따뜻한 식사를 하지 못하는 날이 있더라도 책은 전혀 부족하지 않아요. 학생이 아침에 종교 학교 예시바나 헤데르로 갈 차비가 없으면 공동체에서 해결해 주지요. 그들의 부모는 파트 타임 교사로 일을 하면서 근근이 살아갑니다. 그러나 그들은 공동체로부터 그보다 몇 배 더 가치가 있는 것을 받습니다. 바로 그들이 하는 일에 대해 높은 평가와 존경을 받는 것이지요. 유태인의 결혼 예식에 관한 소책자를 보면, 학생은 랍비와 선생님을 부모님보다 더 존경해야 한다고 언급하면서 교사에 대한 존경심과 중요성을 강조하고 있지요. 학문이 모든 것에 앞서는 겁니다."

새뮤얼은 잠시 목을 축였다. 나는 중간에 잠깐 쉬자고 제안하지 못한 것이 미안했다.

"토라를 공부했던 이유는 유태인의 전통을 지키기 위해서였어요. 학문적 교육적 가치로 보아도 일반적인 교육과는 논점이 다릅니다. 플라톤이나 헤밍웨이를 배우는 것과는 다르지요. 그렇지 않은가요?"

새뮤얼은 물 마신 컵을 탁자에 올려놓았다.

"그런데 실은 그렇기도 하고 그렇지 않기도 해요. 성스러운 토라를 공부한다는 건 그 어떤 것보다 가치 있는 일이죠. 그런데 종교 학교에서도 일반 학교에서 배우는 수학, 지리학, 역사 등을 배워요. 중세에는 아랍 국가의 유태인 지도자들이 외교학을 연구하기도 했어요. 또 그 시기의 수많은 물리학자, 천문학자, 수학자, 철학자 들이 유태인이었고요. 그라나다 출신 예후다 에벤 티본은 교육적으로 중요하게 다루어야 하는 분야가 무엇인지 자세하게 설명했습니다. 토라 외에 미슈나, 탈무드, 히브리어 문법, 시, 종교 철학이 그것이죠.

비종교인들의 전문 분야인 논리학, 기하학, 광학, 음악, 의학, 기계학 등……. 지금은 잘 생각나지 않는데 그 밖에도 많습니다."

그는 잠깐 말을 멈추고 크게 숨을 들이쉬었다.

"철학자이면서 주석가이기도 한 요셉 에벤 카스피는, 진실한 믿음이란 지식을 바탕으로 한 것이어야 한다고 말했습니다. 그는 자기가 쓴 책에서 '지식이 무엇인지 모른다면 내가 어떻게 하느님을 알 수 있을까?' 라고 말하고 있습니다. 다시 말해서 자연과학과 형이상학을 접하지 않고서는 진실된 하느님의 사랑이 무슨 의미인지 그 누구도 알 수 없다고 생각한 겁니다."

그는 다시 물을 한 모금 마시고는 말을 이었다.

"그런데 유태교에서는 일반 학문을 공부하는 것을 위험하게 생각했고 반대했어요."

그러면서 그는 컵을 탁자 위에 올려놓았다.

"당신이 무엇을 모르는지는 절대 알고 싶지 않을 것이다……."

제롬이 이야기했다.

"그건 루퍼트 홀머스의 시 한 구절 아닌가요?"

"그게 바로 일반 학문을 반대하는 사람들의 시각입니다."

새뮤얼이 고개를 끄덕였다.

"그런 말을 하려던 것은 아니었는데."

제롬이 뭐라고 말하려 하자 그는 손가락을 들어 조금만 기다리라는 신호를 보냈다.

"나는 우리가 미팅을 하는 목적에 대해 잘 알고 있습니다. 유태인의 지능과 관련된 몇 가지 의견에 대해 조금 있다가 이야기를 나누기로 하고, 먼저 이 질문에 대해 생각해 보기로 합시다. 제롬은 어떻게 하면 유태인들이 강조하는 학문의 가치 면에서 효과를 거둘 수 있을까 하는 게 관건이지요?"

그는 이렇게 묻고 다시 침묵했다. 그러다가 말하려던 내용이 떠올랐는지 머리를 들었다.

"좋습니다. 많은 유태인 지도자들은 미래의 유태교가 토라 학습에 중점을 둘 거라고 했어요. 그들은 군중들에게 교육의 중요성에 대해 지적했습니다. '많은 학생을 교육시켜라.' 가 정치 이념이 되어 이것을 달성하기 위해 힘썼지요. 학문에 대한 중요성은 그 정도로 강조되어서, 대제사장들은 성전 일이나 다른 일보다 토라 공부하기를 더 바랐습니다. 그 후에 시므온은 유태교에 대한 시각을 좀 더 발전시켰지요. '세상은 세 가지 요소 위에 서 있다. 토라 위에, 일 위에, 자선 활동 위에. 그중에서도 토라가 가장 먼저다.' 라고 말입니다."

"하지만 요리도 좋고 축구도 해롭지 않아요."

제롬이 덧붙였다.

"세상이 좀 더 안정적으로 잘 서 있으려면 주춧돌이 다섯 개 정도는 되어야 하지 않겠습니까?"

새뮤얼은 계속했다.

"유태인들은 개인적으로나 공동으로 지능을 계발시키는 기본적인 조건이 되는 씨를 뿌렸습니다. 그때 이후로 유태인들은 머리 쓰는 일을 강조하고 그보다 더 시간이 흐른 후에 그 열매를 맺었지요. 그 뒤로 대부분의 사람들이 자유로운 직업에 종사하게 되었습니다. 머리를 써야 하는 의학, 사업, 법학 등. 이것은 세계적으로 유명한 유태인 스포츠 스타들이 없는 이유이기도 합니다. 머리가 몸보다 먼저 계발되거든요. 머리를 많이 쓰고 생각을 많이 해서 지능이 발달하니까요.

돌고 도는 이야기인데 생각을 하면 할수록 머리를 많이 쓰게 되고 그러면 그 사람은 발전합니다. 반대로 줄곧 기계적인 일에 종사하고 사고력과 창의성이 필요없다면, 예를 들어 토마토를 딴다든지 텔레비전을 시청하는 이상의 일을 하지 않으면, 두뇌가 단순해지고 퇴보하게 되는 위험에 처합니다."

"그건 정말 맞습니다."

나는 자세를 고쳐 앉으며 동의했다.

"나할에서 군 복무를 할 때 꼭 그런 생각을 했거든요."

"에란, 당신 나할 출신인가요?"

새뮤얼이 놀랐다는 듯 물었다.

"네, 제롬도 마찬가지입니다."

나는 자랑스럽게 말했다.

"어느 키부츠 소속이었는데요?"

"전 아라바에 있는 야헬 키부츠에 있었습니다. 제롬은 마샤베이 사데에 있었고요."

"나도 키부츠 마얀 츠비에 자원했답니다."

그는 기분 좋게 웃다가 무언가 떠올린 듯했다.

"잠깐, 가만 있자."

"나할에 대해 뭐 생각나시는 거라도 있습니까?"

"아닙니다. 별것 아니에요."

나는 속 깊은 내용까지 묻지 말아야겠다고 생각했다.

"그 당시 정착촌에서 군 복무를 하고 나중에는 키부츠에서 토마토, 멜론, 양파, 그 밖에도 50가지가 넘는 열매를 땄어요. 엄청나게 다양한 농사일을 했는데 제 기억에는 그 결과 2년 동안은 보는 것마다 따거나 떼어 버리고 싶은 욕구가 생기곤 했어요. 귀걸이, 전구, 생일에 장식한 풍선 같은 것……. 다시 말해서 농사에 해가 되지 않는 선에서 말입니다."

나는 그때를 떠올리며 말을 계속했다.

"토마토를 따는 일에 그다지 머리를 쓸 필요가 없다는 건 새롭지 않은 사실입니다. 또 군대에서 등에 배낭을 짊어지고 두 손의 도움 없이 기는 무척 유별난 재주를 계발하기도 했는데, 그것도 크게 지성적인 도전 정신이 있어야 되는 일은 아니었어요. 심지어는 가장 재미있고 다양한 일을 했던 목장에서도, 지성적인 면에서 가장 복잡한 일이라고는 우유 펌프를 젖소 몸통의 다른 부분이 아닌 젖통에 꽂아야 한다는 정도였어요. 그 밖에도 젖을 짜고 나서 젖소들을 우리에 들어가게 한 뒤에 문 닫는 것을 기억해야 했지요. 이 일들은 정말 가끔씩 기억 속에 떠오르곤 하는데, 나할에 있었을 때야말로 제 인생에서 아무것도 생각할 필요가 없었던 때였답니다."

"그래요. 그 이야기도 의미 있군요."

새뮤얼이 웃으며 말했다.

"가끔은 아무것도 생각하지 않는 것도 좋은 일입니다. 개인적인 선택에 따른 거니까. 자신의 결정에 따라 무지로 고통을 당하거나, 지루하게 토마토를 따기로 결정하는 것이지요. 그럴 게 아니라면 단조로움과 싸우고 두뇌를 발달시키는 데 투자할 준비가 되어 있어야 합니다. 일터에서 돌아와 소파에 앉아 텔레비전 앞에서 머리를 식히기란 쉬운 일입니다. 그러나 텔레비전 대신 저녁에 강의를 들으러 간다든지 독서하기로 결정을 하면 지능의 수준과 지적 능력이 향상된다는 것을 확신할 수 있어요."

그는 물컵을 입으로 가져갔다.

"당신이 일흔 살이 되면 그런 것 말고는 아무것도 당신을 도와줄 수 없지 않을까요?"

제롬이 큰 소리로 물었다. 새뮤얼은 물을 삼키고 대답했다.

"음……. 나이와는 별로 상관없습니다."

"상관이 없다고요?"

내가 물었다. 새뮤얼은 확신에 찬 태도로 머리를 흔들었다.

"전혀 상관없지요. 나이가 얼마든 공부할 수도 있고 스스로를 발전시킬 수도 있어요. 랍비 아키바도 마흔 살 때까지 글자를 전혀 몰랐다고 합니다. 그가 아들과 함께 알렙, 베트(히브리어 기역, 니은— 옮긴이)를 배우기까지 말입니다. 랍비 샤흐는 아흔 살에 책을 쓰기도 했어요."

말하면서 새뮤얼은 제롬을 바라보았다.

"세계적으로 성공한 패스트푸드점의 커넬 샌더스도 예순이 넘어서 야 KFC를 세웠지요."

제롬이 손을 볼에 가져가며 말했다.

"저는 쉰 살에 사업을 접을 생각인데."

"그 밖에도 유태인들은 효과적으로 머리를 쓰는 기술을 계발했습니다. 교사, 교육자, 다른 분야의 전문가들도 일종의 토론 교육을 받았지요."

"질문과 대답 방식으로 말이군요."

내가 말했다.

"유태인들이 왜 질문만 나왔다 하면 대답하려고 애쓰는지 아느냐고 물었던 것 생각나요?"

새뮤얼이 제롬을 쳐다보며 물었다.

"그것은 그들이 대대로 그렇게 배워 왔고 또한 그런 방식에 익숙해 있기 때문입니다."

그는 다시 물 한 모금을 마셨다.

"유태교에서 기본적인 전제가 있다면, 절대로 명백하지 않은 사실이란 없다는 것입니다. 모든 유태인 종교인들이 철저하게 지켜야 하는 기본적으로 가장 엄격한 법률과 계명에도 '그렇게 씌어 있고 랍비가 그렇게 이야기하니까' 그것을 지킨다고 하지는 않습니다. 계명은 사실 따분한 것이지만 유태인들은 항상 왜 법률을 지켜야 하는지 여러 가지 방식으로 이해하려고 했고, 법률에 담긴 논리적인 측면이 무엇인지 알려고 노력했습니다. 사회에 널리 알려져 있는 바와는 달리, 예시바나 미드라시 같은 종교 학교의 학생들은 조상들이 토라를 시나이 산에서 받았다는 것을 아무런 의심 없이 맹목적으로 받아들이지 않습니다. 그와 마찬가지로 학생들은 난처한 질문으로 교사를 힘들게 해도 되고, 교사와 논쟁을 벌여도 됩니다. 랍비의 행동이 학생들에게 가르친 것과 반대라면 학생들은 랍비에게 비판적인 문제 제기를 할 수 있습니다. 랍비도 학생들에게 질문을 하라고 이야기하고, 그들의 명석하고 예리한 머리를 써서 스스로 답을 찾아보라고 요구합니다. 랍비 예후다는 교사들이란 다른 사람들에 비해 지적인 면에서 득을 본다고 말한 바 있습니다. '나는 교사이기에 다른 사람들보다 토라를 많이 배울 수 있었다. 그러니 나의 학생들도 남들보다 더 배우게 되었다.' 는 것이죠. 재능이 있는 학생들을 가르치는 교사들은 운이 좋습니다. 그런 학생들은 날카로운 질문으로 랍비들을 지혜롭게 만들기 때문이지요. 그래서 탈무드는 유태인들의 삶에서 무척 의미 있는 역할을 하고 있습니다. 시작도 끝도 없고, 대부분 완벽한 답이 없으며 각자 새로운 토론을 다양하게 여는 것도 가능하니까요. 모든 유태인들은 법률에 대한 또 다른 해석을 받아들이거나 거부할 수 있습니다. 이것이 탈무드의 백미입니다. 탈무드는 반복과 기억을 통해 예전의 지혜를 기계적으로 배우는 것이 목적이 아니라, 근본적으로 새로운 토론에 초대하는 것이니까요."

"멋지군요."

나는 새뮤얼의 말에 감탄했다. 제롬이 마무리를 했다.

"물론 그 이상 좋은 일은 없겠지요. 스티븐 시걸이 영화 속에서 이렇게 말했던 것처럼 말이에요. '실수투성이인 채로 편안히 지내는 것은 바람직하지 않다.'"

새뮤얼이 고개를 끄덕였다.

"정말 그래요. 모르는 것을 그대로 내버려두어서는 안 됩니다. 조사를 해 보고 연구하고 질문을 해야지요. 우리는 많은 지식의 깊이를 알아보지도 않고 내용만을 그대로 받아들이곤 합니다. 삶은 그렇게 시시콜콜한 것까지 파악하지는 않으니까요. 예를 들어 볼까요."

그가 잠깐 생각하다가 물었다.

"노아가 동물들을 방주에 실을 때 몇 마리씩 실었는지 압니까?"

"물론 둘씩 실었죠."

제롬이 나를 쳐다보며 그렇지 않느냐고 묻는 듯 바라보았다. 새뮤얼은 대답했다.

"총명한 학생에게 이 질문을 하면 그보다 훨씬 더 자세한 대답을 들을 수 있을 겁니다. 모든 정결한 짐승은 암수 일곱씩, 부정한 것은 암수 둘씩을 취하라고 했지요. 또 다른 예도 있어요."

새뮤얼은 손바닥을 문지르며 곰곰이 생각하다가 말을 꺼냈다.

"에덴동산에서 아담과 하와가 쫓겨난 것 알고 있지요? 하느님이 분명하게 금지했던 일인데도 하와가 아담을 유혹해서 아담이 사과를 한입 베어 먹었다는 내용 말입니다."

"알다마다요."

"그것도 잘 알려진 이야기 중 하나인데, 성경에 그 이야기가 어떻게 씌어 있는지 정확히 아는 사람은 별로 없지요."

그는 말을 멈추고 우리를 둘러보았다.

"총명한 학생에게 이 이야기를 하면 이런 질문으로 교사를 난처하게 할 겁니다. '누가 그 열매를 사과라고 했지요?' 이런 식으로."

"그러게요. 분명 선악과라고 했는데 말입니다."

제롬이 웃었다.

"바로 그거예요. 축복받은 유태인 선조들은 아담과 하와가 무화과 잎으로 수치스러움을 가린 것으로 보아, 선악과는 포도나무나 무화과나무의 열매였을 가능성이 높다고 생각했습니다."

새뮤얼도 말하면서 웃었다. 제롬이 무언가 생각났다는 듯 말했다.

"그거 꼭 블랙박스 같군. 비행기가 추락하면 그 추락한 이유를 알기 위해 블랙박스부터 찾잖아."

"그런데?"

나는 제롬의 말뜻을 이해하지 못했다.

"블랙박스는 전혀 검정색이 아니거든. 사실은 주황색이야. 눈에 잘 띄라고 그렇게 만들었지."

제롬은 우리가 으레 그러리라고 짐작했던 것과는 다른 새로운 사실을 이야기해 주었다.

"어쨌든 지금 말하려는 건 유태인의 학습 형태는 질문과 대답, 조사, 궤변과 진단, 사물의 비교로 이루어진다는 점입니다. 이와 같은 방식은 큰 재산이 되어, 유태인의 지능 발달에 도움을 주고 정확도가 높은 결론에 이르는 능력을 기르는 데에도 도움이 되었습니다. 또한 자신감 향상과 사업의 추진력에도 한몫을 했고요."

말하면서 새뮤얼은 제롬을 쳐다보았다.

"새로운 상황과 마주하기 전에, 예를 들어 협상을 하러 가거나 새로운 곳을 방문할 때 질문과 조사부터 하여 상대에 대해 알아 둡니다. 그렇게 하면 낯설고 긴장되는 상황이 편안하고 친근한 상황으로 바뀝니다. 그럼 어느새 자신이 그 일이나 상황에 익숙해졌다는 느낌을 받게 됩니다. 지식과 자신감 사이에는 무척 단단한 연결고리가 있습니다. 기드온과 미디안 사람들의 이야기처럼요."

제롬이 눈을 동그랗게 뜨고 조용히 말했다.

"기드온의 해와 아얄론 골짜기의 달 말이군요. 학교에서 배웠던 것 같아요."

"당신이 말한 건 기드온이 아니라 여호수아 얘기 아닌가요?"

새뮤얼은 웃으면서 제롬의 이야기를 정정해 주었다.

"기드온과 미디안 사람들의 이야기가 이 주제와 무슨 상관이죠?"

나는 잘 이해할 수 없었다. 새뮤얼이 대답했다.

"기드온은 하느님에 대한 확신을 가지지 못했어요. 그는 엄청난 규모의 미디안 군대에 패배하고 싶지 않은 마음에, 자신이 정말 옳은 예언을 받은 거냐고 감히 질문했잖아요. 그런데 하느님은 그가 감히 질문을 하고 하느님의 말씀에 의심을 품었다고 해서 그를 벌주셨습니까? 그 반대입니다. 하느님께서는 기적을 행하셔서 그에게 당신의 힘을 증명해 보이셨어요. 기드온은 증거와 답을 받아 만족하고 나서야 전쟁에 나갔습니다. 그는 질문을 통해 필요했던 지식을 얻었고, 지식은 그로 하여금 큰일을 행할 때 하느님이 항상 그의 옆에 계시다는 자신감을 주었지요. 그는 300명의 군사만 데리고 강력하게 무장한 수만 명 미디안 군사를 무찔렀습니다."

새뮤얼이 말을 막 마쳤을 때 제롬의 휴대전화가 울렸다. 제롬은 당황하여 주머니를 뒤졌다. 꺼냈을 때는 이미 전화가 끊어진 뒤였다. 그는 가만히 휴대전화를 내려다보더니 히죽 웃으며 말했다.

"잘 모르는 번호예요. 이참에 잘됐군요. 지금부터 30분 동안 이 사람이 누구인지 머리가 깨지도록 생각해 봐야겠는데요."

그는 종료 버튼을 눌러 휴대전화의 전원을 껐다.

"긍정적으로 생각하라고."

내가 격려하듯이 말했다.

"누구였을까?"

"누군지 잘은 모르겠지만 머리가 깨질 정도로 생각하면 네 머리는 더 좋아지겠지."

"그 말을 들으니 어떤 아버지와 자식 이야기가 떠오르네. 아이가 와서 묻잖아. '아버지, 왜 하늘이 파란색이에요?' 그러면 아버지가 말하는 거지. '아버지는 정말 그 이유를 모르겠구나.' 얼마 있다가 그 아이가 아버지에게 와서 다시 묻는 거야. '아버지, 지구의 지름은 얼마예요?' 그랬더니 아버지는 또 '어려운 문제로구나. 책을 찾아보는 게 좋겠다.' 또 얼마 있다가 아이가 다시 아버지에게 와서 물었지. '아버지, 코끼리 코는 왜 길어요?' 아버지는 또 '아들아, 아버지는 왜 그런지 정말 모르겠다.' 이렇게 대답한 거지. 마지막으로 아이가 아버지에게 와서 물었어. '아버지, 제가 늘 질문을 하는 게 귀찮으세요?' 그랬더니 아버지가 아이의 머리를 쓰다듬으며 말했다지. '천만에, 그럴 리가 있겠니! 네가 물어보지 않으면 내가 어떻게 하늘이 파랗고 코끼리 코가 긴 줄 알겠니?' 라고 말이야."

얘기를 듣고 새뮤얼은 큰 소리로 웃으며 말했다.

"기억해 둘 만한 이야기로군요."

제롬은 의자에 기대앉아 다리를 꼬면서 길을 지나가는 어떤 노부부를 쳐다보며 물었다.

"탈무드 방식의 좋은 예로는 어떤 게 있을까요?"

"논쟁에 대한 예를 말하는 겁니까?"

새뮤얼은 조용히 생각한 뒤 대답했다.

"일반적이면서도 괜찮은 예를 들어 봅시다. 두 명의 도둑이 굴뚝을 타고 내려왔어요. 한 명은 얼굴에 석탄이 묻어 지저분했고 다른 하나는 얼굴이 깨끗했어요. 둘 중에 누가 얼굴을 씻으러 갈 거라고 생각합니까?"

제롬은 지나치게 쉬운 질문에 실망한 듯 어깨를 으쓱해 보였다.

"물론 얼굴이 지저분한 사람이죠."

새뮤얼은 머리를 흔들었다.

"깊이 생각하지 않고 결론을 냈군요. 얼굴이 지저분한 도둑은 깨끗한 얼굴로 나온 친구 얼굴을 쳐다보고 자기 얼굴도 깨끗하다고 생각할 겁니다. 얼굴이 깨끗한 도둑은 친구의 얼굴을 쳐다보고 자기 얼굴도 지저분하다고 생각하고요."

"그렇군요. 원리를 알겠습니다."

제롬은 웃으며 대답하고는 아무 말 없이 앉아 있다가 농담처럼 물었다.

"어떻게 같은 굴뚝에서 나온 두 명의 도둑이 하나는 지저분하고 다른 하나는 깨끗할 수 있습니까?"

새뮤얼은 엄지손가락을 들어 올려 보였다.

"좋은 자세입니다. 바로 그런 질문이야말로 당신이 탈무드 방식으로 생각한다는 걸 보여 주는 겁니다."

나는 주머니를 뒤져서 작은 냅킨을 찾았다. 그리고 제롬의 앞주머니에 꽂혀 있던 비싼 펜을 빌려다가 이렇게 적었다.

영원히 공부하는 것은 쉼 없이 의문을 가지고 질문하는 것.

"에란은 자료를 모으고 책을 쓰는 지루한 일에 일가견이 있지요."

제롬이 내가 적는 모습을 보고는 새뮤얼에게 설명했다.

"그에 비하면야 내 할 일은 무척 단순한 편이죠. 나는 단지 이론을 내 행동에 적용시키기만 하면 되니까 말이죠."

그러자 새뮤얼이 말했다.

"그런데 제롬 당신이 조금 전에 물어본 것처럼, 현실에서도 앞뒤가 맞지 않거나 꼭 필요한 몇 가지 고쳐야 할 점을 발견하게 되지 않습니까? 당신 손가락에 감겨 있는 일회용 반창고처럼 말이지요. 그런 사소한 데에서 의문을 발견하는 것이야말로 미래를 바꿀 수 있습니다."

제롬은 자신의 손가락에 감긴 일회용 반창고를 보면서 고개를 갸우뚱했다.

"이 일회용 반창고가 뭐 잘못됐나요?"

모방과 개선은 창조의 원동력

"이스라엘로 가다가 길 위의 돌들을 보면 놀랄 만한 사실을 알게 된다.
뛰어난 사람들은 위로 올라가기 위해 자신을 숙인다는 것을."
— 윈스턴 처칠

"일회용 반창고를 얼마나 자주 들여다봤습니까. 상처가 날 때마다 그 자리에 붙이지 않습니까?"

새뮤얼이 제롬에게 물었다.

"많이 보았죠, 당연히."

제롬이 고개를 끄덕였다.

"그 일회용 반창고를 보면서 그게 뭐가 잘못되었는지 의심해 본 적 있나요? 아마도 그런 적 없을걸요. 왜냐면 그것처럼 단순하고 분명한 사물에 관심을 가질 필요를 못 느꼈을 테니까 말입니다. 일회용 반창고는 70년 전부터 쓰여 왔습니다. 그러다가 10년 전 《타임》에 한 청년에 대한 이야기가 나왔습니다. 그 청년은 너무나 단순한 사실에 대해 의문을 품고 생각하기 시작했지요. '왜 일회용 반창고는 항상 백인들 피부에 잘 맞도록 크림색일까?' 하고 말입니다. 처음 일회용

113

반창고가 생겨난 뒤 60년 동안 사람들은, 피부색이 어두운 사람들도 포함해서, 표준형 일회용 반창고를 모양도 색깔도 같은 걸로 아무 생각 없이 썼습니다. 그 청년이 이 내용에 대해 의문을 제기하기까지 60년이 걸린 셈이지요. '흑인들을 위해 왜 검정색 일회용 반창고는 만들지 않을까?' 그래서 10년 전부터는 다른 색깔로 된 일회용 반창고도 나오고 있습니다. 처음 생겨난 지 무려 60년 만에 말이지요."

"정말 단순해 보이면서도 큰 발견이군요!"

나는 감탄하면서 말했다.

"중국에서 케첩을 발명하기까지는 몇 백 년이 걸렸는데, 이 중국인들은 어느 날 이런 생각을 했다고 해요. '왜 사람들은 케첩 몇 방울을 쓰려고 할 때마다 유리병 바닥을 두들겨야 할까?' 그래서 그 뒤로 지혜로운 발명가들은 케첩을 유리병에서 플라스틱 병으로 옮겨 담았죠. 이 발명품은 널리 쓰이고 있습니다. 수십억 사람들이 그동안 다치고 멍들었던 손에 기쁨을 얻게 된 거죠."

"그 이야기로 제게 뭔가 힌트를 주시려는 것 같군요."

똑똑한 제롬이 말했다.

"맞습니다. 굳이 바퀴를 발명할 필요는 없다는 뜻이었어요. 인간이 무언가를 발명한다는 것은 이미 존재하는 것에 대한 모방과, 사용 및 적용 면에서 단순하게 존재하는 것을 바꾸는 행위를 포함하니까요."

제롬은 탁자에서 소금통을 들어 올려 쳐다보았다.

"자, 그럼 볼까요."

그는 소금통을 이리저리 다른 방향으로 돌려 보았다.

"구멍이 조금 더 커져야겠는데요. 소금 덩어리가 끼어 구멍이 막혀 버리기 전에."

"나쁘지 않군요."

"이런 것도 유태인식 지능 계발과 어떻게든 관련이 있나요?"

"일부는 있지요."

새뮤얼이 대답했다.

"우리는 이미 유태인들이 변화하는 환경 조건에 높은 관심을 가짐으로써 생존 지능을 높여 왔다는 이야기를 했습니다. 급격한 변화나, 불투명한 현실에 적응하는 능력이 빨랐기 때문이에요. 즉 유태인들이 항상 자신들의 사고를 열어 두었다는 뜻이지요. 그들은 주변의 사물을 예리한 감각으로 살폈습니다. 이렇게 열린 사고 덕에 그들은 중요한 자세를 갖게 됩니다. '바퀴를 발명할 필요는 없다. 이미 존재하는 것을 특별한 필요에 따라 맞추어 사용하는 것도 바람직하다.'의심할 여지 없이 이런 생각을 하는 다수의 유태인들은 인류에도 영향을 미쳤습니다. 그러나 그들은 그러면서도 자기들과 함께 생활하던 민족이나 문화의 다양함을 배우기 위해 노력했지요. 그리고 자기들의 필요에 따라 어떻게 그 다양함을 적용하고 개선해야 할지 깨달았습니다. 한마디로 그들은 창조적인 모방꾼, 즉 창조적인 발명가들이었다고 말할 수 있지요."

"창조적인 모방이란 무슨 뜻입니까?"

내가 물었다.

"창조적인 모방이란 필요한 예에 알맞게 바꾸는 것과 이미 존재하는 것의 효율성을 포함하는 겁니다. 노트북은 가정용 컴퓨터를 모방해서 발전시킨 거잖아요. 매트리스는 갈대 매트를 모방해서, 자동차는 마차를 모방해서, 자동문은 대문을 모방해서 발전시킨 겁니다."

"아들인 조지 부시는 아버지 조지 부시의 발전이겠군요."

제롬이 옆에서 거들었다. 새뮤얼이 웃으면서 덧붙였다.

"그건 가장 최신의 예라고 할 수 있겠군요. 그런데 아들 부시가 '발전'을 했나요? 뭐 지나 보면 알겠죠."

나는 다시 물었다.

"유태인들은 정확하게 무엇이 발달되어 있나요?"

"유태교에서 가장 중요한 의식인 할례가 발달되어 있지요."

"글쎄요? 유태인들이 그걸 발명한 건 아닌데요."

"자, 보세요. 우리의 조상인 아브라함은 할례를 하라는 안내 책자를 받았다고 하지요. 그뿐 아니라 고대 이집트인들과 유태인들이 그 의식을 행한 것보다 아주 오래전에, 가나안인들과 페니키아인들 사이에서도 행해졌어요. 유태인들은 그 의식의 근본적인 의미를 바꾸어 정신적이고 역사적인 의미를 부여했습니다. 그래서 13세부터 행하던 의식의 나이를 생후 8일째가 되는 날로 정하고 그날 아들에게 할례를 받게 했습니다. 그것은 하느님과 유태 민족 사이의 영원한 계약을 상징하는 의식이었어요. 약간 달라진 점은 종교적인 의미만을 담지 않게 되었다는 것이지요. 훗날 의사들은 나이가 어렸을 때 포피를 제거하는 것이 좋다는 데 의견을 모았습니다. 포피가 병균들을 끌어당기는 곳이니까요."

"거봐, 에란, 내가 지난주에 뭐랬어?"

제롬이 신이 나서 말했다.

"할례가 유태인 지능의 근본 원인이라고 했잖아? 내가 분명히 그렇게 말했지?"

그러면서 자랑스럽게 새뮤얼을 쳐다보는 것이었다.

"그만 하지."

내가 새뮤얼에게 눈을 찡긋해 보이며 말했다.

"지금은 할례가 핵심이 아니잖아. 새뮤얼, 계속해 보세요. 지금 이야기한 게 더 재미있는걸요. 그들은 어떤 문화를 더 자신들의 것으로 바꾸었나요?"

"가나안 사람들로부터 땅을 경작하고 집을 짓고 재산을 임대하거나 매매하는 방법, 상법을 가져왔습니다. 사실 유태인은 가나안 문명으로부터 많은 기본 원리를 가져다가 사용했죠. 종교적인 면에서 유태인들은 가나안 사람들로부터 명절과 십일조, 첫 추수한 과일은 하느님께 바치는 원칙을 받아들였습니다. 그러나 가나안 사람들의 우상만은 믿지 않았지요. 자신들의 하느님을 믿었으니까. 이 모든 사실은 유태인들의 개방성과 융통성을 보여 줍니다."

"시간이 좀 더 지난 뒤에는 어떻게 되었나요?"

내가 물었다. 새뮤얼은 머리를 들더니 곰곰이 생각했다.

"그들은 이스라엘과 이집트의 유태인 지식인들에게 영향을 미친 그리스 철학자들의 책과 호머의 작품을 읽었습니다. 그들 중 일부는 탈무드나 시나이 산에서 우리의 조상인 모세가 받은 율법 속에서 자신들의 길을 찾았지요. 산헤드린이나 유태교 법정은 그리스의 의회인 '시네드리온'의 영향을 받은 것입니다. 미슈나, 탈무드, 미드라시에 나오는 용어도 그리스어에서 온 것이 많습니다. 예를 들어 히브리어의 '카테고르'라는 낱말은 '고소인'이라는 뜻인데 '카테고러스'라는 그리스어에서 왔습니다. 히브리어로 '관리인'이라는 뜻을 가진 '아포트로푸스'라는 단어도 그리스어의 '애피트로포스'에서 온 겁니다. 이렇게 히브리어의 뛰어난 특징이라면 '외래어의 차용, 언어의 개선' 체계가 잘 이루어져 있다는 겁니다. 이렇게 유태인은 히브리어, 아랍어, 이란어에서 다양한 단어를 찾았답니다."

"그렇죠, 그건 잘 아는 이야깁니다."

제롬이 웃으며 말했다. 새뮤얼은 눈을 약간 감으면서 말했다.

"모든 중요한 단어들은 서로 정보를 주고받으면서 의미 작용을 돕는 법이지요. 멋진 어휘들도 많아요. 아랍어는 풍성하고 멋진 언어랍니다. 당신이 아랍어를 읽을 줄 안다면 칼릴 지브란이나 나지브 마흐푸즈, 테 후세인과 같은 훌륭한 아랍 시인들의 시를 읽으면서 아랍어를 즐길 수 있을 텐데 아쉽군요."

새뮤얼은 조용히 시선을 탁자 위로 떨어뜨리며 생각에 잠겼다. 그는 시구라도 한 줄 떠올랐는지 입가에 살며시 미소를 띠었다. 문득 제롬은 의자를 덮은 천을 걷어서 자기 팔을 감았다. 내가 물었다.

"왜 그러는데?"

"조금 쌀쌀해서."

그 말대로 가끔 싸늘한 가을 바람이 한줄기 스쳐 가는 게 느껴졌다. 하늘은 어두워졌는데 구름은 없었다. 나는 밝게 빛나는 별들을 바라보았다.

"길 잃은 밤……."

나는 혼자 중얼거렸다.

"반 고흐가 여기 테라스 카페에 앉아 작품을 구상한다면 재미있겠는걸."

"길 잃은, 길 잃은 밤……."

제롬이 노래 가사를 흥얼거렸다. 그걸 듣고 새뮤얼이 말했다.

"그것도 한 예가 되겠군요. 이미 존재하는 것으로부터 새 아이디어를 얻는 것 말입니다. 유태인들이 주변에 있는 것들을 보고 그것을 그들의 세계에 맞게 만드는 것처럼, 돈 맥클린도 세계적인 유명한 화가의 이름을 가져다가 자기의 세계에 맞게 만들지 않았습니까. 「빈센트」라는 제목의 노래로요. 거기서 가리키는 빈센트가 빈센트 반 고흐입니다."

"멋진 일화로군요."

제롬은 새뮤얼의 박식함에 그저 감탄할 뿐이었다.

"아, 그리고 또 있어요. 바로 안식일."

"안식일은 왜요?"

"안식일은 역사적으로 유태인에게는 중요한 날이죠?"

"저도 중요하다고 생각합니다."

내가 동의했다.

"하느님께서는 안식일에 기도하고 쉬라고 명하셨습니다. 그런데 연구에 의하면 바벨인들이 이 방식을 받아들여 실천하고 있었다고 합니다. 그들이 처음 일곱째 날에 대해 생각했다는 거지요. 그들에게는 일곱째 날이 무척 우울한 날이었답니다. 일곱째 날에는 일하는 것이 금지되었고 자신의 죄를 생각하며 애통해하고 슬퍼하며 우상에게 용서를 구해야 했습니다. 바벨인들은 일곱째 날을 사탄의 날처럼 생각했다고 하지요. 유태인들은 이웃 바벨인의 안식일에 의미 변화를 주어 원기를 불어넣기로 결정한 겁니다. 그래서 우울했던 안식일을 성스러운 안식일, 긍정적이고 기쁨을 주는 날로 바꾸었습니다. 일주일에 한 번 일상의 현실로부터 벗어나 가족과 함께하며 쉬는 시간을 갖는 날로요. 일곱째 날은 무서운 우상들에 의해 족쇄가 채워진 것 같은 끔찍한 느낌을 받으며 우울해하는 날이 아니라, 유태인들에게는 모든 사람들이 자유인이 되는 날이었습니다. 미국인 랍비 스튜어트 로젠버그는, 바벨인들이 안식일을 생각해 냈지만 정작 그것에 필요한 내용과 정신을 불어넣은 사람들은 유태인이라고 했습니다. 긍정적인 모방, 바벨인들의 안식일을 떠올리기 전까지는 모르고 있었던 성공적 모방이라고 할 수 있습니다."

"그 이야기를 들으니 우리 아버지가 했던 말이 생각나네요. 셰익스피어가 작품을 쓴 게 아니고 그의 이름으로 다른 사람이 쓴 거라고."

내 말에 새뮤얼은 웃었지만 제롬은 시큰둥했다. 그래서 말해 주었다.

"나도 어렸을 때 그 농담이 무슨 뜻인지 이해하지 못했어. 그래서 아버지가 설명해 주셨어. 누가 먼저 아이디어를 떠올렸는지는 중요하지 않다고. 중요한 건 누가 그것을 가장 잘하는 승리자가 되는가 하는 문제라고 말이야."

"바로 그렇습니다."

새뮤얼이 맞장구를 쳤다.

"유태인들은 그렇게 되기 위해 노력했던 겁니다. 어느 시대 어느 장소든 그들은 깨인 머리로 마음을 열어 놓음으로써 주변의 모든 사물을 효과적으로 취할 수 있었어요. 여러 나라에 흩어져서 살았지만, 크고 작은 공동체가 하나가 되어 그 안에서 매일매일 만나면서 삶을 함께했지요. 그들의 관심을 끌었던 것은 의복의 형태, 가구나 음식과 같은 물질적인 것들을 비롯해서 카슈루트 법(유태교의 음식 및 요리에 관한 법—옮긴이)을 따르는 것, 같은 문화 속에서 지적인 생각을 하는 수준에 이르는 것이었습니다."

"대부분의 사람들은 새로운 생각에 열려 있지 못합니다. 두 사람이 대화를 나누는 것을 잘 들어 보면 어느새 서로 자신이 하는 말만 고집한다는 사실을 쉽게 알게 되잖아요. 나 자신도 그런 오류를 범하곤 하고요."

그런 내 말에 새뮤얼이 고백하듯이 말했다.

"우리 모두 마찬가지입니다. 자기 생각이 항상 가장 뛰어나고 가장 정확하다고 생각하지요. 자기가 항상 완벽하다고 생각하는 그 점이 바로 우리의 문제예요."

그는 잠시 웃더니 말을 이었다.

"프랭크 시내트라의 노래를 들으면 이런 가사가 나오지 않습니까. '나는 내 방식대로 살아 왔다.' 바로 그게 문제라는 겁니다. 그리고 또 이런 예를 들어 볼까요. 의학 분야를 예로 들면, 한 가지 약품이 일반 대중까지 널리 사용되려면 20년의 세월이 걸린답니다. 5년은 약품 계발을 하고 15년은 의사들에게 그 약을 써 보라고 설득하는 데 걸리는 시간이라는군요."

그 말을 듣고 제롬이 결론을 지었다.

"결국 머리를 계속 깨어 있게 하라는 거군요."

새뮤얼이 그의 말에 덧붙였다.

"사고가 열려 있으면 많은 돈과 노력, 시간을 절약할 수 있지요. 세상을 꼭 멀리 떠돌아다니지 않더라도 새로운 현실과 아이디어를 찾을 수 있습니다. 현실은 우리의 코앞에 넓게 펼쳐져 있거든요. 허리를 굽혀서 그 현실을 끌어올리고, 바꾸려고 노력하면서 다른 방향으로 틀을 잡아 가는 겁니다. 그게 다입니다."

그러자 제롬이 농담을 했다.

"그 말은 내가 좋은 면으로 만든 새로운 셔츠를 더 이상 계발하지 않아도 된다는 건가요? 나는 계속 제롬표 셔츠를 팔 건데, 변화를 주고 흐름에 잘 맞춰서."

"그런데 그걸 누가 사지요?"

새뮤얼이 물었다.

"아, 그건 쉽습니다. 기본적으로 두 부류 고객이 있거든요. 어머니와 어머니 친구분들요. 고객이 두 부류이긴 한데 사실은 하나라고 할 수 있습니다."

그는 말하면서 웃었다.

"전 잘 웃어요. 보통 젊은이들, 고등학생들, 미친 사람들에 대해 이야기할 때면 특히 웃음이 많아집니다."

"장사는 잘되나요?"

"나쁘지 않아요. 하루에 최소한 세 명 정도는 제 윗옷을 보고 어디에서 그런 걸 살 수 있느냐고 묻거든요."

그는 입고 온 예의 그 희한한 셔츠를 가리켰다.

"생각은 좋은데 더 많은 사람들에게 광고하는 데에는 충분치 않지요?"

"아쉽게도 그렇습니다."

"그렇다면 제롬은 어떤 회사를 모방하고 싶은가요? 당신이 보기에 경영 면에서 성공적인 회사가 어디라고 생각하느냐는 겁니다. 그 회사의 광고가 어떤 방식인지 생각해 보고, 어떻게 하면 그보다 내가 더 잘할 수 있는지도 생각해 보는 겁니다. 에스티 로더가 그렇게 했지요."

"화장품 판매상 말입니까?"

"나는 로더를 화장품 판매상이라고 생각지 않습니다. 화장품 왕국을 세웠지요. 자신은 제품이 좋다는 것을 알고 있었지만, 사람들은 잘 알지 못했어요. 그래서 더 많은 구매자들에게 다가가기 위해 그녀는 기존에 있던 백화점 시식 코너의 마케팅 방식을 모방하기로 했습니다. 시식 코너에서는 누구에게나 음식을 조금씩 맛보게 하지 않습니까? 그 방식을 흉내내서 작은 병에 담은 향수 샘플을 만들어 고객들에게 나누어 주었지요. 그렇게 화장품 왕국을 만든 겁니다. 후에 로더는 어떤 인터뷰에서 이렇게 말했어요. 모방은 정당하게 성공하는 길이라고요."

제롬은 얼굴에 난 짧은 수염을 만지작거리며 꼬았다.

"모방도 하고 배우기도 하려면 번쩍 떠오르는 영감의 도움이 필요하겠군요."

"영감이라고요?"

새뮤얼은 좁은 골목길을 지나가는 스포츠카를 쳐다보다가 말했다.

"제롬도 짧은 시간에 많이 배웠군요. 긍정적인 생각을 가지고 그 생각끼리 연결지어 보면 당신 스스로 자신감과 힘을 얻을 겁니다. 모방은 지혜를 나누어 줄 뿐만 아니라 영감도 갖게 해 줄 테니까요. 그래도 영감이 없인 조금 어렵겠지요."

"제롬, 너한테 영감을 주거나 모방하고 싶은 모델이 있어?"

"아직은 아니지만."

내 물음에 그는 이렇게 말했다. 그는 눈동자를 반짝이며 멀어져 가는 자동차를 바라보았다.

새뮤얼은 시계를 보고는 종업원에게 계산서를 가져오라고 손짓했다.

"내일 아침 지하철 필립 오귀스트역 출구에서 10시에 만날까요?"

유태인은 사방에서 멘토를 찾는다

버진주식회사의 소유주인 리처드 브랜슨의 초상이 그려진 셔츠가
제롬의 사업과 학문을 어떻게 발전시켰는가?

제롬과 내가 쓴 검정 우산 위로 가느다란 빗방울이 톡톡 떨어졌다.
우리는 필립 오귀스트 역으로 이어지는 지하철 계단에서 몇 미터 떨
어진 곳에 서 있었다. 새뮤얼은 푸른색 긴 코트를 입고 빠른 걸음으
로 다가왔다.

"좋은 아침이군요."

우리는 손을 내밀어 악수를 했다.

"우산 아래로 들어오실래요?"

제롬이 예의 바르게 뒤로 물러서며 말했다. 새뮤얼은 눈을 동그랗
게 뜨고 우리를 잠깐 쳐다보더니 웃었다.

"이건 비라고 할 수도 없습니다."

그는 주머니에 손을 넣었다.

"당신들은 역시 이스라엘 사람들이군요."

"이스라엘에선 이걸 비라고 생각하는데요."

내가 변명하듯 말하자 제롬이 덧붙였다.

"당신은 천생 프랑스인 같군요. 물의 위력을 모르시다니."

"나는 벨기에인입니다. 우산이 정말 필요없어요."

새뮤얼은 자기를 따라오라고 손짓했다. 우리는 화살표가 왼쪽으로 나 있는 메닐몽탕 거리를 쭉 따라 걸었다.

"나는 오늘 집으로 돌아갈 예정입니다."

새뮤얼은 내가 이미 알고 있던 사실을 말했다. 그는 사업차 나흘 동안 머물러 있었다고 한다.

"가족이 있나요?"

제롬이 물었다.

"그럼요. 애들만 다섯인걸요."

제롬은 깜짝 놀랐다.

"다섯 명이라고요? 몇 살인데요?"

"큰애는 스무 살이고 막내는 일곱 살이지요. 다른 아이들은 잘 기억 안 납니다."

새뮤얼이 농담처럼 말했다.

"집 밖으로 자주 여행을 다니나요?"

"한 달에 평균 두 번. 더는 늘리지 않으려고 애쓰고 있지만 뭐 어쩔 수 없는 일이지요. 언젠가 미국인 사업가의 인터뷰 기사를 읽은 적이 있습니다. 그는 성공을 하기 위해서는 두 가지 결정을 해야 한다고 했습니다. 첫째는 정확하게 자신이 무엇을 하기를 원하는지 결정하는 것이고, 둘째는 성공하기 위해 어느 정도 대가를 치를 준비가 되어 있는지 결정하는 것이지요. 나도 가끔씩 아이들과 함께하지 못하는 것이 대가를 치르는 셈인데 이 정도는 그리 나쁜 건 아닙니다. 내가 아는 사람들 중에는 몇 주씩 밖에서 일하는 사람들도 있으니까요. 사업을 위한 시간과 가족을 위해 쓰는 시간을 잘 나누어 놓고 있습니다. 요즘은 일은 옛날보다 덜 하지만 수입은 좀 더 생기고 있어요."

제롬이 부러워하며 말했다.

"그게 바로 제가 마지막으로 바라는 삶이에요. 그 비밀 좀 알려 주시지요."

새뮤얼은 웃으며 제롬의 어깨에 손을 얹었다.

"시간을 효과적으로 관리하며 직원들에게 동기를 부여하고 마케팅에 관한 수십 개의 세미나를 통해서 전략을 배울 수도 있지만, 실제적인 경험이 가장 중요합니다. 다시 말해서 지혜로운 사람은 경험으로부터 배운다는 겁니다."

"저도 그렇게 생각하긴 합니다."

"당신이 동의해 줘서 다행이지만 대다수 사람들은 그렇게 현명하지 못해요. 실제로 그러는 경우는 무척 희박합니다."

"그렇다면 누군가 특별한 사람이 했던 방법을 가르쳐 줄 겁니까?"

"그래야겠지요. 대부분의 사람들은 다른 데서가 아닌 자신의 실패와 성공을 통해 배웁니다. 크게 성공한 사람들도 일을 해 나가면서 셀 수도 없을 만큼 많이 변화를 주고 현실에 맞추려고 합니다. 시도하고 실패해 보는 건 좋은 일이에요. 다만 한 가지 문제는 그리 넉넉하지 못한 시간이라는 자원입니다. 그렇지 않은가요?"

"그렇죠."

나도 고개를 끄덕였다.

"지금 여러분 자신을 돌아보십시오. 학문의 발전을 강력하게 추진하는 방법이 보이지 않습니까? 다른 사람들은 이와 같은 결과를 얻기 위해 몇 년의 노력이 필요했는데 당신들은 단 몇 분 만에 그걸 얻지 않았습니까. 시간을 많이 들일 필요없이 크게 성공한 다른 사람들의 결과물을 재구성하면 됩니다."

"훌륭한 방법입니다."

우리가 모두 동의했다. 새뮤얼은 열정적으로 하던 말을 계속했다.

"예외적인 행동이 예외적인 결과를 낳습니다. 남들이 어떻게 하는지를 배워서 그 내용을 비슷한 상황에 적용시켜 보아야 합니다. 내가 그 성공한 것을 재구성할 수 있느냐는 게 문제가 아니라 내가 어떻게 그것을 하느냐는 것이 핵심이지요. 그런 전략은 제대로 된 사람에게 배워야 합니다."

"그 이야기는 우리가 이미 이야기했던 모방에 대한 내용이네요. 그렇지 않습니까?"

"그건 모방이 아닙니다. 모방을 넘어서는 것입니다. 복제라고 표현해 둘까요? 복제를 통한 재생산입니다. 사업의 경우라면 남들은 그 분야에서 어떻게 하는지를 보십시오. 어떻게 이야기하고, 어떻게 생각하며, 어떤 시간에 무엇을 하는지, 하루 일정은 어떤지를."

"제롬은 많이 배웠겠네."

내가 말했다.

"많이 배웠고말고요. 그 자신의 경험을 통해 배우고 좋은 행동도 모방하게 되었지 않습니까. 우리는 꼭 그렇게 하려고 의도하지 않았어도 삶 속에서 다른 사람들을 모방하게 마련입니다. 아이가 걸어가는 모습이 엄마가 걷는 모습과 꼭 닮은 경우를 본 적 있을 겁니다. 아이가 한 번도 스페인에 가 본 적도 없고 스페인어 단어를 하나도 모르는데 아버지의 스페인어 악센트를 그대로 흉내 내는 경우도 있습니다. 의식적으로 모방하는 행위는 사업에서 성공의 요소가 됩니다. 맥도날드의 모든 지점, 스피드 피자 이런 회사들은 모든 지점들이 꼭 같은 판박이잖아요. 동일한 식기, 같은 종류의 감자, 같은 반죽을 사용하니까 말입니다. 성공한 곳을 그대로 본뜨는 이유는 첫 번째 지점이 성공을 거두면 그와 똑같은 방식의 지점을 여는 것과 같습니다. 그렇게 하면 두 번째 지점이 성공할 확률도 매우 높지요. '자네 많이 배웠지?' 라는 질문의 진정한 뜻은 '모방할 만한 모델을 찾았지?' 와 같습니다. 옛말에 '지혜로운 자들이 지혜로워질 것이다' 라는 속담이 있지요. 옛 현인들은 같은 현자들의 학문에 대해 언급하지 않고 그들이 정확하게 어떤 길을 걸어갔는지를 강조합니다. 왜냐하면 모든 학문이 숫자를 배우고 교실에서 강의를 듣는 것이 아니기 때문이죠. 사업을 하는 사람이라면 '무언의 지식' 이란 개념을 알 겁니다. 경험이 풍부한 전문가에게는 구체적인 지식이 있지요. 머릿속에 숨어 있는 지식은 예외적이고 특별한 상황이 되어야만 밖으로 드러납니다. 그 지식을 어떻게 그에게서 끄집어내어 다른 사람이 사용하게 할까요? 전문가가 몇 시간 동안 이야기를 하더라도 매우 구체적인 내용들을 놓치는 경우가 많습니다. 옛 현인들이 말하기를, 정보를 찾는 방법은 지혜로운 사람들과 항상 교류하는 것이라고 했습니다. 탈무드와 미슈나 시기에 학생들은 자기들의 스승인 랍비들의 행동이나 습관 하나하나를 눈여겨보며 관찰하곤 했습니다. 랍비들이 어떻게 먹고 마시며 일어나고 잠자러 가는지, 어떻게 서 있고 앉아 있는지를 살펴보고 배웠습니다. 예를 들어 랍비 슈탈리토는 바닥에서 기도를 드렸다

고 합니다. 기도를 멈추지 않기 위해 그렇게 했다고 하지요. 그의 학
생들도 그렇게 기도하는 모습을 보았고 그렇게 함으로써 주의가 산
만해지는 것을 막는 걸 배웠습니다. 기도에 집중하거나 어떤 일에 몰
두해 있을 때는 목표에 초점을 맞추어야 해요. 목표를 뒤로 미루거나
그것을 실행에 옮길 때 방해를 받아서는 안 되지요."

"일어나고 잠자러 가는 것까지 관찰할 필요가 있나요? 랍비가 잘
때 무언가를 쳐다보고 자기라도 하나요?"

제롬이 물었다.

"랍비가 잠자는 모습을 관찰하는 것 말고도 학생들은 랍비와 함께
목욕탕에 갔다고 합니다. 낯선 사람들과 더불어 알몸으로 목욕을 하
면서 지도자의 겸손함을 배우기 위해서지요. 가끔 서로 부드럽게 눈
빛을 맞추기도 하고 침대 아래로 들어가 침묵하기도 했고요."

"이제 이해가 되네요."

제롬이 얼굴 가득 묘한 미소를 지으며 말했다.

"그 말은 제가 만일 돈 주앙과 같은 플레이보이가 되고 싶으면 톰
크루즈에게 연락을 하고 허락을 받은 후 슬리핑백을 가지고 그의 침
실에 가서 일주일 동안 머물면서 할리우드의 스타인 그의 생활을 관
찰해야 한다는 거죠? 그가 허락해 줄까요?"

"그가 보는 앞에서 카펫 위에 팝콘을 흘리지만 않는다면요."

새뮤얼이 웃었다.

"여기서 건넙시다."

감베타 거리와 메닐몽탕 거리 사이의 사거리 건널목에서 그가 말
했다.

"옛날에는 랍비의 제자들을 이용하거나 랍비들을 이용하는 관습이

있었습니다. 학생들이 랍비에게 수업료를 내고 존경하는 랍비의 모든 것을 배우기 위해 랍비를 시중드는 일을 맡아 했습니다. 당시로서는 무척 일반적인 일이었지요. 예언자들의 아들들도 예언자들의 시중을 들고 그들의 뒤를 따라다녔어요. 이미 말했듯이 랍비는 아버지만큼 중요한 존재이기 때문에 학생들은 항상 랍비의 은혜에 보답해야 합니다."

새뮤얼은 잠시 생각에 잠긴 듯하다가 말을 이었다.

"요즘은 아이덴티티도 돈으로 사지요."

"그게 무슨 말입니까?"

나는 길을 건너면서 물었다.

"자신들의 분야에서 뛰어난 모방의 모델이 되는 사람들은 자신들을 보여 주는 것만으로도 하루에 수천 달러를 법니다. 예를 들어 그중 하나인 랄프 로베르타스는 미국에서 가장 성공을 거둔 사람으로, 세계에서 판매를 가장 잘하는 사람으로도 손꼽힙니다. 그는 어떤 미팅에 가든지 자기 뒤에 줄을 서는 것을 허락해 주기만 해도 그걸로 수백만 달러를 벌어요. 그렇다면 그런 행위에도 큰돈 들이지 않고 잘 알려진 사람들로부터 배울 만한 것이 있다는 뜻입니다. 결국 존경할 만한 사람을 골라서 그의 아이디어를 배우고 잘 흡수할 수 있는 방법을 찾는 거예요."

비가 그치고 기분 좋은 햇빛이 구름을 뚫고 나와 젖은 거리를 말리고 있었다. 제롬은 걸어가면서 우산을 접더니 가방에 집어넣었다.

"랍비의 뒤를 따라 걷는 것은 유태인만 그런 건 아닙니다. 그렇지 않아요? 정통 유태교인과 유태교를 믿는 사람들은 전에도 과거에도 앞으로도 언제 어디든지 존재할 겁니다. 예수를 따르는 사람들도 그를 따라다녔지요. 아리스토텔레스와 플라톤을 따르는 제자들도 마찬가지였고요. 카리스마가 있고 훌륭한 지도자들의 교실에는 제자가 늘 부족하지 않았어요."

"맞아요. 유태교에서도 사람들이 눈을 크게 뜨고 랍비를 따릅니다. 하지만 문제되는 사람들은 그런 사람들이 아니라, 절대적으로 믿고 따르는 나머지 사물을 스스로 균형 잡힌 방식으로 생각하고 분석하는 능력을 잃은 사람들입니다. 랍비가 내면의 새로운 생각을 말할 때마다 객관성을 잃고 달리 생각도 하지 않고 아멘을 외치는 사람들 말입니다. 이것은 유태교의 방식이 아니에요. 이런 사람은 패배주의자에 지나지 않아요. 유태교의 지성과 완전히 반대되는 방식이지요. 두뇌를 빼앗아 가고 개인의 존재와 개성을 비워 버리는 것입니다. 즉 길들여지게 하는 것이에요."

새뮤얼은 흥분한 듯한 목소리로 말했다.

"탈무드의 한 부분인 「그마라」에서는 자신이 배우는 랍비 한 사람만 존경하고 중시해서는 안 된다고 분명히 밝히고 있습니다. 또 다른 글에서는 '비록 그의 눈이 반짝이지 않을지라도 한 가지 가르침은 받을 수 있다.' 라고 쓰여 있고요. 또 다른 글에도 분명히 이렇게 쓰여 있습니다. '토라를 한 사람의 랍비에게서만 공부하는 학생은 영원히 축복의 신호를 보지 못할 것이다.' 라고 말입니다. 지성은 인간의 가장 큰 재산이며 모든 곳에서 모든 사람들이 자신의 능력껏 그 재산을 늘리려고 열망합니다. 모든 사람으로부터 배우는 것은 우리를 새롭게 할 수 있고 그 새로운 것은 황금의 무게만큼이나 가치가 있지요. 자기의 교사가 랍비라는 생각이 들지 않을 정도로 모든 주제에 있어서 단순한 지식만을 가졌다 해도, 그를 존경하고 다른 지적인 면에서 장점을 얻으려고 해야 합니다. 유태인 종교인들의 모임인 람밤에서도 이렇게 이야기한 바 있습니다. 모든 총명한 학생들은 그들이 랍비가 아니더라도 존경을 받는다고요. 학생이 겉으로는 가장 어려 보여도, 그의 수준에 맞춰 교사를 바꿀 수 있고 어느 일정한 분야까지 이를 수 있습니다. 그래서 학생이 읽기와 문법을 익히는 속도가 빠르면, 그가 비록 어리다 해도 교사를 바꾸어 가르치도록 해야 합니다."

그러다가 새뮤얼은 무언가 깨달은 듯 조용히 옆을 쳐다보았다.

"그런데 제롬은 어디 있죠?"

우리는 그가 갈 만한 곳을 모두 둘러보았지만 사라지고 없었다. 등 뒤를 돌아보다가 나는 문득 와플을 파는 수레 너머에서 제롬의 머리를 보았다. 제롬은 어디 가면 간다고 말하지 않고 갑자기 멋대로 가버리는 조금 짜증스러운 버릇이 있었다. 이번이 처음은 아니었다. 그럴 때마다 그는 자신을 변호하듯, 자기가 사라져도 전혀 걱정해 줄 필요가 없다고 말하곤 했다.

제롬은 곧 돌아왔다.

"파리에 와서 아직 커다란 와플을 먹지 못했거든요."

그가 지갑을 흔들어 보였다.

"새뮤얼, 어떤 와플을 드실래요? 제가 사고 싶은데."

새뮤얼은 수염을 만지면서 제안을 거절했다. 맛있는 와플이 꽤 유혹적이었을 텐데 자신의 욕구를 조절할 줄 아는 사람 같다. 나는 바나나를 넣은 것으로 주문했다.

우리는 계속해서 감바타 거리를 걸어 다 론도 거리에서 오른쪽으로 돌았다.

"다음 얘기 계속 들을 수 있을까요?"

제롬이 손가락을 핥으면서 말했다.

"모방의 단계와, 다른 대상으로부터 배울 수 있는 내용이 무엇인지에 대해 아직 다 듣지 못했으니까요."

새뮤얼이 대답했다.

"그렇지만 내 생각에 중요한 내용은 거의 모두 말했다고 봅니다."

그는 말 한마디 없이 계속 걷다가 제롬에게로 얼굴을 돌리고 물었다.

"특별히 누군가를 좋아해 본 적 있습니까? 정말 찬양할 정도로 말입니다."

"두 명 있어요."

제롬은 오래 기다릴 것 없이 곧 대답했다.

"농구 선수면서 스타인 가이 박사와, 그룹 퀸의 프레디 머큐리죠."

"어떻게 그들을 숭배합니까?"

"그들의 포스터를 벽에 붙여 놓았고 그들에 대한 책을 사고 물론 퀸이 발표한 모든 음반을 샀어요."

"가이 박사의 게임을 본 적 있어요?"

"세 번요."

"게임이 끝난 뒤 어떤 일이 있었죠?"

"나도 동네에 있는 농구장에 가서 농구 골대에 공을 넣어 봐야겠다는 생각을 했지요. 정신적으로 무척 들떠 있는 상태였어요."

"프레디 머큐리의 라이브 공연도 보았고요?"

"한 번요."

"재미있었나요?"

"재미있는 정도가 아니에요."

어느새 제롬은 추억에 빠져든 얼굴이었다.

"일주일 내내 구름 속을 떠돌았는걸요."

"왜요?"

"왜냐니요? 그의 목소리와 몸짓과 노래를 좋아하기 때문이지요."

"왜 그의 노래가 좋은데요?"

"그런 질문이 어디 있어요?"

그는 새뮤얼이 퍽도 이상한 걸 묻는다는 듯 쳐다보았다.

"멋지잖아요. 보는 사람을 열광하게 만들고요."

"그래서 그의 라이브 쇼가 당신에게 어떤 영향을 미쳤나요? 구름 속을 떠돌았다는 건 무슨 뜻입니까?"

제롬이 고개를 흔들었다.

"그런 느낌 모르세요? 기분이 정말 좋았어요. 뭐든지 즐겁고 기뻤지요."

"그런 기분이 그주에 당신이 한 일에 어떤 영향을 미쳤는지 기억합니까?"

"네, 물론."

제롬이 기억을 떠올리는 듯 입가에 웃음을 머금었다.

"같은 주에 졸업 시험을 보았는데 아주 잘 치렀지요. 그리고 지금 생각이 나는데 예쁜 여학생과 데이트도 했어요. 닐리 레비라는 여학생인데 왜 그 아이를 기억하는지 알아요? 좀 민망한 얘긴데."

"말해 봐요, 어서."

새뮤얼이 재촉했다.

"전 정말 프레디 머큐리가 되고 싶었어요. 어느 순간부터는 제가 프레디라고 느끼기 시작했고요. 그리고 모든 여학생들이 저를 좋아한다는 상상을 했어요. 프레디가 그랬던 것처럼. 우습지만 겨우 그런게 제겐 도움이 됐어요. 뭔가 정체 모를 자신감이 넘쳤고 그것이 밖으로도 드러났던 것 같아요. 적어도 닐리 레비를 대하면서는 말이에요."

"닐리와는 그 뒤 어떻게 됐는데?"

나의 호기심이 발동했다.

"별것 없었어."

그는 부끄러운 듯 웃으면서 시선을 떨어뜨렸다.

"하루는 「We are the champion」이란 노래를 부르려고 했는데, 현실의 우리는 그렇지 않다는 걸 알게 됐지."

새뮤얼은 큰 공원처럼 보이는 곳을 가리켰다. 길 옆에 높은 담으로 둘러싸인 곳이었다.

"우리가 가는 곳이 저깁니다."

"당신 말대로예요."

제롬이 문득 생각났다는 듯 말했다.

"그건 영감이었어요. 그 느낌이 바로 영감이었다고요."

새뮤얼이 맞장구쳤다.

"그렇군요. 영감을 얻었군요."

그렇게 말하면서 새뮤얼은 두 손을 들어 허공에 손가락으로 괄호를 그리는 시늉을 했다.

"그것이 당신 자신을 랍비로 만드는 겁니다."

그는 이렇게 덧붙였다.

"어쨌든 프레드 머큐리는 랍비들의 호응을 얻지 못했지만, 그의 노래와 개성은 당신에게 영향을 주었지요. 특별한 영감을 주었다는 그 사실 하나만 보더라도요. 나는 그 얘길 하고 싶었던 겁니다."

　새뮤얼이 큰 문으로 먼저 들어가고 우리는 그의 뒤를 따라 들어 갔다.

　"'당신 자신을 랍비로 만드는 것', 이 표현은 무척 중요합니다. 그 뜻이 단지 '모방할 수 있는 모델을 찾았다'에서 머무르는 것이 아니라 '당신에게 영감을 떠오르게 하는 누군가를 찾았다'는 거니까요. 영감은 자신감을 불러일으키고 굳센 믿음을 갖게 하며 자신의 장점을 끌어내도록 해 줍니다. 그 힘이 우리가 어려움에 처했을 때 새로운 에너지를 공급해 주고 능력을 부추기지요. 제롬이 가이 박사처럼 농구하러 가고 싶었던 것과 같습니다. 그날 저녁 골을 넣었다면 분명히 높은 점수를 받았을 겁니다."

　"저도 그렇게 생각해요."

　제롬이 웃으며 말했다.

　"예를 들면 나 같은 경우는 피아노 연주. 특별히 멋진 연주를 듣고 집으로 돌아오면, 영감으로 가득 찬 채 피아노 앞에 앉아서 막힘없이 피아노 건반을 두드립니다. 그래서 이런 종류의 에너지를 갖는 걸 적극적으로 추천하는 거예요. 영감을 주는 건 랍비, 소설가, 교수 또는 운동 선수 누구든 관계없어요. 중요한 건 자신에게 맞는 이미지를 찾는 거니까."

　나는 그들의 대화를 즐겁게 들었다. 그러나 조금 신경 쓰이는 점이 계속 있었다.

　"새뮤얼?"

　나는 속삭이듯 불렀다. 그가 내 어깨에 손을 얹으며 대답했다.

　"왜 그러죠?"

"우리 지금 묘지에 와 있어요."

제롬은 멈춰 서서 옆을 돌아보더니 기겁했다. 우리의 눈길이 닿는 곳마다 오래된 비석들이 정돈되지 않은 채 여기저기 흩어져 있었다.

"어이구, 이런 일이. 묘지뿐이군. 괜찮은 공원이 있을 줄 알았는데."

"이곳이 파리에서 유명한 페르 라쉐즈 묘지예요."

새뮤얼은 부드럽게 설명하며 계속 걸었다.

"우리가 여기 온 이유가 있는 모양이군요."

그는 좁은 길에서 오른쪽으로 돌아서면서 외투의 단추를 열었다. 말없이 몇 분을 걷다가 새뮤얼은 길이 구부러진 곳에서 두 개의 회색 비석 사이로 걸어 들어가며 우리에게 뒤를 따라오라고 손짓했다. 우리는 길에서 벗어나 잡초가 수북이 덮인 흙길로 들어섰다. 새뮤얼은 그곳에서 멀지 않은 곳에 있는 한 비석 앞에 서서 우릴 보고 손을 흔들었다. 우리는 그에게로 가까이 가서 오래된 비석을 쳐다보았다. 얼마나 오래되었는지 몰라도 그 한 귀퉁이가 이미 조금 부서져 있었다.

작은 별 아래 이름이 새겨져 있었다.

"장 폴 베르나르드."

새뮤얼이 고개를 끄덕였다.

"이 사람이 나의 모델입니다. 나의 안내자, 내 영감의 근원입니다."

"당신의 랍비였나요?"

제롬이 묻자 그는 따뜻한 미소를 지어 보이며 고개를 저었다.

"아뇨. 내 이웃이었어요. 나보다 세 살 위였지요. 전쟁 중 우리는 벨라 마레에 살았는데, 장 폴은 동네 아이들에게 명령을 내렸어요.

우리를 데리고 가서 원수인 나치에 맞서 못된 장난을 치게 했지요. 한번은 나치 장교가 여자를 만나러 가면서 길가에 검정 벤츠를 세워두었어요. 장교가 가 버린 뒤 그 차에 있는 기름통에 모래를 쏟아 부었죠. 결국 나중에 돌아온 장교는 차를 타고 50미터쯤 달리다가 엔진이 꺼지는 바람에 서 버렸어요. 또 한번은 지붕 위에 거울을 들고 올라가 빛을 반사시켜 군인들의 눈을 부시게 하기도 했어요. 그 군인들 중 하나는 말 등에서 균형을 잃어 길거리에 나가떨어지기도 했고요."

새뮤얼의 얼굴에는 짓궂은 웃음이 가득했다.

"우리는 장 폴을 칭찬했어요. 똑똑한 데다 재미있는 친구였어요. 우리의 천사였고요."

새뮤얼의 눈이 반짝였다.

"이 세상에 속해 있는 사람 같지 않았어요. 특별한 존재 같았죠. 괴로운 시대였지만 그는 한 번도 처져 있거나 우울하거나 불쌍해 보이지 않았어요. 오히려 항상 행복한 모습이었어요. 우리를 위해 늘 그곳에 있는 것처럼. 나는 평생 그를 닮으려고 마음먹었습니다. 그래서 그의 방 선반에 놓인 책 제목을 외워 두었다가 그 책을 모두 구해서 읽었어요. 그때 나는 그가 말하는 모습도 특이해 보여서 그걸 따라 하기도 했지요. 그러나 철이 들고 나서는 별로 그와 비슷해지고 싶지 않아졌어요. 새뮤얼 골드만으로 살아가는 것도 그다지 나쁘지 않다고 생각하게 된 겁니다. 심지어는 가끔씩 새뮤얼이란 인간이 더 마음에 들기도 했어요. 그러나 때때로 새뮤얼이라는 걸 잊어버리고 장 폴이 되어 있었어요.

이제 나는 사업상 협상을 할 때 농담과 위트가 넘치는 나 자신의 모습을 발견합니다. 특별히 어려움을 겪은 시기에는 긍정적인 생각을 했고, 그 힘으로 인해 마음속이 견고한 동기로 가득 찼습니다. 그러면서도 처음 보석 사업을 하려고 했을 때 장 폴이었다면 어떻게 했을까 생각해 봤어요. 제롬, 내가 말했듯이 당신이 모방할 만한 모델이 있다면 당신은 단지 그에게서 배우기만 할 뿐만 아니라 배울 만한 내용을 자신 있게 자기에게 적용시키게 될 겁니다."

새뮤얼은 눈을 들어 제롬을 바라보았다.

"자신감은 그렇게 해서 생겨납니다. 누군가 그 일을 해서 이미 성공을 거두었고 당신은 그 누군가를 통해 영감을 얻는 거지요. 다른 사람으로부터 배우는 것보다 영감을 주는 사람으로부터 배우는 것이 더 효과가 있습니다. 그렇게 이 대단한 사람이 나의 정신을 이끌었지요."

새뮤얼은 갑자기 침묵하더니 묘지 쪽으로 몸을 굽혔다.

"그는 17세에 죽었습니다."

우리는 말없이 서서 새뮤얼이 비석에 덮인 먼지를 천천히 닦아 내는 것을 바라보았다. 비석에 새겨진 이름 위로 세월의 흔적이 역력히 드러났다.

"어떻게 죽게 되었나요?"

제롬이 조용히 물었다. 새뮤얼은 몸을 일으키더니 손바닥의 먼지를 털며 냉소적으로 말했다.

"나치즘이라는 나쁜 병으로요. 독일군에 의해 살해당했지요."

비석 아래에 그려진 이상한 그림이 문득 눈에 들어왔다. 그 그림은 두 눈과 웃는 입처럼 보였다. 그림 아래에는 장난스러운 글씨가 씌어 있었다.

"뭐라고 적혀 있는 거예요, 새뮤얼?"

내가 가리키며 묻자 그는 껄껄 웃더니 얼굴 가득 큰 미소가 번졌다.

"장 폴 대령 지금 여기 잠들다. 구멍가게의 열쇠는 모이즈에게 있노라."

그는 비석 뒤로 가서 글이 적힌 곳을 가리켰다.

"이 문구는 그가 부탁한 겁니다. 자기에게 만일의 사태가 생기면 이렇게 써 달라고 했거든요."

"모이즈는 누군가요?"

제롬이 물었다.

"우리 형입니다."

"구멍가게는 무슨 뜻이지요?"

"생 앙트완 거리에 있는 바르티앙 브루엘의 구멍가게입니다. 주인이 쳐다보지 않을 때는 막대사탕을 슬쩍하곤 했죠. 이게 장 폴 식 유머였어요. 자기가 처한 상황에서 어떻게 이런 글을 써 달라고 할 수 있었을까요? 젊은 나이로 세상을 떠났지만 내겐 훌륭한 영감을 주는 사람이었습니다. 어쨌든 내 일생의 한 부분을 차지했던 사람이랄까요."

새뮤얼은 손을 흔들더니 한동안 깊이 자기만의 세계에 빠져 있는 듯했다. 우리는 그 침묵을 존중하며 그가 조용히 생각에 잠기도록 내버려두었다.

"이 묘지가 누군가에게 영감을 준 유일한 유태인 묘지는 아닙니다."

새뮤얼은 이렇게 말하고는 손짓으로 따라오라고 했다. 그러고는 작은 돌을 주워 묘지에 올려놓았다.

"유태교에서는 남들의 묘지에 가서 그들의 능력을 받아 와도 된다고 생각해요. 모든 사람들의 특별한 생각을."

"사업 번창을 도울 수 있는 영혼은 어디 잠들어 있을까요?"

제롬이 웃으며 물었다.

"예루살렘에서 경영학 과정에 등록한 사람들 아닐까요?"

새뮤얼도 즐겁게 대꾸했다.

"랍비 요셉 카로처럼 사고를 열어 주고 기억력을 향상시키는 힘을 키워 주는 것으로 유명한 이들이 있지요. 그는 이스라엘 현인으로 꼽히고 있고 많은 학생들이 츠파트에 있는 그의 묘소를 방문합니다."

"츠파트보다 가까운 곳엔 누구 없나요?"

"찾아봅시다."

새뮤얼이 생각에 잠겼다.

"파키인에 랍비 요시 다멘의 묘소가 있지요. 그의 묘지 주변에 있는 참나무는 영감을 불러일으킨다고 전해질 만큼 성스러움으로 가득 차 있어요. 그런데 내 생각에 그곳이 더 가깝지는 않은 것 같아요. 엘리에젤 벤 에렉의 묘지도 그렇고, 레벤 요한난 벤 자카이의 묘지는 갈릴리에 있는 모샤브 알마에 있어요. 묘지를 참배하는 사람들은 다양한 지적 영감과 능력을 받는답니다."

"예루살렘 근처에 묻힌 사람은 없나요?"

제롬이 물었다.

"제롬, 미안하지만 하루 시간을 내서 북쪽에 가면 한 번에 세 묘지를 모두 방문할 수 있을 겁니다. 그럼 한 번에 세 과목의 시험을 치르는 것과 같을 수도 있지요."

그는 묘지 정문을 나서면서 말했다.

"여러분은 유태인과 이방인이 기차를 타고 가면서 했던 농담을 압니까?"

"모르겠는데요."

"이 농담은 무척 유명한 건데. 유태인과 이방인이 기차를 타고 여행하다가 갑자기 이방인이 유태인에게 물어봤어요. '유태인들은 어떻게 그렇게 똑똑하죠? 비밀이 뭔가요?' 유태인은 두 번 생각지 않고 이렇게 대답했어요. '그게 다 우리가 생선의 머리를 먹기 때문이에요.' 그러자 이방인이 놀라며 말했어요. '그게 무슨 말입니까? 어떻게 생선의 머리를 구할 수 있죠?' 그랬더니 유태인이 '아, 마침 오늘 점심으로 생선을 싸 왔는데.' 하고 말하면서 생선을 꺼내 탁자 위에 올려놓았어요. 이방인이 묻기를 '생선 머리만 제가 살 수 없을까요?' 그래서 유태인이 '그러죠, 20루벨 주세요.' 하니까 이방인은 돈을 내고 나서 생선의 머리를 먹기 시작했습니다. 몇 분이 지나 생선 머리를 다 먹고 나서 손을 씻은 뒤 이방인은 또 유태인에게 물었지요. '그런데 그 생선 머리 값이 어떻게 20루벨이지요? 생선 한 마리 값이 15루벨인데.' 그러자 유태인이 웃으면서 대답했어요. '그것 봐요. 그렇게 머리를 쓰는 겁니다.'고 말이지요."

우리가 즐겁게 웃자 그는 엄지손가락을 들어 올려 보이며 말했다.

"나는 이 농담을 무척 좋아합니다. 이 이야기 속엔 숨은 의미가 있어요. 이방인은 생선을 먹기 전까지는 별로 똑똑하지 않았는데 생선을 먹고 나서 똑똑해졌어요. 결국은 우스개이긴 하지만, 그 이방인은 생선의 머리가 자신을 도와줄 걸로 믿었다는 걸 알 수 있습니다. 무엇인가 당신을 도와줄 거라고 믿는다면 그것은 꼭 당신을 도와줄 겁니다. 반대로 당신이 성공하지 못할 거라고 믿는다면 실제로 성공을 못 할 거고요. 제롬 당신은 묘지 참배를 하는 것에 대해 웃었지만 그곳에 감으로써 정말 자신이 총명해진다고 믿는다면 꼭 그렇게 될 겁니다."

"그건 랍비에게 축복을 받는 것과 같네요."

내가 말했다.

"바로 그래요. 그게 우리가 이야기했던 자신감을 갖게 되는, 즉 영감을 얻는 것과 같은 맥락입니다. 축복을 받아 당신의 상황이 좋아진다고 믿는다면 어려운 상황을 쉽게 바꿀 수 있을 겁니다. 예를 들어 학생들이 한창 공부하는 시기에 랍비에게 축복을 받거나 자신이 부러워했던 의인의 묘소를 참배하면 지적인 자신감과 기억력이 많이 늘게 되지요. 사람은 자기의 선조를 의지할 때 기억력이 더 좋아진다고 증명된 바 있어요. 지능은 자기 자신에 대한 확실한 믿음이 있을 때 더욱 좋아져요. 그런데 에란."

새뮤얼이 내게 물었다.

"당신에게 영감을 준 사람이 누군지는 묻지 않았군요. 당신에게도 그런 사람이 있습니까?"

갑작스러운 질문에 놀랐다. 문득 두세 사람의 이름이 머릿속에 떠올랐다.

"제가 고등학생이었을 때 저도 어떤 가수 두 명을 좋아했는데, 다른 한 사람은 가수는 아니었어요. 무조건 그들을 숭배한 건 아니고 그들의 능력을 높이 평가했죠. 간단히 말해서 그들 셋은 하나하나가 자신의 분야에서 제게 영감을 떠오르게 하는 사람들이었어요."

"그게 누군데?"

제롬이 대답을 재촉했다.

"두 가수는 배리 매닐로와 훌리오 이글레시아스였어."

나는 그들이 뭐라고 말할지 기다렸는데 둘 다 조용한 채로 아무 말이 없었다. 제롬은 내 안색을 살피는 것처럼 들여다보다가 물었다.

"정말 진지하게 말하는 거야?"

나도 말하면서 실은 꼭 이렇게 되물을지도 모른다고 생각하기는 했다.

"정말로 그 가수들을 숭배한 거야? 그랬어?"

제롬은 믿을 수 없다는 듯 몇 번이나 다그쳐 물었다. 청소년기에 나는 아무에게도 말하진 않았지만 그 두 가수의 노래를 좋아했다. 청소년기에 반 아이들은 어떤 종류의 헤비메탈 록을 듣느냐로 아이들의 수준을 나누었다. 나는 이 낭만적인 두 가수의 노래에 끌렸는데 아이들 사이에서는 그다지 환영받지 못할 만한 노래였다.

"그들 노래는 정말 아름다웠고 제 기분 전환에 도움이 되었어요."

그러다가 이대로 계속하다가는 제롬이 나를 촌스러운 인간으로 여길 것 같아서 약간 과장을 하며 말했다.

"프레디 머큐리도 물론 좋아했어."

"따분한 아주머니들이 배리 매닐로와 훌리오 이글레시아스를 좋아한다는데."

제롬이 내 어깨를 두드리며 말했다.

"남자들 말고!"

"잠깐 기다려. 고등학생이었을 때 내가 또 누굴 좋아했는지 아나? 모두 스타급 록 가수나 운동 선수들을 숭배할 때 말이야."

이참에 나는 모든 걸 고백하기로 결정했다. 제롬은 내 어깨에서 손을 떼고는 물끄러미 나를 쳐다보았다.

"아바 에벤."

제롬은 그저 놀라서 나를 쳐다보기만 했다.

"아바 에벤은 대단히 지적인 사람이니까."

새뮤얼이 나를 변호하듯 한마디 거들었다. 내 생각에도 나의 우상들은 제롬과 비교해서 의심할 것 없이 만족할 만한 사람들이었다.

"그의 자서전을 비롯한 여러 저서를 읽었어요. 시험 공부를 하려고 앉아 있을 때도 『새로운 외교』라는 책 중에서 한 꼭지씩 재미있게 읽었어요. 공부하는 분위기를 잡으려고요. 그렇게 하면 정말로 내 앞에 펴 놓은 책을 공부하려는 마음을 먹게 되었어요. 이상하게 들릴지는 모르겠지만 아바 에벤의 책에서 영감이 떠오르는 부분을 읽고 난 다음에는 공부 내용이 어렵더라도 쉽게 넘어갈 수 있었습니다. 아마 내가 아바 에벤이라고 느꼈는지도 모르죠."

그렇게 말하며 나는 웃었다. 제롬이 취조하듯이 물었다.

"고등학교 때 친구가 있긴 했어?"

"친구들은 내 취향을 잘 몰랐어."

"너도 길에서 우아한 영국 여자들, 볼이 발그레한 귀족적인 여자들을 보며 넘실거리는 그런 남자 같은데."

"그건 맞지만."

"무서운 사실이군. 죽겠다 죽겠어."

제롬의 얼굴이 하얗게 질렸다.

"여기서 편하게 죽을 수 있어."

나는 조금 전에 우리가 나온 곳을 가리켰다. 그때 새뮤얼이 마무리를 했다.

"제 멋에 사는 거지요. 각자의 숭배 대상도 다르듯이."

제롬은 그때 또 무언가 머릿속에 떠올린 듯했다.

"말은 하지 않았지만 사업 분야에도 우상이 한 명 있는데."

그가 입고 있던 검정색 코트를 열어젖히자 리처드 브랜슨의 초상이 그려진 제롬표 셔츠가 우리 눈에 들어왔다. 다양한 색을 가진 사업가, 버진주식회사를 세웠고 버진레코드사와 버진아일랜드항공사 등을 세운 사람이었다.

"정말 뛰어난 사업가지요."

새뮤얼도 브랜슨을 알고 있다는 사실에 제롬은 무척 즐거워했다.

"굉장한 사람이에요. 비즈니스를 생각할 때마다 나는 이 사람의 셔츠가 떠오르고 이 사람을 통해 영감을 얻어요. 슈퍼맨의 망토를 입는 것과 같죠. 만지는 것마다 금이 되는 정말 대단한 사람이에요."

"대단한 사람이긴 하지."

내가 말했다. 브랜슨은 자신의 경험을 바탕으로 광고에서 지구를 풍선으로 둘러싼 모습을 선보였다. 그것은 자신이 세운 항공사의 직원들을 상징하는 것이었다.

"좋은 아이디어로군. 브랜슨처럼 홍보를 한다면 성공에 대한 확신을 심어 줄 수 있겠지? 그렇겠죠?"

새뮤얼에게 묻자 그가 웃으며 고개를 끄덕였다.

"물론입니다."

"새뮤얼, 당신은 어때요?"

이번엔 내가 질문을 했다.

"당신에게 영감을 준 사람이 또 있었나요?"

"그럼요. 몇몇 랍비들도 내게 영감을 얻게 해 주었지요. 그 랍비들은 프랑스에서 랍비들의 우두머리에 해당했어요. 작가들은 마르셀 프루스트와 샤이 아그논이고, 사업 분야에서는 로칠드 가문을 꼽지요. 내가 종교 학교인 예시바에 공부하러 갈 때도 그들처럼 훌륭한 생각을 하려고 노력했습니다. 랍비 하임 카니예브스키는 토라에 조예가 깊고 기억력도 뛰어났는데 그분께 많은 것을 배웠습니다."

그는 잠시 말을 멈췄다가 말했다.

"나뿐 아니라 유태인들은 훌륭한 사람들의 능력을 존경합니다. 유태인들은 조상들의 기억을 지키기 위해 총명해졌습니다. 현인들의 지혜를 본받고 그들의 길을 따르기 위해서. 랍비 카니예브스키의 경이로운 기억력에 대해 이야기가 나왔으니 말인데, 유태 민족처럼 집단적인 기억을 가진 민족은 없지요. 유태 민족은 예외적인 기억력의 기술을 계발했어요. 집단적인 기술로 개별적인 수준을 나누었지요. 당신도 종교 학교 학생처럼 이 방식을 쓰면 많은 양의 내용을 기억할 수 있을 거예요."

그는 제롬을 보면서 웃었다. 제롬은 간절히 부탁했다.

"좀 구체적으로 유태인의 두뇌 계발에 대한 비밀 좀 알려 주세요."

새뮤얼은 빠른 걸음을 걷다가 갑자기 멈춰 섰다. 그는 코트 안으로 손을 넣더니 하얀 봉투를 꺼내어 제롬에게 주었다. 봉투에는 이렇게 씌어 있었다.

리사.

"리사라는 사람이 유태인의 두뇌에 대한 비밀의 열쇠를 쥐고 있나요?"

"그럴 수도 있지요."

새뮤얼이 크게 웃었다.

"리사는 나의 조카딸입니다. 깜박 잊을 뻔했는데, 당신에게 개인적으로 부탁할 게 있어요. 이스라엘에 돌아가면 이 봉투를 리사에게 전해 줄 수 있겠습니까? 여기 새뮤얼 삼촌이 보내는 선물이 들어 있다고요. 리사도 예루살렘의 히브리대학에서 공부하고 있습니다. 제롬 당신을 너무 귀찮게 하는 일이 아니었으면 좋겠군요."

"아니에요. 전혀 그렇지 않아요. 기쁘게 전하도록 하지요."

제롬은 봉투를 받아 주머니에 넣으며 웃었다.

"제임스 본드가 된 기분이걸요. 그저께는 에란이 축구 경기 티켓이 들어 있는 봉투를 꺼내지 않나, 오늘은 새뮤얼 당신이 조카에게 봉투를 전해 달라고 하니…… 그것도 공원 묘지 옆에서. 수상쩍은 첩보원이 우리를 멈춰 세우지나 않을까 모르겠네요?"

"이제 돌아갈까요. 아, 그리고 리사에게 가서 유태인 두뇌의 비밀에 대해 물어보도록 하세요. 리사는 대학에서 그 주제로 글을 쓴 적이 있으니까."

"예루살렘에 사나요?"

"에프라트에 살아요."

"에프라트요? 유태인 종교인들의 정착지로군요."

종교를 갖지 않은 제롬은 실망스럽게 말했다.

새뮤얼이 그의 어깨를 두드리며 격려했다.

"그렇지만 좋은 애랍니다."

우리는 새뮤얼과 인사를 나누고 헤어졌다. 주소나 전화번호를 주고받지도 않고, 다시 만나자는 약속도 없이.

제롬과 나는 함께 걸으면서 편안한 오후를 즐겼다.

"새뮤얼과 다시 연락이 될까?"

제롬이 내게 물었다.

그 뒤 제롬에게는 뜻밖의 놀라울 만한 일이 생겼다. 제롬에게 그런 일이 생기리라고는 우리 중 누구도 생각지 못했다.

2장

옷 장수 제롬,
천재에 도전하다

강한 동기 부여가 기억력을 높인다

내 기억에 의지하고 그것에 대한 확신을 가져라.
기억하려는 내용에 대해 강한 동기 부여를 하라.

파리에서 돌아오고 나서 2주일 뒤 나는 제롬과 함께 히브리대학에 갔다. 제롬은 신학기 등록을 하러 가고 나는 그 시간 동안 대학 도서관에 가기로 했다. 기숙사 옆 주차장에 차를 세우고 제롬은 커다란 검정 가방을 꺼냈다. 그는 그 가방을 어깨에 메고 걷기 시작했다.

"그 가방에 뭐가 들어 있어?"

시간이 조금 지난 뒤에 내가 물었다. 가방이 무거워 보였다.

"곧 알게 될 거야."

그는 사회과학대로 이어진 계단을 올라가면서 말했다. 대학을 졸업한 지 꽤 시간이 흘렀지만 대학 건물 안의 긴 복도를 보니 추억이 되살아났다. 시험을 치렀던 강의실을 보면서 그 당시를 떠올렸다. 시험 치기 전에 떨렸던 느낌과 즐거운 기억들이 하나 둘 생각났다.

히브리대학의 캠퍼스를 보니 디즈니랜드에 있는 작은 스튜디오가 기억났다. 캠퍼스 주변 가까이 올리브산이 있고 동예루살렘, 이사비아 마을, 대학 캠퍼스 한가운데 비상시를 위한 전망대가 있었다.

젊은이들은 그들 인생의 봄을 그 멋진 캠퍼스와 함께 보내고 있었고, 눈앞에 펼쳐진 미래와 반짝이는 학위를 받게 될 거라는 긍정적인 생각으로 가득 차 있었다. 예루살렘이 좋은 곳이라는 데 대해서는 크게 반대하는 의견을 찾을 수 없을 것이었다.

캠퍼스 건물은 이국적인 느낌을 주었다. 공항 분위기도 흠뻑 났다. 길고 어두운 복도는 더욱 어두운 작은 길과 만나 강의실로 이어져 있었다. 그러나 목적지까지 가는 데에 이정표가 좀 부족했다. 이런 안내 방송이 필요해 보였다.

"로마행 415편. 8번 인문과학대에서 탑승하세요."

대학의 중심부 광장에 도착했다. 제롬은 가방을 열어 옷으로 꽉 찬 커다란 비닐봉지를 꺼냈다. 그는 그 봉지에서 손바닥만 한 셔츠 하나를 끄집어냈다. 여느 때와 마찬가지로 그 셔츠에는 유명인의 얼굴이 박혀 있었다. 찰스 왕세자가 엘리자베스 여왕에게 머리를 기대고 있는 모습이었다. 셔츠의 뒷면에는 제롬의 사무실과 가게의 주소 및 전화번호가 적혀 있었다.

"이게 셔츠의 오리지널 샘플이야. 새뮤얼이 말한 것처럼 모방을 잘하는 것도 사업에서 성공하는 방법이야. 진품을 모방해서 작게 만드는 것도 좋은 아이디어라는 생각이 들어."

"그거 괜찮은데."

나는 작은 셔츠를 집어 들고 웃었다.

"작게 만든 셔츠. 정말 좋은 아이디어인걸."

그는 두 손 가득 셔츠를 집어 들고 앉아 있거나 서 있는 사람들에게 나누어 주기 시작했다. 작은 셔츠를 받아 든 학생들은 어리둥절해서 잠시 발길을 멈추었다가 각자 갈 길을 갔다. 몇 분이 지난 뒤 재미있는 일이 벌어지는 것을 볼 수 있었다. 우리 옆에서 다른 사람들도 광고지를 돌리고 있었는데, 그 광고지는 그대로 휴지통으로 들어간 반면 제롬의 샘플은 버려지지 않았다. 휴지통 대신 진짜 셔츠를 접는 것처럼 잘 접혀서 각자의 가방이나 주머니에 들어갔다. 그러고 나서도 15분 정도 더 제롬 옆에서 셔츠 돌리는 것을 도왔는데, 재미난 일이 한 가지 더 벌어졌다. 이미 셔츠를 받아 간 사람들이 다시 와서 한 장 더 달라고 했으며 갔다가 다시 돌아와서 다른 샘플을 달라고 하기도 했다.

봉지에 있던 셔츠를 거의 다 나눠 주고 나서 시계를 보니 1시간이 지나 있었다. 제롬도 자기 시계를 내려다보았다.

"5분 있다 만나기로 약속했어."

"누구하고?"

"리사."

그는 조금 과장된 미국식 악센트를 넣어 말했다.

"새뮤얼의 조카 있잖아."

"그 봉투 가져왔어?"

"당연하지. 그것 말고 그녀를 만나야 할 이유가 또 있을까? 나는 그저 부탁받은 일을 하는 것뿐이야."

"그녀가 맘에 든다면?"

"유태인 정착촌에 사는 사람인데 맘에 들더라도 어쩔 수 없지."

그러면서 그는 가방의 지퍼를 닫았다. 우리는 광장에서 멀지 않은 곳에 있는 대학 도서관으로 발길을 돌렸다. 이 길은 많은 학생들이 강의를 들으러 가기 위해 지나다니는 길이었다. 다음 강의를 듣기 위해 또는 광장 아래 있는 버스 정류장으로 가기 위해 이 길을 지나다녔다.

도서관 로비 만남의 장소에 우리는 서 있었다. 그는 가방을 바닥에 내려놓았다. 로비에서는 여남은 명의 학생들이 서로 인사를 나누고 있었다.

"정착촌 아가씨는 어떤 느낌일까?"

내가 묻자 그는 과장 섞인 심각한 목소리로 말했다.

"정착촌 사람들과 같겠지 뭐. 조금 더 예쁠지도 모르지만. 내 기억으로는 여자들은 청색 치마를 입고 흰 양말에 가죽 샌들을 신고 모자도 써."

그가 잠시 말을 멈췄다가 걱정스럽게 말했다.

"모두 그렇던데. 한 명도 빠짐없이. 잠깐, 그러면 그녀인지 어떻게 알아보지?"

"어떻게 알아볼지 서로 이야기를 해 두지 않았어?"

나는 가늘게 떨리는 음성으로 물었다. 그때였다.

"제롬 씨인가요?"

한 젊은 여자가 우리에게 다가오며 물었다. 우리는 돌아보다가 깜짝 놀랐다. 그녀는 청치마를 입고 있지 않았고 흰 양말에 가죽 샌들도 신고 있지 않았으며 모자도 쓰고 있지 않았다. 오히려 무척 세련되어 보였다. 웃을 때 하얀 이가 드러나 보였고 보조개도 깊이 패어 예쁜 얼굴이었다. 약간 붉은 기가 도는 머리를 끈으로 묶었고 붉은 테 안경을 쓰고 있었으며, 분홍색 셔츠를 입고 있었다.

"정착촌 사람 같지 않네요."

제롬은 언제나처럼 직선적으로 다짜고짜 말했다. 그의 초록 눈동자가 그녀의 큰 밤색 눈동자와 마주쳤다.

제롬은 그녀가 마음에 든 모양이었다. 그러나 그런 일은 제롬에게는 그리 특별한 일이 아니었다. 그는 101명의 여자 중 100명의 여자를 좋아할 수 있었다. 한번은 텔레비전에서 마거릿 대처에 대한 다큐멘터리를 방영했다. 그때 제롬은 영국의 전 총리였던 마거릿 대처가 얼마나 매혹적인지를 설명하려고 꽤나 애썼다.

두 사람은 몇 분 동안 이야기를 나누었다. 나는 그들의 대화를 들으며 리사가 교육학과 유태학을 배우는 대학 2학년생이라는 것을 알게 되었다. 그녀는 기숙사에서 다른 여학생 둘과 함께 생활하고 있으며, 장애인 여인을 돌보는 파트타임 일을 하고 있다고 했다. 제롬은 나홀라오트에 있는 아파트에서 살고 있으며 한 달 후에 경영학 공부를 시작할 것이고 성공적인 의류 사업을 하고 있다는 이야기를 리사에게 해 주었다. 그러고는 바로 조금 전에 생각해 낸 사업 이야기도 했다. 국제적으로 유태교 종교인들의 새로운 패션을 이끌어 갈 생각도 하고 있다고.

"아, 미안해요. 제 좋은 친구 에란을 소개할게요."

제롬은 이제야 내가 옆에 있다는 사실을 깨달은 듯했다.

"에란은 결혼했어요."

그는 자신과 나의 차이점을 명확하게 밝혔다.

리사가 부드러운 미소를 지으며 고개를 끄덕였을 때 나는 뭔가 말하려고 했지만, 결국 별로 인상적이지 않은 인사를 한마디 했을 뿐이었다.

"만나서 반가워요."

제롬은 부탁받고 가져온 편지를 꺼내어 리사에게 내밀며 말했다.

"삼촌이 보내신 겁니다."

리사는 조심스럽게 봉투를 뜯어 그 속을 살짝 들여다보더니 작은 카드를 꺼냈다. 카드를 읽으면서 환하게 웃더니 다 읽은 뒤에는 카드를 다시 봉투 속에 집어넣었다.

"그걸 전해 준다는 걸 깜빡 잊을 뻔했군요. 제 기억력이 별로 좋지 않거든요."

제롬은 손을 호주머니에 집어넣으며 사과했다.

"「유태인의 기억력」이라고 했나요. 뭐 그 비슷한 내용의 논문을 썼다고 들었는데."

내가 들은 이야기를 꺼내자 그녀가 머리를 끄덕였다.

"네, 그래요."

"조사했을 때 저를 인터뷰하지 않은 게 다행입니다. 저는 기억력이 별로 좋지 않은 유태인이거든요."

제롬의 말을 듣고 그녀가 웃었다.

"너무 단정 지어 생각하지 마세요."

"그러면 대체 유태인의 두뇌에는 어떤 비밀이 있는 건가요? 유태인들에게 유난히 대단한 기억력이 있다고 보십니까?"

"능력보다는 특별한 요령이 있다고 생각해요."

내 질문에 그녀는 이렇게 대답하고 나서 더 이상 뭐라고 덧붙이지 않았다. 그녀는 시선을 떨어뜨렸다. 얼마 지나지 않아 우리 셋 사이에 약간 민망한 분위기가 감돌았다. 별수 없이 나는 그냥 허공에 대고 얼빠진 식사 초대를 하고 말았다.

"점심 식사 했나요?"

"아뇨. 안 먹었어요."

기다렸다는 듯 모두 한 목소리로 말했다.

"자, 그럼 학교 구내식당으로 갈까요. 리사가 우리에게 그 비밀을 밝혀 줄지도 모르니까."

"새뮤얼은 유태인들이 학문에 큰 가치를 둔다고 했습니다."

나는 닭가슴살 튀김을 썰면서 리사에게 말했다.

"그것도 유태인의 독특한 두뇌에 대한 내용의 한 부분을 이룰 수 있을지 모르겠습니다. 유태인들에게는 자신들이 배운 것을 기억하려는 강한 동기가 있었겠지요?"

"그럼요. 동기는 무엇이든 바라는 걸 얻기 위한 기본 조건이니까요. 좋은 기억력을 위해서도 그렇고요. 우리는 강하게 동기 부여가 된 내용은 오래도록 잘 기억해요. 안 그런가요? 누군가 나한테 적지 않은 돈을 갚아야 할 게 있다고 치죠. 여러분 같으면 그 사람이 누군지 기억을 해 두었다가 내 돈은 언제 갚을 거냐고 전화 한 통쯤 걸지 않겠어요?"

그녀가 말하면서 웃었다.

"하지만 취업 면접 날짜를 잊는 사람도 있지요."

내가 말하자 제롬이 맞장구쳤다.

"그럴 수 있지. 하지만 나는 주차 위반 과태료는 한 번도 안 낸 적이 없어."

그가 자랑스럽게 말해서 나는 놀랍다는 얼굴로 제롬을 쳐다보았다. 제롬은 쑥스러운 듯 웃으면서 덧붙였다.

"물론 처음부터 그랬던 건 아니지만 말야."

나는 리사에게 나지막하게 물었다.

"그러면 유태인들은 자신들을 전통을 지키기 위해 우수한 기억력을 계발하려는 강한 동기를 가졌다. 그런 얘기가 될까요?"

"바로 그거예요. 그러나 그게 다는 아니에요. 유태 민족은 자신들에게 주어진 종교적인 법률을 의무적으로 기억하는 세상의 유일한 민족이지요. '아말렉이 너희에게 무엇을 했는지 기억하라', '성스러운 안식일을 기억하라', '야곱, 이스라엘의 하느님을 기억하라', '세상의 종말을 기억하라'. 구약 성경에 기억하라는 단어의 기본형이 최소한 172번쯤은 나와요. 그 단어는 항상 이스라엘 민족이나 하느님과 관련되어 있어요. 이스라엘 민족이나 하느님은 항상 '기억해야 할' 의무를 갖고 있어요. 하느님은 그렇게 하는 데 별문제가 없어 보이긴 하지만요."

그녀가 미소 지으며 말했다.

"동기 얘기를 하셨는데요. 하느님의 의미 있는 명령이 신앙인에게 큰 동기 부여를 한다고 생각하십니까?"

"하느님의 명령은 유태 민족의 기억력을 계발하는 데 큰 동기 부여를 해요."

"그렇지만 자세히 생각해 보십시오. '내가 이 언약과 맹세를 너희에게만 세우는 것이 아니다.' 라고 하느님께서 말씀하셨지요. 그와 더불어 '오늘날 우리 하느님 여호와 앞에서 우리와 함께' 라고도 하셨고요. 하느님께서는 기억력이란 부서지기 쉽다는 것을 이미 알고 계셨습니다. 그래서 다음 세대는 율법을 지키지 않을지도 모른다고 걱정하셨지요. 그래서 이스라엘의 전통을 지키기 위해 도덕적으로 흠이 없이 집단적인 기억력을 계발하기 위한 동기 부여가 필요하다고 생각하게 되는 것 아니겠습니까?"

"너는 하느님처럼 생각하는군. 정말 대단해."

제롬이 나를 보고 말했다.

"하느님처럼 생각하는 건 아냐. 하느님처럼 걱정할 뿐이지."

나는 조금 의례적인 투로 말했다.

"유명한 역사가 요세푸스 플라비우스는 그와 같은 동기 부여가 유태 민족에게 있었다고 결론을 내렸습니다. 유태인들은 자녀들에게 지켜야 할 율법과 조상들이 이룬 일들을 알리기 위해 구약 성경을 가르쳐야 한다고 했어요. 그들의 길을 따르게 하기 위해서요."

제롬이 손뼉을 쳤다.

"아! 바로 그거군. 유태인 엄마들은 아들이 자라서 '왜 유태교에 613개의 율법이 있다는 말씀을 하지 않으셨어요?' 라고 묻는 날이 오는 걸 두려워하지. 어제 치즈버거를 먹었다면 그것만으로도 38개의 율법을 어긴 게 되니까."

리사는 웃으면서 호기심 어린 눈으로 제롬을 쳐다보았다. 제롬은 그녀의 눈길을 느꼈는지 눈을 다른 곳으로 잠깐 돌렸다. 볼은 조금 붉게 상기되었고 민망한 듯 입술을 깨물었다. 리사는 얼른 시선을 내게로 돌렸다. 어쨌든 그들 사이에는 어딘가 긍정적인 긴장감이 돌았다.

나는 다 이해한다는 미소를 보냈다. 그녀는 미소의 의미를 알았는지 얼굴이 발개지더니 안쓰럽게 쥐구멍이라도 찾는 것처럼 보였다. 두 사람이 서로 쑥스러워 어쩔 줄 몰라 하는 걸 보고 나는 의자에서 몸을 일으켜 세웠다. 그런 뒤 진지한 얼굴을 하고는 쓸데없는 질문을 했다.

"확실히 플라비우스도 유태인이었죠?"

물론 그가 유태인이라는 걸 모르지 않았지만 그 순간 머릿속에 그런 질문밖에 떠오르지 않았다. 리사가 재빨리 대답했다.

"맞아요. 히브리어 이름으로는 요셉 벤 마티티야후라고 하지요."

어쨌든 주제를 좀 더 진전시킬 수 있을 것 같았다.

"그래서 성경을 외우게 한 건가요?"

"네. 혹시 '전통'이라는 단어를 자세히 들여다본 적 있어요?"

"'전하다'라는 어근이 들어 있는 말이지요."

"그 단어는 아카디아어에서 왔어요. 전한다는 건 뭔가를 강하게 붙잡아서 자유롭게 보내 준다는 뜻이고요. 다시 말해서 다음 세대로 보내는 거죠. 기본적인 토대를 잘 닦아서 진정한 자유 속으로 평화롭게 떠나보내는 것 말이에요. 그러면 '히브리인'이란 단어의 어근은 아시나요?"

제롬이 대답했다.

"'넘어가다.' 맞죠?"

"네, 정답이에요. 과거와 함께하는 히브리 민족은 무언가를 넘어서는 행위를 계속해야 하죠. 유태인의 미래는 전해 주고 넘어야 하는 과거 위에 쌓아올린 거예요. 미래는 과거의 단면이니까요. 유태 민족들은 손에 손을 잡고 자신들의 긴 여정을 함께 걸어가지요."

"유태인들의 과거는 우울하기 짝이 없습니다. 과거를 잊고 앞으로만 나아갈 수는 없었겠지요. 정신적인 건강을 위해서 말입니다. 안 그런가요?"

제롬이 물었다. 리사가 작은 성경을 뒤적였다.

"좋은 질문이에요. 이제 곧 멋진 걸 보게 될 거예요. 답을 해 드릴게요."

그녀는 신명기를 펴서 읽기 시작했다.

"'너는 아말렉의 이름을 천하에서 멸할지니라. 그러나 너는 잊지 말지니라.' 이 구절은 무척 역설적이에요. 그들을 기억에서 지워 버리되 잊지는 말라니? 우리는 이 패러독스를 통해 무엇을 배울 수 있을까요? 제롬, 이 구절이 당신의 질문에 대한 답이에요. 이 구절은 두 개의 상반되는 의무에 대해 말하고 있어요. 먼저 쓰라린 과거를 절대로 잊어서는 안 된다는 것. 그러나 목적의식을 잃어버리고 파괴적인 보복감 없이 살아갈 수 있도록 흉터를 지워야 한다는 것. 아말렉을 잊으라고 하면서 동시에 기억하라고 말이에요. 그렇게 하면 미래에는 균형 있고 분별력 있는 모습이 된다는 거죠. 이와 관계 있는 건데 혹시 '기쁨'의 어원이 뭔지 아세요?"

"글쎄요."

제롬은 고개를 저었다. 그녀가 답을 가르쳐 주었다.

"'지운다'는 뜻이에요. '기쁨'의 어원은 '아픔의 눈물을 지운다'예요. 쓰디쓴 기억에서 벗어나서 앞으로 계속 나아간다는 뜻이죠."

"멋진 뜻이군요."

나는 이렇게 말했다. 그런데 제롬이 조금 더 어려운 질문을 했다.

"도대체 왜 기억하라는 거죠?"

"살아남기 위해서예요."

그녀는 전혀 망설이지 않고 대답했다.

"뭔가 나쁜 일을 겪은 사람은 앞으로 조심해야겠다고 생각하지요. 신경정신과 학자인 올리버 삭스는 기억력에 대해 이렇게 말했어요. '기억력은 변화하는 주변 상황과 유기적인 조직체에 자신을 맞추어

간다.'고 말이지요. 살아남기 위해 어떤 유기적인 조직체는 그들 자신의 기억 위에 존재하거든요."

"재미있군요. 그 이야기는 당신의 삼촌이 한 말과 같은 내용입니다. 살아남으려는 본능과 지능 사이에 이루어지는 관계 말입니다."

"그럴 수밖에요. 가족이니까."

그녀는 웃고 나서 이야기를 계속했다.

"과거에 대한 긍정적인 기억은 우리의 존재를 계속 이어 나가게 해 주지요. 한 민족, 한 개인으로 계속 존재하게 되는 거예요. 전통 전체를 외워서 다음 세대에 넘겨주는 일이란 정말 놀랍고 대단하면서도 어딘지 모르게 매력적이라는 생각이 들어요. 그렇게 생각하지 않으세요?"

하필이면 그녀는 나를 보며 질문을 했다. 나는 말을 더듬으며 대충 긍정했다.

"네, 네……. 그렇죠."

"그런데 꼭 그런 것은 아니에요."

그녀는 자기가 말하는 내용을 내가 다 이해하지 못했다고 생각하는 것 같았다.

"글자가 널리 쓰였을 때도 그들은 역사적인 이야기나 정보를 외워서 전달하는 걸 더 선호했어요. 그리고 특별하게 유태 역사를 글로 나타내려고 하지도 않았고요."

"흥미로운 일이군요. 정말입니까?"

나는 놀라서 물었다.

"유태 역사에서 실제로 일어난 일인데요, 중세에는 유태인의 아이디어, 사상, 성경에서 일어난 일과 그에 대한 해석, 철학, 소송과 법,

신비주의 등 여러 분야에 대해 많은 내용을 기록해 놓았어요. 유태 역사에 대한 의미나 사건에 대한 정보는 많지만 실제로 일어난 모든 일과 개인적인 역사관까지 기억할 필요는 없지요. 중세의 유태인들은 기록에 대해 별 관심이 없었어요. 아랍인 같은 다른 민족들처럼. 유태인 랍비들의 모임에서는 무신론자들이 역사에 대해 기록하는 것을 경멸하기까지 했어요. 쓸데없는 일에 시간을 허비하는 짓이라고 했지요. 스페인에 살았던 기독교인 솔로몬 에벤 비르가는 구약 성경 연대기에 적혀 있는 내용을 가리켜 기독교적인 풍습이라고 했어요."

"그게 어때서요?"

제롬이 물었다.

"유태인들의 눈에는 이론적으로 설명이 가능한 내용이 중요하거든요. 유태인들의 역사적인 연대와 내용의 대부분은 글로 기록되어 있어요. 그대로 버려지고 잊혀질 수도 있었지만, 그들에게는 유태의 법에 대한 의구심이 있었지요. '카발라'에 보면 성경과 유태 법을 연대순으로 적고 있어요. 구약 성경 시대부터 쉬지 않고 계속해서 권위 있는 가르침을 나타낸 거예요. 1500년대 무렵이었다면 구약의 모세 오경만 가지고 미개척 분야였던 유태 역사 속의 문화유산을 밝혀 낼 수 있었을까요?"

"20세기를 사는 사람에게는 조금 이상하게 들리네요. 우리는 종이와 연필, 컴퓨터만 있으면 된다고 생각하는데 말입니다."

내 말을 듣고는 그녀가 웃었다.

"유태인들은 그들의 전통을 기록만으로는 지킬 수 없다고 생각했어요. 기록을 해 두면 굳이 애써 기억하지 않으려 할 테니까요. 손에 기록할 수 있는 종이만 들고 있으면 기억해야 한다는 의무감이 차츰 없어진다고 생각하게 되지요. 컴퓨터의 자판을 잘못 누르다가 내용이 다 날아간 적 없어요?"

"몇 번 있죠."

제롬이 대답했다.

"역사와 전통이 쓰여 있는 책이 하루 아침에 모두 불태워졌다면 어떻게 해야 할까요? 유태인들에게는 이런 일이 여러 번 있었어요. 떠돌아다니고 쫓기는 민족에게 책과 자료는 무척 소중한 것이에요. 늘 그것을 잃어버릴 수도 있다는 두려움에서 벗어날 수 없고요."

그녀는 약간 흥분한 표정이었다.

"그래서 유태인들은 그들의 전통을 지키려면 그것을 어느 누구도 가져갈 수 없게 해야겠다고 생각한 거예요. 유태인 한 사람 한 사람의 기억과 공동의 기억을 통해서 그것을 지키려고요. 다른 민족들은 그들의 시대를 글로 썼고 우리는 기억에 의존했어요. 하지만 유태인들끼리는 집단적으로 그 기억을 지켜야 할 필요가 있었지요. 그래서 유태인들은 독특한 기억력 기술을 계발했던 거라고 볼 수 있어요."

그녀는 의자 뒤로 기대앉았다가 다시 윗몸을 일으키고는 포크로 닭고기를 살짝 찍어 입 속에 넣었다.

"제 생각으로는 역사를 글로 기록하지 않은 건 문화에 해를 끼친 거라고 봅니다. 그중 일부는 없어졌을지도 모르니까요."

제롬이 말했다.

"당신 말도 일리가 있어요."

그녀가 재빠르게 대답했다.

"앞 세대들이 역사의 기록을 무시하고 소홀히 한 것을 비판한 이들도 있었어요. 모세 에벤 에즈라도 그중 한 사람이에요. 그건 이 내용과 별로 관계가 없지만요."

그녀는 음식을 한입 베어 물면서 말했다. 그걸 들으니 나는 문득 떠오르는 이야기가 있어서 결론을 대신 내려 주었다.

"역사학자인 하임 예루살미가 적절한 이야기를 했지요. 그는 역사 기록이 미비한 것은 문화에 해를 끼치기보다는 의존적이지 않고 독립적이라는 사실을 보여 주는 것이라고 했어요. 그리고 그것이 없어져 버리는 사태는 우리의 손에 달린 일이 아니라고 했어요. 다시 말해서 인간은 자신의 기억력에 의존하는 것을 두려워하고 있다는 거예요."

"바로 그거예요."

그녀가 동의해 주었다.

"요즘은 기억에 의존하지 않고 또 기억력의 힘을 옛날보다 더 믿는 것도 아니에요. 우리에겐 그 대신 사용할 수 있는 종이나 컴퓨터가 있으니까. 더 이상 애써 기억을 할 필요가 없게 된 거예요. 그렇게 하면 어떤 문제가 생기겠어요? 우리의 뇌는 근육과 같아서 자꾸 써야 해요. 유태인들은 자신들의 기억에 의지해도 좋다고 생각했고 또한 그에 대한 확신이 있었어요."

"그러니까 그 확신이 기억력의 기술을 계발하는 데 도움을 준 거군요."

제롬이 웃으면서 말했다.

"기술은 기억력을 계발하고 향상시키는 데 그 목적이 있어요. 마치 운동선수가 경기 전에 좋은 운동화를 신고 긴장하는 것과 같아요. 그건 그 선수가 경기에 서툴러서 그런게 아니라, 경기를 더 잘하려고 하다 보니 그렇게 되는 거예요. 그렇지 않아요?"

그 말을 듣고 제롬은 꽤 놀란 표정이었다. 제롬이 흥미를 보이는 화제는 스포츠와 관련된 예를 드는 것이다. 그는 얼굴에 미소가 가득 번진 채 흥분을 감추지 못했다.

"종교를 가진 분께 이렇게 감동적인 이야기를 들은 건 처음이군요. 스포츠 좋아해요?"

"네. 스포츠를 지도하기도 했어요."

리사는 부끄러운 듯 웃었다. 제롬은 그녀를 뚫어지게 쳐다보면서 기분 좋게 고개를 끄덕였다.

"어쨌든 간단히 말해서 당신이 무엇인가를 기억하려면, 당신 자신의 기억력을 믿고 그것에 의지하란 거예요."

"그래서 그 기억력을 계발하는 데에는 어떤 기술이 있었죠?"

나는 관심 있는 전문 분야이기 때문에 질문했다. 그녀는 우리가 다루던 주제로 다시 돌아갔다.

"많이 있어요. 유태인의 집단적인 기억력은 두 가지의 기본적인 토대 위에 세워져 있어요. 바로 의식과 기도죠."

그녀는 포크를 접시 위에 내려놓고는 말을 이었다.

"유월절과 추수감사절 명절은 각각 봄과 추수철을 기억하게 해 주지요. 이처럼 한 해 농사를 짓는 주기로 기억했어요. 유월절은 이집트를 떠나 광야를 떠돌던 때를 기억하는 명절이에요. 유월절에는 온 가족이 모여 저녁 만찬을 함께하고, 추수감사절에는 첫 곡식을 거두는 의식을 하잖아요. 유월절 만찬에서 뭔가 기억에 남는 것 있어요? 노래나 어떤 의식 같은 것 중에서 기억나는 것들 말이에요."

그녀가 제롬에게 물었다. 제롬은 지난 올림픽 대회에 관한 얘기라도 나누고 싶은 듯한 얼굴이었지만, 곧 그녀에게 좋은 인상을 주려는 노력인지 눈을 꿈뻑거리면서 생각에 잠겼다.

"음······. 「하나를 누가 아나요」, 「다예이누」 같은 노래가 있죠. 네 명의 현인들이 성경에 대해 이야기를 나누는 내용, 만나의 조각을 감추는 아피코만, 랍비 엘리에젤과 몇 사람이 함께 유월절 행사를 하던 것, 기다란 테이블 그리고 유월절에 빠질 수 없는 음식, 그거야말로 유월절 행사에서 가장 중요한 부분이죠."

"잘 알고 계시네요. 유월절 음식에서는 어떤 게 기억에 남나요?"

"글쎄요. 만나, 쓴 풀, 삶은 달걀, 셀러리······ 감자도 있고 생선 요리, 코코넛 과자, 만찬 시작할 때 포도주를 마시고, 4분의 1 정도 크기의 닭 요리, 과일 졸인 것······."

리사는 손을 흔들면서 웃었다.

"당신 어머니께서 준비하시는 모든 음식 말고요, 유월절 책인 『아가다』에 적혀 있는 것 말이에요."

"어머니가 아니라 할머닌데. 우리는 매년 할머니 댁으로 가거든요."

"어쨌든 당신이 종교인이 아니라 해도 접시에 뭐가 있었는지 기억하죠? 기억을 한번 더듬어 봐요. 중심적이고 중요한 내용 있잖아요. 유월절 의식이 어떻게 진행되는지 일일이 기억하나요? 할아버지께서 유월절 의식을 시작하시고 나서 유월절 책 아가다를 모두 나누어 읽고 외운 노래를 함께 불러요. 젊은이들에게는 「뭐가 변했지」라는 노래를 부르게 하죠. 그러고 나서 숨겨 놓은 만나를 찾는 놀이인 '아피코만'을 해요. 그렇죠?"

"네, 맞아요. 우리는 할머니께서 유월절 의식을 진행하세요."

"정말이에요?"

전통적으로 집안의 남자 어른이 진행하는 유월절 의식을 할머니가 한다는 말에 리사는 놀라움을 금치 못했다. 제롬이 고개를 끄덕였다.

"할머니의 목소리가 할아버지보다 더 낮고 무겁거든요."

리사는 이상하다는 듯한 표정으로 그를 한참 동안 쳐다보았다.

"지금 그건 농담하시는 거죠?"

"할아버지께서 생선 요리와 설거지를 하시고 화요일 오후에는 여성 단체에서 하는 브리지 모임에 가시지요."

제롬은 호탕하게 웃었지만 진지해지려고 무던히 애썼다. 그녀는 다시 한 번 얼굴이 발갛게 되었다.

"말하자면 당신이 의식의 일부분이 되어 이집트에서 탈출한 유태인들을 기억하게 하려는 것이 유월절 의식의 목표예요. 유태인들 하나하나가 개인적으로는 그 사건들을 모두 기억할 수 없기 때문에, 집단적인 의식을 통해서 기억력을 더욱 키우는 것이죠. 공동체라는 테두리 속에서 개인적인 기억의 능력을 기르는 거라고나 할까요. 유태인들이 이집트를 떠나는 이야기를 성경에서 읽지 않았더라도, 유월절 의식에 참여했기 때문에 그 이야기를 잘 알게 되는 거예요. 의식에 참여했던 것이 기억에 도움을 주는 셈이지요. 백번 얘기를 듣는 것보다 실제로 한번 해 보면 공감대가 형성되고 더 잘 기억하게 돼요."

"그럼 나도 유월절 의식을 치렀기 때문에 기억하는 걸까요? 나는 그 이야기를 역사의 하나로 기억한다고 생각했는데."

"당신이 지금 이야기한 것들은 모두 역사적인 이야기의 한 부분을 기억하기 위해 상징적이고 중심적인 열쇠가 되는 단어들이었어요. '쓴 풀'은 무엇을 나타내는 건지 알아요?"

"그럼요. 그건 확실히 알아요. 이집트에서의 고통스러웠던 삶을 상징하죠."

"그럼 만나는요?"

"광야에서 생활했을 때 빵의 반죽을 충분히 발효시킬 수 없어서, 뭐 그런 것 아닌가요?"

"달걀과 소금은요?"

"홍해를 건너는 걸 가리키는 거죠."

그녀는 이해하지 못했다는 듯한 얼굴로 그를 쳐다보았다.

"홍해를 건너다니요?"

"더 잘 알면서 왜 그래요? 이스라엘 백성들이 홍해를 건널 때 바닷물이 갈라지는 내용 있잖아요."

그는 말하다가 뭔가 확실치 않다고 느꼈는지 그만두었다. 리사가 소리를 내어 웃었지만 놀리는 것 같지는 않았다. 제롬은 대강의 이야기를 두루뭉술하게 알고는 있었지만, 소금이 바닷물을 상징하고 달걀이 반으로 깨어지는 것으로 홍해가 갈라진 사실을 상징한다는 걸 구체적으로 기억하지는 못했던 것이다.

"하로셋(사과에 호두나 잣 등을 으깬 것에 꿀, 포도주 등을 붓고 계피를 섞어 만든 붉은 양념장—옮긴이)은 진흙을 상징해요. 유태인들이 이집트에서 노예 생활을 했을 때 진흙으로 벽돌을 구워 피라미드를 지었는데, 그 사실을 기억하려고 먹는 거지요."

내가 덧붙여서 설명했다.

"그래요. 당신은 그 의식의 의미를 잘 기억하고 있군요."

그녀는 그렇게 말하고는 잠깐 쉬면서 이미 식어 버린 남은 음식의 접시를 한쪽으로 밀어 놓았다. 그러는 동안 나는 다른 이야기가 떠올랐다.

"어떤 맹인 남자를 만난 적이 있었어요. 그는 경이로울 만큼 기억력이 뛰어났습니다. 몇 백 개가 넘는 전화번호를 기억하고, 몇 달 동안에 걸친 회의나 모임 날짜를 거의 다 외우고 있었어요. 그 밖에도 여러 가지 놀라운 일들이 있었답니다. 어떻게 그걸 다 외울 수 있느냐고 했더니 어쩔 수 없이 문장 전체를 머릿속에 기억한다는 것이었어요. 선택의 여지가 없다고 그러더군요. 그를 보면서 나도 처음으로 맹인들은 정말 어쩔 도리가 없겠다 싶었습니다. 맹인들은 그 누구보다도 자신의 기억에 의존하려는 동기가 크고 강하죠. 전화번호나 시장 볼 내용을 알기 위해 일일이 점자 기계를 열 수는 없으니까요. 그건 정말 번거로운 일이거든요. 결국 모든 걸 외울 수밖에 없지요."

그 말을 주의 깊게 듣고 리사가 말했다.

"좋은 예로군요. 유태 민족도 세상에서 살아남기 위해 맹인처럼 노력했다는 생각을 할 수 있겠어요. 유태인들도 '선택의 여지가 없는 상황'에서 기억력을 계발하려는 동기를 갖게 되었고요. 그들의 정신적인 삶의 핵심은, 유태 민족이라는 존재를 지키기 위해 자신들의 전통을 외워 다음 세대로 물려주는 것이었어요."

"그렇게 하면 개인의 수준도 나아지게 되나요?"

제롬의 물음에 내가 대답해 주었다.

"당연하지. 그러니까 무언가를 기억하려면 동기 부여를 하라고."

그녀가 말했다.

"개인의 수준에 대해 이야기하려면 학습 방법과 구체적인 기억력부터 알아봐야 해요. 시험 기간만 되었다 하면 머리가 아프고 긴장하는 학생들은, 종교 학교 예시바를 방문하라고 권하고 싶어요."

"예시바요?"

제롬은 그렇게 되물으며 얼굴이 질려서 나를 쳐다보았다.

"왜 뭐가 어때서요?"

리사가 고개를 갸우뚱하는 것을 보고 나는 재빨리 제롬 대신 설명했다.

"정통파 유태교 종교에 대해 공포증이 있어서 그래요. 특별히 예루살렘에 사는 유태인 무신론자들에게서 나타나는 증상인데요, 그들은 종교인들이 항상 전도하려 든다고 생각하죠."

그리고 이번에는 제롬에게 말해 주었다.

"내가 몇 번이나 일 때문에 예시바에 갔는지 알아? 그런데 갈 때마다 어느 누구도 유태교 얘기는 꺼낸 적도 없고 종교에 귀의하라는 이야기도 한 번 들은 적 없어."

"다른 데서 그런 권유를 받은 적은 있어?"

"그럼. 물론이지."

그러자 제롬은 말했다.

"뭐 상관없겠지. 그럼 어때. 뉴욕에서는 길거리에서 불교를 팔고 에슈빌에서는 예수를 팔던걸. 겁날 거 없겠지."

그녀는 제롬의 말에 조금 기분이 상한 듯한 목소리로 말했다.

"전 실제로 도움이 되는 내용을 이야기하려던 거예요. 예시바에서 어떤 효과적인 기술로 학습과 기억력을 계발시키는지 말하려고 했을 뿐이에요. 제 자신도 몇 가지 방법을 배워서 지금 대학에서 공부할 때 써 보고 있어요."

제롬은 말없이 손가락으로 포크를 만지작거리며 그녀의 기분을 풀어 주려고 노력했다.

"일부러 그런 건 아닙니다. 정말 미안해요."

제롬은 몸을 숙여서 거의 텅 빈 가방을 뒤지더니 조금 크기가 작은 셔츠를 꺼냈다. 그리고 그는 간절해 보이는 미소를 지었다.

"이 선물 받아 주시겠어요?"

리사는 그 셔츠를 받아 들고 한참 동안 살펴보았다.

"참 예뻐요. 하나 더 있어요?"

"없는 것 같은데."

그는 가방 속에 셔츠가 남아 있는지 찾아보았다.

"나중에 더 갖다 줄게요."

나는 습관적으로 탁자 위에 놓인 냅킨을 접고 또 접다가 그것을 다시 살짝 펼쳐 놓고는 말했다.

"자, 이거 보세요."

나는 소리 내면서 글씨를 썼다.

자신의 기억을 의지하고 그것에 대한 확신을 가져라.
기억하려는 내용에 대해 강한 동기 부여를 하라.

"이게 뭐예요?"

리사가 냅킨에 쓴 내용을 보려고 몸을 숙였다.

"리사 씨가 지금까지 이야기한 내용의 중점이 되는 결론을 적은 겁니다."

"자신의 기억을 의지하고 그에 대한 확신을 가져라."

그녀가 소리 내어 읽더니 갑자기 웃음을 터뜨렸다. 나는 조금 당황스러웠다.

"뭐가 그렇게 재미있습니까?"

"이렇게 글로 적어 두는 게 재미있어서요."

나도 따라 웃긴 했지만 조금 민망했다. 나는 어떤 세미나에서 새로 배운 내용을 복습하기에 가장 좋은 시간은 바로 지금이라고 했던 내용을 생각하고 그랬던 것이다. 나는 냅킨을 가져다가 작은 조각으로 찢어서 재떨이에 올려놓고 마음속으로 결심했다.

'이제 앞으로는 냅킨에 적지 말아야지.'

그리고 덧붙여서 다짐도 했다.

'꼭 기억하자.'

실제로 나는 그날부터 작은 정보라도 적는 대신 곧바로 기억하려고 노력했고, 그것은 내게 많은 도움이 되었다.

리사는 시계를 들여다보았다.

"죄송해요. 5분 뒤에 수업이 있어서요."

그녀는 가방을 챙기면서 서운하다는 듯 말했다. 새뮤얼의 부탁 때문에 만난 것이었지만 우리 모두는 이 짧은 만남이 아쉬웠다. 짧은 시간 동안 제롬과 리사 사이에는 좋은 분위기가 생길 것처럼 보였지만, 부끄러움을 많이 타는 이 두 사람은 별 진전 없이 헤어질 것도 같았다. 그래서 나는 탁자 아래에서 제롬에게 신호를 보내어 리사에게 말을 좀 건네 보라고 했다. 제롬은 순간 당황해서 무슨 말을 해야 좋을지 쩔쩔매고 있었다.

"리사."

일단 급한 대로 그녀를 불러 놓고 제롬은 생각에 잠겼다. 그녀는 눈을 들어 그를 바라보면서 다음 말을 기다렸다.

"어, 그러니까…… 몇 번 버스가 시내로 가는지 알아요?"

'제롬, 그게 뭐야.'

나는 마음속으로 중얼거렸다.

"노선이 몇 가지 있어요. 9, 19, 23번요."

그녀는 뭔가 더 이야기하려다가 그만두었다. 이제 자리를 뜨려는 참이었다. 마침내 그녀는 가방을 어깨에 메면서 말을 이었다.

"괜찮으시다면…… 다음번 점심시간에 다시 만나기로 해요."

"좋아요."

제롬은 기쁨을 감추지 못하고 어린 토끼처럼 들떠서 말했다.

"지금이라도 다시 점심 식사를 한 번 더 하면 안 될까요?"

그녀는 미소를 짓고는 작별 인사로 손을 흔들었다.

"제롬. 지금까지 결혼을 안 한 건 정말 잘한 일 같아. 네가 그렇게 낭만적인 데가 있는지는 몰랐는걸."

나는 미묘한 감정에 사로잡혀 있는 듯한 그를 부추겨 보았다.

2주가 지난 뒤에 제롬의 대학 강의가 시작되었다.

종이와 잉크의 마법

필사 행위에 숨은 비밀……
알맞은 잉크와 적당한 종이 그리고 가장 효율적인 글씨 형태로
어떻게 이해력과 적응도를 높일 수 있을까?

제롬은 가방을 바닥에 내려놓고 털썩 주저앉았다.

"첫날 강의가 어땠어?"

나는 호기심 어린 얼굴로 그의 얼굴을 쳐다보았다.

"끝내 줬어."

그는 짧은 한마디만 했을 뿐 더 이상 말을 잇지 않았다.

"어떤 강의였는데?"

이타마르가 좀 더 구체적으로 물었다.

"마케팅과 경제학이었던 것 같은데. 강의가 두 과목이었거든."

이번에도 대답을 짧게 하고 나서 그는 눈동자를 한 바퀴 굴렸다.

"……이었던 것 같다니, 그게 무슨 말이야?"

"그게 서론이었나? 시간표를 봐야겠어. 잘 기억이 안 나."

"무슨 소린지 모르겠는데."

이타마르는 교수의 입장에서 제롬이 이해가 되지 않을 뿐만 아니라 조금 불쾌해진 것 같았다.

"넌 제목이 뭔지도 모르는 강의를 들으러 가?"

"첫 시간이었잖아."

제롬은 내뱉으면서 파비오를 향해 손을 흔들었다.

"첫날은 오리엔테이션인 거 몰라? 첫째 주는 공부하는 사람 아무도 없다고. 그런데 여기 주문 안 받아요?"

그가 웃으면서 소리쳤다.

"오리엔테이션?"

"그래, 오리엔테이션."

그는 참을 수 없다는 듯 이타마르를 쳐다보았다.

"여학생이 몇 명이나 수강하는지, 그 여학생들이 어디서 점심을 먹고 커피를 마시는지, 파티는 언제 있는지…… 첫 주에 학생들은 그런 것에 관심을 갖는데."

"내기에는 아무래도 내가 지겠는걸."

이타마르는 입을 삐쭉거렸다.

"그만 해. 제발 좀 그러지 마. 첫째 주밖에 안 됐는데."

제롬은 이타마르의 어깨를 툭 쳤다. 내가 말을 꺼냈다.

"알았어. 그러면 조금 있다가 우리가 널 공부가 될 만한 곳에 데려가려는데 반대는 하지 마. 알았지?"

"어떤 공부?"

제롬이 놀라 물었다.

"기억력 향상에 도움이 많이 되는 유태인식 필사법을 공부하는 거야. 네가 가장 효율적으로 공부를 마칠 수 있도록 가르쳐 줄 사람이 있어."

"그게 무슨 소리야? 됐어. 안 가. 아무 데도."

제롬은 조금 겁을 먹은 것처럼 보였다. 나는 그의 어깨를 살짝 치며 핀잔을 주었다.

"고집 좀 그만 부려. 랍비 다하리와 12시 정각에 만나기로 했는데 약속을 어길 순 없어. 그 랍비는 무척 바쁜 사람이야."

"랍비 다하리가 누군데?"

"유태 필사본을 쓰는 사람이야. 그 분야에선 알아주는 사람이라고. 그 분야에서 그 이름이라면 모르는 사람이 없을 정도지."

이타마르가 대답했다.

"그렇게 바쁜 분이면 오후에는 좀 쉬셔야 되지 않을까?"

제롬은 마치 그렇게 되길 바라는 것처럼 말했다. 나는 그의 말을 일축했다.

"아니. 그분도 널 만나고 싶어 해. 그러니까 서둘러."

마하네 예후다 시장은 물건을 사는 사람들로 붐볐다. 우리는 채소와 생선, 향신료 냄새를 맡으며 상인들이 소리치는 시장 골목을 빠져나왔다. 무섭게 질주하는 버스와 시커먼 연기를 내뿜는 택시 사이를 지나 욥바 거리를 건넜다. 어느덧 소음이 잦아들면서 우리는 좁은 골목으로 접어들었다. 유태인들이 전통적인 종교인 옷차림을 하고 빠른 걸음으로 걸어가는 모습이 눈에 띄었다. 이타마르는 그들 종교인들 사이에 서로 어떤 차이점이 있는지 알려 주었다.

"저 사람은 '만토리 카르타' 라고 해."

이타마르가 은회색 코트를 입은 남자를 가리키며 말했다.

"저 사람은 유태교의 젊은 하시딤(18세기에 세워진 유태교의 한 분파——옮긴이)의 하나야. 양말을 보고 구분할 수 있어."

그 설명을 듣고는 제롬이 웃었다.

"양말에 따라 다르다는 거야?"

"그래. 모든 하시딤들은 복장에 신경을 쓰거든. 예를 들어 '구르하시딤'들은 군인들처럼 긴 양말을 신고 그 속에 바짓단을 넣어 입지. 하시딤들 가운데 '벨츠'와 '비츠니흐'는 끈 없는 구두에 긴 양말을 신고 윤기 나는 긴 검정 코트를 입고 다녀. 저 사람은 중절모를 쓰고 현대식 재킷을 입는 걸 보니 '리타이'인 것 같군."

"나도 양말만 보고 구별할 줄 아는 게 있어."

제롬은 검정과 노랑이 섞인 체육복을 입은 아이를 가리키며 말했다.

"이를테면 저 아이는 예루살렘 하시딤 초등학교 학생이라는 것 말야."

"여기가 그분 집이야."

이윽고 이타마르는 초록 철대문을 가리키며 말했다. 돌이 깔려 있는 골목길이 끝날 무렵, 세월이 흘러 거뭇거뭇해진 돌로 지어진 이층집이 보였다. 우리는 어두컴컴하고 삐걱거리는 계단을 올라 그의 이름이 적힌 문패를 보았다.

"유태 필사가 다하리."

이렇게 적힌 우체통을 겨우 찾을 수 있었다. 우리는 4층으로 올라가서 4호의 문을 두드렸다. 키 작고 마른 여자가 문을 열었다. 그녀는 우리를 보자마자 인사했다.

"어서 오세요."

거실에는 회색 천 소파와 밝은 밤색 나무 책상이 있어 단출해 보였다. 한쪽 벽면은 유태교 현인들의 초상화로 가득 차 있었고 맞은편에는 성경과 관련 있는 책들로 가득 찬 책장이 있었다. 부인과 마찬가지로 키가 작고 말랐으며 에너지가 넘쳐 보이는 남자가 방 안으로 들어왔다.

"안녕하세요, 여러분."

랍비 다하리는 웃으며 손을 내밀었다. 옆으로 갸름한 모양으로 빛나는 밤색 눈과 인상적인 흰 수염이 돋보였다. 악수할 때 보니 손힘이 무척 센 것 같았다.

"와."

랍비가 제롬의 손을 잡자 그는 두 손으로 악수를 했다.

"이소룡 영화를 많이 보신 것 같군요."

"누구?"

랍비가 호기심 어린 눈으로 미소를 짓자 이타마르와 나는 이 난처한 순간을 어떻게 모면하면 좋을지 알 수 없었다. 아랑곳없이 제롬은 놀랍다는 듯 계속 랍비를 쳐다보았다.

"이소룡 많이 닮으셨어요. 키가 작고 힘이 센데 액션 영화에 많이 나와요."

"그런가? 칭찬인 것 같군."

"그렇고말고요, 이소룡은 한 번 휘두르면 스무 명은 죽일 수 있어요."

이타마르가 그만 하라는 손짓을 보내자 제롬은 고개를 갸우뚱했다. 나는 얼른 대화의 주제를 바꿨다.

"제롬은 이번 주부터 경영학 공부를 시작했습니다."

"성공적으로 잘 마치길 비네. 자, 이리 와서 앉게."

랍비는 소파를 가리켰다. 우리 셋이 함께 앉기에는 소파가 짧고 비좁았지만, 테트리스 게임처럼 우리는 그 길이와 넓이에 맞춰 앉았다.

"경영학이라."

랍비가 말을 꺼냈다.

"하느님께서는 당신께 보답하는 사람에게 월급을 주시지."

말하면서 그는 제롬을 쳐다보았다. 제롬이 대답했다.

"예, 보답할 겁니다. 얼마만큼인지는 확신할 수 없지만, 세상을 창조하신 분이 배를 곯게 내버려 두지는 않을 거예요. 제가 약속하죠."

랍비가 고개를 끄덕였다. 그의 머릿속에는 제롬이 제법 주관이 뚜렷한 사람이라는 정보가 입력되는 것 같았다. 그가 제롬에게 물었다.

"그래서 내가 어떻게 도울 수 있을까?"

이타마르는 소파 등받이에 몸을 기대고 앉아 손가락을 들어 올리며 말했다.

"저희는 이해력과 기억력을 증진시키기 위해 좀 더 능률적으로 필기하고 공부하는 효과적인 방법에 대해 조언을 듣고 싶습니다. 작년에 그 주제로 훌륭한 강의를 하셨다는 이야기를 들었습니다."

그는 접대성 말투를 써 가면서 부탁했다. 랍비는 기억을 떠올리려는 듯 눈을 지그시 감았다.

"구약 성경, 토라 공부에 대한 내용을 강의했던 것 말인가? 그거라면 별문제 없겠군."

"정말 감사합니다."

이타마르가 공손하게 말했다. 제롬도 따라 말했다.

"정말 고맙습니다. 이 분야에서 유명하시다는 이야기 들었습니다."

제롬이 이렇게 시기적절한 표현을 쓸 줄 안다는 사실이 조금은 놀라웠다.

"뭘 그런 정도는 아닐세."

제롬이 자신을 추켜세우는 게 싫지 않았는지 랍비가 웃었다. 그는 즉시 본론으로 들어갔다.

"그러면 그전에 노트 필기 같은 거 해 둔 게 있나?"

제롬은 가방에서 노란 공책에 자신이 필기한 부분을 펼쳐서 랍비에게 보여 주었다. 이타마르와 나는 놀라서 서로의 얼굴을 바라보았다.

"그런 눈으로 쳐다보지 말아 줘. 너희들은 나를 너무 과소평가하는 경향이 있어."

"과소평가라고?"

나는 즐거워하며 대답했다.

"아직까지 너란 인간을 평가한 적도 없었는걸."

랍비는 필기한 것을 들여다보며 큰 소리로 읽기 시작했다.

"주식회사를 경영하면 개인 세금보다 세금을 적게 내는 장점이 있다. 세금의 단계는 이렇게 차이를 보이면서……."

그는 갑자기 읽던 걸 멈추더니 재빠르게 종이를 뒤적이고 나서 다른 부분을 읽기 시작했다.

"여자와 남자의 일을 구분하는 것이 중요하다. 기본적인 금전 관리는 지출에 대한 계획을 제대로 세우는 것이다."

존경받는 랍비가 읽는 내용 치고는 그의 세계와 무척 동떨어진 필기 내용이라는 생각이 들었다.

"빌 게이츠가 성년식에서 예언서를 읽는 것 같아요."

제롬이 웃으면서 말했다.

"그런가?"

랍비는 그의 수염을 만지면서 말했다.

"그러면 유태인의 문화유산을 응용하여 몇 가지 전략을 알려 주겠네."

그는 노란 종이를 책상 위에 올려놓았다.

"지금 자네가 사용하고 있는 펜과 종이가 적당치 않다는 데서부터 얘기를 시작해야겠군."

그는 필기한 종이를 손가락으로 만지작거렸다. 제롬은 깜짝 놀라 몸을 일으켜 세우고는 호주머니에 손을 넣더니 비싸 보이는 펜을 꺼냈다.

"워터먼 제품인데요."

제롬은 조금 흥분한 듯한 목소리였다.

"아버지께서 선물로 주신 건데 세상에서 가장 비싼 펜 중 하나라고 하셨어요."

"그걸로 계속 써도 된다네."

랍비가 설명하기 시작했다.

"그런데 잉크는 파랑보다는 검정으로 바꿔서 쓰지."

랍비는 펜을 보여 달라는 듯 손을 내밀었다. 제롬은 잠시 망설이다가 주름진 그의 손바닥 위에 펜을 내려놓았다. 랍비는 이리저리 펜을 살펴보고 나서 다시 제롬에게 돌려주었다. 그런 다음 종이를 가리키며 권위적인 목소리로 천천히 말했다.

"노란 종이는 백지로 바꾸고."

랍비는 몸을 뒤로 기대면서 그 이유에 대해 설명하기 시작했다.

"전하는 이야기에 따르면 우리 조상 모세가 토라, 모세 오경을 쓸 적에 '하얀 불 위에 검은 불'로 썼다고 하네. 그래서 성경은 지금까지 흰 종이 위에 검정 잉크로 쓰고 있지. 유태 필사가들은 컬러 잉크를 사용하는 것이 금지되어 있어. 파랑과 노랑뿐만 아니라 다른 어떤 색도 사용해서는 안 되지. 유태 필사가들은 검정만 쓸 수 있다네. 이것은 기본적인 규율로, 검정 잉크가 세월이 흐르면서 색이 바래거나 다른 색으로 변하게 되면 토라의 가치를 잃어버리기 때문에 다른 곳에 보관하지."

"유태인 필사가들이 사용하는 잉크는 뭐가 좀 다른가요?"

내가 궁금해서 물었다. 랍비는 나를 똑바로 쳐다보며 차분하게 말했다.

"그것은 영원히 그 상태를 유지하지. 물에 지워지지도 않고 햇빛에 색이 바래지도 않고 말일세. 영원한 하느님처럼 변함이 없다는 거야."

"무엇으로 만든 잉크입니까?"

궁금해서 나도 모르게 캐묻는 듯한 태도가 되었다. 랍비는 잠시 껄껄 웃었다.

"그건 코카콜라를 만드는 비법을 묻는 것과 같지 않을까. 그 비법은 다음 세대로 전수되고 유태 필사가가 되면 그 비법을 알게 되지."

"유태 필사가들이 사용하는 잉크가 무엇으로 만든 건지 어디선가 읽은 기억이 나는데요."

이타마르가 대화에 끼어들었다.

"무슨 풀을 찧고 나무를 태워서 만들었다고 했는데 이름이 생각나질 않네요."

"맞는 말이군."

놀랍게도 랍비가 그의 말에 동의하며 웃었다.

"그렇게 따지자면 나도 코카콜라의 성분은 뭔지 알지. 코카콜라는 콜라 열매와 바닐라향, 계피를 섞어 만든다는 내용을 읽은 적이 있어. 어쨌든 집에서 코카콜라를 만드는 데 성공한 사람은 없지?"

그는 옆으로 팔을 펼쳐 앉았다. 이타마르는 일부러 두 팔을 모으고 다리를 꼬고 앉아 비좁은 소파에 어떻게든 잘 앉아 보려고 했다.

"유태 율법에서 흰 종이에 검정 글씨를 쓰는 것이 과학적으로나 심리학적으로 특별한 이유가 있습니까?"

나는 다시 주제로 돌아갔다. 랍비가 대답했다.

"물론이지. 대조적인 힘에 그 이유가 있다네. 흰 바탕에 검정은 두드러지게 보이면서 정확하고 읽기도 좋아. 바로 이 점이 이해력과 집중력에 도움을 주는 거야. 토라의 글자는 종이 한 장 한 장에 쓰이지. 흰 종이에 토라의 내용을 채워 넣으면, 종이의 흰 부분이 글자를 돋보이게 하여 읽게 만들어 준다고 하네. 토라의 글씨가 바래는 것은 다음의 두 경우일세. 글자의 모양을 잃어버려서 글자의 뜻이 달라진 경우와, 읽는 사람이 정확하게 읽기 힘들 정도가 된 경우."

이타마르가 이 내용을 요약했다.

"다시 말해서, 색이 있는 종이 위에 색이 들어 있는 잉크로 글씨를 쓰면 그 중심 내용을 파악하기 힘들고 눈도 피곤하며 집중력도 떨어진다는 거군요."

"그렇다네."

랍비는 고개를 끄덕였다. 제롬이 힘주어 말했다.

"노란 종이 위에 파랑으로 글씨를 써도 문제는 없어요. 오히려 그게 마음이 더 편안해질 수도 있거든요."

"그 말도 맞아."

랍비는 우리 모두의 말에 동의할 작정인가 보았다. 그러나 랍비는 이어서 말했다.

"노란 바탕에 파란 글씨도 눈을 편하게 해 주지만, 흰 바탕에 검정 글씨가 더 효과적일 뿐이야. 구텐베르크가 처음 인쇄기를 발명한 이래 모든 책은 흰 종이에 검정색 글씨로 찍혀 있지. 왜 그런 것 같은가?"

"하얀 불 위에 검정 불."

이타마르는 중얼거렸다.

"그러니까 그 방법대로 쓰고, 자네의 이해력과 수용 능력의 수준을 한 단계 높여 보게. 그게 첫 번째이고 어디 더 계속해 볼까."

그는 제롬이 필기한 종이에서 몇 군데를 가리키며 말했다.

"이렇게 이어 붙여서 쓰지 말고 글씨 하나하나를 떼어서 쓰도록 해. 이상하게 들릴지 모르지만 종이의 흰 여백이 글자 하나하나를 연결해 주어 텍스트의 이해력을 높여 준다고 하니까. 읽기와는 크게 관련이 없다고 생각하겠지만 읽기에도 영향을 미치는 법이지."

"흥미로운 내용이군요."

이타마르가 상기된 얼굴로 말했다.

"폴 쉴리가 『포토 리딩』이라는 책에서 똑같은 이야기를 했는데 말예요. 흰 여백이 주는 영향력에 대한 내용이었습니다."

"수년 전부터 이와 비슷한 내용에 대해 여러 사람들이 이야기해 왔다네."

랍비가 미슈나를 펼치면서 말했다.

"검정 글씨 사이에 보이지 않게 새겨진 흰 글씨들을 말하는 건데, 글자 하나하나마다 두 가지 모양이 있어. 일반적인 검정 글씨와 일반적이지 않은 검정 선으로 둘러싸인 흰 글씨지. 이 두 종류의 글씨가 합해지면 큰 힘을 발휘하게 된다네."

그는 기침을 하고 나서 다시 계속했다.

"내가 강조해서 말하고 싶은 것은 글씨를 붙여 쓰면 이해하기 힘들다는 것일세. 글자 하나하나가 이어져 있지 않고 떨어져 있으면 더 분명하고 이해하기도 쉽지."

"그렇다면 인간의 두뇌는 붙어 있는 글자보다 떨어져 있는 글자를 더 빠르게 풀어서 생각할 수 있다는 거군요."

이타마르는 랍비가 이야기한 내용을 다시 정리했다.

"그렇지."

"정말 맞는 말이에요. 저도 제가 붙여서 쓴 필기체를 알아보지 못한 경우가 여러 번 있거든요."

"무슨 글자인지 알아내려고 고생하거나 시간 낭비하지 말고 즉시 이해하는 것을 목표로 삼아야 하네."

랍비는 이렇게 결론을 짓고 나서 앞에 있는 책장을 넘겼다. 그는 책을 펴서 한 부분을 가리키며 말했다.

"사실 히브리어 글자는 아시리아어 글자에서 온 것일세. 예전의 히브리어 글자는 기원전 5세기에 바뀌었지. 현재 이스라엘에서 사용하는 글자로 자리 잡기까지 많은 일들이 있었다네. 새로운 아시리아 글자는 분명 이전의 것보다 훨씬 더 발전되어 있었어. 그 시기에 글자의 변화는 새로움을 추구하는 것이었지."

랍비는 다음으로 개혁의 정도에 대해 이야기했다.

"예전의 전통과 관련이 있는 기본 내용을 바꾼다는 것은 용감한 일이기도 했지만 위험한 일이기도 했다네. 글씨에 개혁을 단행한다는 것은 사람들에게 부정적인 생각을 불러일으킬 수 있는 위험한 시도였으니까. 그렇지만 어쨌든 그 일은 진행되었고, 현명한 사람들은 실용적인 글자를 사용하겠다고 했지. 다시 말해서 다른 어떤 것보다 효율적인 측면을 중요시한 거야. 아시리아 글자는 예전의 히브리어 글자보다 모양이 더 보기 좋았어. 유태인 현인들은 예쁜 글자를 구부려서 쓰고 나서 그 모양을 보고 놀랐지만, 그것을 보기로 삼아 계획하고 준비했지. 그 후 몇 년이 지나서 연구를 한 결과 히브리어는 음성학적 표기에 있어서 아시리아 글자와 많이 닮았다는 것을 발견하게 되었네. 다른 언어보다 음성학적인 면에서 읽기 편하고 글자의 모양도 읽는 방향에 따라 눈이 잘 따라가도록 이끌어 준다는 것이었지. 컴퓨터의 소프트웨어와 같은 전문적인 지식을 얻게 된 걸세. 히브리어는 글자 모양도 예쁘고 눈에 쏙 들어온다네."

이타마르가 결론을 내렸다.

"갑자기 뭔가 읽고 싶어지네요."

"글자가 예쁘다는 건 글자가 분명하다는 말일세."

랍비가 강조하며 말했다.

"글자가 분명하면 읽고 싶은 마음이 생길 뿐만 아니라 읽기도 쉬워진다네. 글씨를 분명하게 알아보도록 써야 한다는 사실을 기본적으로 염두에 두지 않고 글씨를 쓰는 것은 죄를 짓는 일이라네. '글씨는 분명하게 써야 한다.'는 미슈나의 내용이 바로 그런 뜻이지."

랍비는 제롬을 돌아보며 미슈나의 한 부분을 인용했다.

"게으름 피우지 말고 글씨를 분명하게 쓰면 글씨를 즉시 이해하게 될 뿐만 아니라 그 내용의 80퍼센트를 이해하고 자기 것으로 만들 수 있다네. 다시 말해서 아무렇게나 글씨를 붙여서 쓰면 100쪽을 읽는데, 글씨를 분명하게 쓰고 띄어쓰기를 하면 같은 시간에 180쪽을 읽게 되는 거야. 같은 시간에 거의 두 배의 내용을 읽을 수 있는 셈이지. 이게 다 글씨 쓰기의 작은 변화에서 생기는 것일세."

랍비가 이야기를 마무리했다.

"로시 컴프레션 같군요."

이타마르가 웃으면서 뜻 모를 이야기를 하자 우리는 모두 그를 응시했다.

"컴퓨터 용어입니다."

그는 즐거워 보이는 얼굴로 설명하기 시작했다.

"컴퓨터를 사용할 때 여러 가지 방법으로 자기가 원하는 내용과 그림을 불러 오는 것을 허락하는 데이터 검색 프로그램입니다. 정보를 빨리 받는 데에 중점을 두면 내용의 질적인 면에서 문제가 되기도 합니다. 가장 좋은 정보를 받으려면 시간이 걸리기도 하고요."

나는 이해하려고 노력했으나 고개가 갸우뚱해졌다.

"그게 그렇게 새로운 거야?"

"그 방법은 지금 랍비께서 말씀하신 내용과 무척 비슷하거든. 이 프로그램의 기능은 그림이나 글자를 풀어서 조금 더 분명하게, 또는 덜 분명하게 판독하도록 해 주지. 글씨 하나하나가 더 두껍고 두드러져 보이고 화면에서 더욱 선명하게 보이도록 해 주지."

"그래서 로시 뭐라고?"

제롬이 물었다.

"로시 컴프레션."

이타마르가 다시 말했다. 랍비는 다시 우리가 나누던 대화로 돌아가 이야기를 계속했다.

"간단히 말해서 분명하고도 알아보기 쉽게 쓰라는 게 요지일세."

"그러고 보니 에란 너도 글씨 좀 알아보기 쉽게 써야겠던데."

이타마르가 나를 보며 말했다.

"대학 다닐 때 네 글씨를 읽을 수가 없어서 수시로 전화를 걸어 확인했던 일이 아직도 생각나."

"그 점에서 제롬과 나는 아직 수준이 한참 멀었지. 가끔 나도 내가 뭐라고 썼는지 모를 때가 있는데, 약국에 해독제를 사러 가야 될 정도야."

나의 농담에 랍비가 웃음보를 터뜨리는 걸 보니 꽤 재미있었던 모양이다. 사실 그렇게까지 우스운 이야기는 아니었지만.

"이해력에 대한 이야기인데."

이타마르는 우리를 돌아보며 말을 이었다.

"1950년대 아인슈타인과 이스라엘의 초대 대통령이었던 하임 바이츠만이 함께 배를 타고 유럽에서 미국까지 항해했어요. 하임 바이츠만은 며칠에 한 번씩 아인슈타인과 이야기를 나누었는데, 아인슈타인은 그에게 상대성 이론에 대해 설명해 주었지요. 뉴욕에 도착했을 때 하임 바이츠만이 이렇게 말했어요. '나는 아인슈타인이 자신이 쓴 그 이론을 이해하고 있다고 생각했습니다. 그런데 알고 보니 아인슈타인 자신도 자신의 글씨를 알아보지 못하더군요. 자기 자신만은 알아볼 수 있어야 하는데 말이에요.' 라고 말이죠."

"그러나 오히려 공부한 것을 요약할 때 이어 붙여 쓰는 글씨가 시간을 절약할 수 있지 않나요?"

제롬이 적당한 질문을 했다.

"그건 자네가 뭘 더 원하는지에 달렸네. 요약할 때 시간을 절약하거나, 글씨를 이해하고 해석할 때 더 많은 시간을 절약하거나, 어느 쪽이든지 자네의 선택에 따라 몇 개월이 필요하지."

일목요연한 답변이었다. 랍비는 의자에서 몸을 일으켰다.

"그러면 지금부터 한 가지 좋은 방법을 알려 주겠네."

랍비는 책장으로 천천히 걸어가서는 두껍고 커다란 바빌로니아 탈무드를 꺼냈다. 그 부담스러워 보이는 책을 가슴에 안고 돌아와 두 손으로 제롬에게 건넸다.

"자, 받게. 읽고 싶은 곳을 펴 보고."

제롬은 그 커다란 성스러운 책을 무릎 위에 조심스럽게 올려놓았다. 책을 펼치고는 책장 여기저기를 넘기면서 생각을 하는 것 같았는데 그 모습은 마치 덫에 걸린 것처럼 보였다. 제롬은 이 책이 유태 민족과 랍비 다하리에게 중요한 의미를 갖는 책이라는 것을 알고 있었다. 제롬은 점잖게 책장을 펼쳤다.

"어떤가?"

랍비가 물었다. 제롬은 머리를 흔들며 말했다.

"책이 무척 크네요. 저도 전에 이 정도 크기의 『곰돌이 푸』 책이 있었어요."

"이 책에선 뭘 봤지?"

제롬은 펼쳐져 있는 책장 위에 손가락을 올려놓으며 말했다.

"세상에서 가장 훌륭한 내용을 보았지요."

"자네가 전혀 이해하지 못하는 내용을 말하라는 게 아니야. 텍스트 한 장 한 장에 나타나 있는 글씨체 얘기지."

랍비는 분명하게 지정을 해 주었다. 제롬이 사과하듯 말했다.

"실은 대체 뭐라고 쓰여 있는지 잘 모르겠어요."

"부분적으로 다른 글씨체로 쓰여 있는 것은 그냥 놔두게. 모든 책을 펼쳐 보면 어떤 움직임이 없이 옆으로 줄을 맞춰 정리가 잘 되어 있는 것을 볼 수 있네. 그것들 자체만으로는 정보를 전달하는 능력은 없지. 탈무드에서는 종이 위에 글자를 배치하는 방법으로 시적인 표현을 하는 것을 계발한다네. 세로 단 배열, 세로 줄 배열, 그룹으로 묶어 글씨체의 모양을 기하학적으로 다르게 하면 단어가 움직이는 힘을 갖게 되고 시적인 표현을 하게 되지."

"랍비님, 여쭤 보고 싶은 게 있는데 그렇게 쓰여 있는 텍스트의 내용을 기억하는 게 더 쉬운가요?"

이타마르는 우리가 이곳에 온 목적에 꼭 맞는 질문을 했다. 랍비는 대답하며 제롬을 돌아보았다.

"당연한 일이야. 경험을 통해서 스스로 알게 될 걸세. 오늘 자 신문과 책 중에서 어떤 것을 더 빨리 읽는가?"

"신문요."

제롬은 두 번 생각할 필요도 없이 대답했다.

"왜 신문이 더 쉽지?"

"읽기도 쉽고 단순한 정보들이기 때문입니다."

"좋아. 둘 다 정답이로군."

제롬의 말에 랍비는 드디어 긍정적인 대답을 해 주었다. 이타마르도 동의했다.

"맞아요. 각 기사의 헤드라인 같은 중심적인 정보만 얻으면 되니까요."

"그처럼 텍스트의 모양이 어떤가에 따라 정보 얻는 게 쉽기도 하고 어렵기도 하지. 글이 쓰여 있는 자료를 주의 깊게 보는 것과 그림을 주의 깊게 보는 것 가운데 어느 것이 쉽냐는 질문과 비슷하다고 볼 수 있네. 텍스트의 구성이 어떤가에 따라 그 내용을 긍정적으로 받아들이게도 되지만 보기 싫어지기도 하는 법. 그것은 우리 두뇌에 그 읽을거리가 재미있을지, 쉬울지 알려 주는 역할을 한다고 볼 수 있네. 글자가 분명하며 텍스트의 구성이 옆으로 긴 줄로 되어 있지 않고 단으로 나누어져 있는 게 도움이 될 거야. 일반적인 공책의 줄처럼 길게 쓰여 있는 내용보다 단으로 구성되어 짧게 쓰여 있는 내용을 더 빨리 눈으로 읽을 수 있으니까. 단으로 나뉜 내용을 읽을 때는 눈을 그리 많이 움직이지 않아. 길게 쓰여 있는 내용을 읽을 때는 그 길이에 맞춰 눈을 움직여야 하기 때문에 집중력이 떨어지고 시간도 더 오래 걸리게 되지."

"어쨌든 눈이 피로를 느끼게 된다는 거군요."

내가 말했다.

"그건 텔레비전 자막과 같은 거야. 시청자들은 자막을 읽는데 그 자막이 옆으로 길게 쓰여 있으면 읽기도 힘들고 혼동이 오기도 하니까."

이타마르가 말했다.

"그것이 속독의 원리라네. 이 모든 현대적인 도구는 중세 시대 유태인 신비주의자들의 손으로 만들어진 것으로, 역사가 오래된『창조의 책』에서 그 원리를 물려받은 것이야. 그 책에는 잘 정리된 글씨로 '랍비가 유태인의 전통 방식으로 돌아갔다.' 고 쓰여 있었어."

"그런데 그게 저한테 무슨 도움이 되지요?"

제롬은 고개를 갸우뚱했다.

"대학 전공 서적은 그마라(탈무드의 한 부분──옮긴이)처럼 잘 정리된 상태로 쓰여 있지 않은데 말입니다."

"그렇지. 전공 서적은 물론 그렇게 되어 있지 않은 게 문제지."

랍비는 고개를 끄덕였다. 그는 제롬의 노트를 가져다가 그중에서 아무것도 쓰여 있지 않은 빈 면을 펼쳤다. 그는 제롬의 셔츠에 꽂혀 있는 펜을 뽑아서는 종이 위에서 아래로 한복판에 줄을 그었다.

"이 끝에서 저 끝까지 가로로 길게 글씨를 쓰는 대신, 이렇게 반으로 나누어 쓰도록 해. 먼저 종이의 왼쪽부터 쓰기 시작해서 오른쪽으로 넘어가 쓰는 거야. 자, 한번 볼까."

랍비는 1분 30초 정도 글씨를 쓰는 데 집중하면서 제롬이 필기해 온 내용을 베껴 썼다.

예 A

주식회사를 경영하는 것은 개인 회사를 경영할 때보다 세금의 혜택을 더 받을 수 있다는 장점이 있다. 주식회사는 등록을 해야 하며 회사가 독립적으로 모든 책임을 지게 된다. 회사가 난관에 부딪히게 될 것을 고려하여 회사의 자산과 회사를 경영하는 주인의 자산을 분리해야 한다. 다시 말해서 은행에 회사 계좌와 개인 계좌를 구분해 놓아야 한다는 것이다.

예 B

주식회사를 경영하는 것은 개인 회사를 경영할 때보다 세금의 혜택을 더 받을 수 있다는 장점이 있다. 주식회사는 등록을 해야 하며 회사가 독립적으로 모든 책임을 지게 된다. 회사가 난관에 부딪히게 될 것을 고려하여 회사의 자산과 회사를 경영하는 주인의 자산을 분리해야 한다. 다시 말해서 은행에 회사 계좌와 개인 계좌를 구분해 놓아야 한다는 것이다.

"같은 내용을 달리해서 써 본 거라네. 먼저 쓴 것은 세상의 모든 학생들이 필기하는 방식이야. 그에 비해 두 번째 예는 성공적으로 학습하는 학생들의 필기 방식이지."

랍비는 단을 나누어 쓴 옆 페이지를 가리켰다.

"어떤 것이 더 눈길을 끌고 더 쉽게 읽히는가?"

"재미있군요."

제롬은 대답 대신 이렇게 말했다.

"한 가지 더. 둘 중에 어떤 것이 더 빠르고 쉽게 쓰인 것 같은가?"

약속이라도 한 듯 우리는 모두 조용히 앉아서 입을 열지 않았다. 랍비는 진지한 표정으로 말했다.

"문장이 옆으로 길게 쓰여 있으면 눈만 피로한 게 아니라 집중력도 떨어지고 손도 피곤한 법이야. 글씨를 쓸 때 손을 움직여야 한다는 걸 생각해 본 적 있나? 줄이 쳐진 대학 노트에 글씨를 쓰다 보면 팔을 들고 움직이는 동작이 최소한 세 번은 필요하다는 걸 알게 될 걸세. 이런 신체 동작에 대한 사실이 글씨를 빠르고 능률적으로 읽는 데 어떤 영향을 미칠까?"

랍비가 질문했다.

"그런 문제는 한 번도 생각해 본 적이 없는걸요."

제롬은 문득 노트를 가져가서 거기 쓰여 있는 것을 읽다가, 손가락으로 중간 부분을 가리키며 웃었다.

"이게 바로 장점이군요."

"무슨 소리지?"

랍비가 의아하다는 눈빛으로 물었다.

"필사라는 것 말입니다. 글씨도 예쁘고 간격도 잘 맞추어져 있으니까요."

"띄어쓰기지."

이타마르가 말했다.

"정말, 글자를 붙여 쓰지 않고 예쁘게 쓰십니다."

"그거 고맙네. 랍비 이츠하크 벤 모세 하레비라는 이름 들어 본 적 있나?"

제롬은 난처하다는 얼굴을 하고 머리를 긁적였다.

"아……. 글쎄요, 들어 본 것 같아요."

"프로피아트 듀란이라고도 하네. 14세기 사람인데 기독교식 이름으로 더 유명해."

이타마르가 거들었다.

"프로피아트 듀란은 글씨를 예쁘게 쓰는 것과 띄어쓰기가 사람의 시각적인 기억력을 더 좋아지게 하는 일과 밀접한 관계가 있다는 사실을 알아냈다네."

랍비가 설명했다.

"자기가 쓴 책의 서론에서 그는, '예쁜 글씨의 아름다움은 사람들의 감각과 상상력 속에 남게 될 것이다.'고 말했어. 멋진 글씨는 그 내용을 기억하게 하는 힘이 있지."

제롬은 내 귓가에 대고 속삭이며 물었다.

"듀란은 가수 '듀란듀란' 얘기야?"

"그럴 수도 있겠지."

나도 별로 진지하지 않게 대답했다. 제롬은 랍비에게 제안했다.

"그건 이쯤 해 두고 단 나누기 이야기를 듣고 싶어요."

"그거 좋은 생각이야. 두 단으로 나누어 쓰기에 대해 이야기해 보기로 하지. 이런 방식으로 쓰게 되면 훨씬 더 효율적이고 이해 수준도 높아지게 된다는 것을 확신하게 될 거야."

랍비가 말했다. 나는 조금 목소리를 높이며 끼어들었다.

"그건 무척 혁명이 필요한 일인데요. 평소 자기가 쓰던 글씨를 바꾼다는 것은 새로운 방식에 익숙해져야 한다는 거니까."

"맞는 얘기일세. 우리는 대부분 자신의 습관에 대해서는 무척 보수적이니까."

"그런데 보수주의자의 정의가 뭐라고 생각해?"

제롬은 장난기 어린 눈으로 나를 바라보며 물었다.

"뭐라고?"

나는 이마에 주름이 생길 정도로 이마를 찌푸리며 되물었다.

"무척이나 변화를 바라는 사람이야. 단, '지금 당장'은 말고."

말하면서 제롬은 웃었다. 나도 웃으며 대답했다.

"꼭 필요한 변화를 바라는 사람이지. 줄대로 쓰는 대신 단으로 쓰는 사람을 가리키는 거야."

이타마르는 이제 들을 준비가 된 듯 몸을 똑바로 세우고는 소파 뒤로 팔을 뻗었다. 그 본격적인 자세를 보니 나는 괜히 걱정이 되었다. 나는 가슴에 팔짱을 낀 채 발로 이타마르를 살짝 건드렸다. 이제 오후 시간도 많이 흘렀으니 랍비를 쉬게 해 주는 게 좋겠다는 생각이 든 것이다. 이타마르는 이 신호를 알아차리고 나서 즉시 자세를 풀었다.

"우리가 랍비님 시간을 많이 빼앗은 것 같습니다."

그러면서 이타마르는 두 손을 모으고 둘러보다가 제롬에게 물었다.

"뭔가 더 여쭈어 볼 거 있어?"

제롬은 조금 어리둥절한 듯 이타마르를 쳐다보았지만 자세는 별로 달라지지 않았다.

"글쎄, 뭐가 있을까."

제롬은 별생각 없이 이타마르에게서 시선을 떼지 않으면서 천천히 말했다. 그러다가 시선을 랍비에게로 돌리고는 물었다.

"젊은 하시딤들은 어떤 양말을 신는지 아세요?"

그 즉시 이타마르는 소파에서 몸을 일으켜 제롬의 팔을 잡아당겼다.

"존경하는 랍비님, 정말 감사합니다."

그때 랍비는 계속 제롬의 노트를 넘기면서 우리의 분위기에 별로 주의를 기울이지 않고 있었다. 우리에게 뭔가 질문할 거리를 찾는 것 같았다. 그는 제롬이 필기한 노트의 네 번째 장을 펼쳤다. 윗부분이 조금 채워져 있었고 다른 면에는 여러 종류의 동물 그림을 그린 장이었다. 랍비가 제롬에게 물었다.

"이건 무언가?"

"아, 그거요. 그건 라코스테 셔츠에 그려진 악어이고, 이건 곰이 팀버랜드 상표의 옷을 입고 있는 겁니다. 유행하는 옷을 동물들에게 입혀 본 거예요."

제롬이 웃으며 설명했다.

"이들이 강의와 무슨 관계가 있지? 궁금해지는군."

"네?"

제롬은 랍비가 묻는 의도가 무엇인지 모르겠다는 듯한 얼굴이었다.

"이게 지루했던 강의에 대한 제 나름대로의 결론입니다."

그 말을 듣고 랍비가 웃었다.

"그리고 여기를 또 보시면……."

제롬은 결론의 한 부분을 가리켰다.

"이것 좀 보세요. 제가 쓴 글씨가 두루말이 성경처럼 정말 멋지지 않습니까?"

이타마르와 나는 그 글씨를 좀 더 정확하게 보려고 고개를 옆으로 돌렸다.

"선 밖으로 나가지 않게 하려고 꽤 공을 들였군."

랍비는 생각에 잠겨 있다가 이윽고 제롬에게 노트를 돌려주면서 수염을 만지작거렸다.

"제롬에게 제안을 하나 해도 될까? 모든 강의가 다 재미있는 건 아니야. 그래도 별수 없지. 강의가 재미있고 없고는 교사에게 달려 있기도 하지만, 학생도 강의를 하나의 좋은 경험으로 생각할 수 있어야 하니까. 그래서 말인데, 토라를 배우는 종교 학교 예시바에 자네를 데려가고 싶은데 같이 가지 않겠나? 세상 그 어떤 학교에서도 볼 수 없는 능률적인 체계 속에서 공부하는 똑똑한 학생들을 만날 수 있을 걸세."

제롬은 두려움에 질린 눈으로 랍비를 쳐다보다가 도움을 구하는 얼굴로 우리를 돌아보았다.

"최근 들어 나를 예시바에 보내려고 하는 분이 몇 명이나 되네요."

제롬은 랍비를 바라보며 농담하듯 물었다.

"제가 예시바에 가면 나중에 거기서 나오게 해 주실 수는 있습니까?"

"그건 확신할 수 없는데."

랍비도 웃으며 농담처럼 대답했다.

"가방에 키파(유태인 남자 종교인들이 쓰는 작은 모자 — 옮긴이), 탈리트(유태인 남자 종교인들이 종교 의식을 치를 때 두르는 두건 — 옮긴이)와 3개월 정도 머무는 데 필요한 짐을 싸 오도록 하게."

제롬은 가볍게 웃으며 고개를 끄덕였다.

"가능하면 키파에 사자 모양이 들어 있는 것으로 준비하라고."

랍비는 그래도 유행하는 디자인 얘기로 제롬의 분위기에 맞추어 주었다.

우리는 랍비와 악수를 나누고 헤어졌다. 랍비는 우리가 떠날 때 친한 친구 대하듯 제롬의 어깨를 두드렸다.

"이야기할 게 한 가지 더 있는데……."

랍비가 말했다. 제롬이 돌아서자 랍비는 그의 수염을 만지면서 이렇게 말했다.

"이소룡도 멋지지만 나는 성룡이 더 좋아. 성룡이 이소룡보다 훨씬 더 빠르고 운동을 잘하는 것 같아서."

제롬은 놀라서 눈이 휘둥그레졌다.

"랍비 다하리!"

랍비 다하리는 손을 흔들면서 벽 뒤로 기대섰다.

"내가 랍비가 된 지 20년이 됐지. 랍비가 되기 전에는 이스라엘 방송국에서 전기 기술자로 일하는 므나세 다하리였다네."

그는 미소를 지으면서 다시 제롬의 손을 잡고 악수했다.

"하느님은 참으로 놀라운 분이라네. 자네도 나중에 랍비 제롬이 될지 누가 알겠나?"

서로에게 교사가 되기

친구와 함께 서로에게 교사가 되어 공부하면,
상대방에게 알려 주어야 한다는 의무감 때문에
그 자신도 학습 내용을 보다 잘 이해할 수 있다.

제롬은 메아 샤림(예루살렘에 있는 종교인 거주 지역 ――옮긴이)의 작은 골목길을 천천히 운전하며 지나갔다. 정통 종교인 복장을 한 아이들이 떼 지어 다니며 제롬의 알록달록한 차를 보느라 넋을 잃고 있었다. 그의 차는 헤이그에서 열리는 국제 꽃 박람회 광고 차량처럼 현란한 색깔이었다. 그 화려한 색은 꽃이 없는 회색빛 동네와 대조적이어서 더욱 두드러져 보였다.

신호등에 차가 멈춰 섰을 때 어린 예시바 학생들이 가까이 차창으로 다가와서는 차 안에 있는 우리를 자세히 들여다보았다.

"랍비 다하리가 저기 계시네."

제롬은 동네 한 귀퉁이에 서서 우리가 오기를 기다리는 랍비를 가리키며 말했다. 제롬은 자동차를 보자마자 심란한 표정을 짓고 있는 랍비 옆에 차를 세웠다.

"안녕하세요? 존경하는 랍비 선생님."

제롬은 웃으면서 창밖을 내다보았다. 랍비는 주위를 살피더니 허리를 굽혀 자동차 안에 앉아 있는 우리를 보고 머리를 끄덕였다.

"자, 주차장에 차를 두고 걸어가세."

랍비는 힘주어 말했다.

"여기서 가까운가요?"

"멀지는 않지."

"그럼 가까운 곳까지 타고 가서 내려도 되는데요. 어서 타세요."

제롬이 말하자 랍비는 한숨을 쉬며 대답했다.

"이런 자동차 안에 타고 있는 걸 누군가 보기라도 하면 난 일자리를 잃게 될 거야."

미르 예시바는 보카림 지역의 한 작은 골목 안에 있었다. 밖에서 안을 들여다볼 수는 없었다. 토라를 공부하는 숙소에 5,000명쯤 되는 학생들이 있다고 들었다. 예시바로 들어가는 입구는 무척 초라해 보였다. 그 문은 건물 동쪽에 자리 잡고 있었는데, 밖에 있는 그리 넓지 않은 계단을 지나면 흰색으로 칠한 현관으로 들어갈 수 있었다. 현관 안에는 흰 셔츠와 검정 바지를 입은 학생들이 나선 모양의 둥글고 넓은 계단을 오르내리고 있었다. 랍비 다하리가 빠른 걸음으로 계단을 오르자 우리도 그의 뒤를 따라 올라갔다.

일층의 좁은 통로 벽에는 코르크로 만든 칠판이 걸려 있었다. 그 위에는 헌 책을 판다는 벼룩 시장 같은 메모와 기도 시간표, 여행 일정표, 도움을 주고받는다는 내용의 여러 광고가 적혀 있었다. 로비 오른쪽에 탈의실로 보이는 작고 긴 방이 있었는데 그곳에는 더 이상은 걸 수 없을 정도로 외투가 빽빽하게 걸려 있었다. 모두 같은 모양의 검정 외투와 모자였다.

그 옆으로 오른쪽에는 큰 강당이 있었는데 그곳에서는 200명쯤 되는 학생들이 앉아서 공부에 몰두하고 있었다. 강당 앞에서 랍비 다하리는 머리카락이 희끗희끗하고 두툼한 수염이 난 남자에게 손짓을 하면서 동시에 한 학생과 이야기를 나누었다. 그 남자는 멀리서 랍비를 알아보고 머리를 끄덕인 후 우리를 향해 다가와서는 자신을 소개했다.

"랍비 아하론손이라고 하네. 종교 생활을 할 생각이 있다고 들었는데."

그는 강한 이디시어 악센트를 넣어 가며 빠르게 정신없이 말했다.

"꼭 그런 건 아니고요. 저희는 그저 방문차 왔습니다."

이타마르는 대답하면서 그와 악수했다.

"오후 기도 시간이 있는데 함께 가겠나? 시간이 그리 오래 걸리진 않을 걸세."

"다음 기회에 가겠습니다."

랍비 다하리가 우리를 구해 주었다.

"오늘은 학생들이 수업하는 모습을 보여 주려고 온 거니까요."

랍비 아하론손은 우리에게 종교적인 분위기를 주입하려고 했지만, 그것이 여의치 않다는 걸 알았는지 다만 우리에게 가 볼 만한 곳을 몇 군데 알려 주고는 걸어가기 시작했다.

이층으로 올라가 보니 학생들이 비좁게 모여 앉아 공부하는 작은 통로가 있었다. 학생들이 우리가 지나가도록 길을 내주었다.

우리는 몇 계단을 더 올라가 예시바의 가장 꼭대기층에 다다랐다

고 생각하고 있었는데, 조용하고 좁은 복도 끝에서 랍비 아하론손이
작은 문을 열었다. 그곳에는 큰 강당이 있었고 2,000명 정도 되어 보
이는 학생들이 귀가 울릴 정도로 큰 소리를 내면서 공부를 하고 있었
다. 그것이 우리가 가장 마지막으로 본 예시바의 모습이었다. 제롬은
훗날 그 장소를 '그랜드 캐니언'이라고 불렀다. 조용히 학교 견학을
하던 중 복도의 막다른 곳에서 어마어마하게 넓고 거대한 이 강당을
보게 된 것이었다. 우리는 이런 강당이 도대체 어떻게 여기 있을 수
있는지 그 규모에 놀랐다. 건물의 삼층을 모두 돌아보면서 이제는 학
교 견학을 다 마쳤다고 생각하던 중이었는데 미제 로켓을 세워 둘 수
있을 정도로 엄청나게 큰 강당을 보고 그만 모두 얼이 빠져 버렸다.

우리는 학생들로 가득 차 있는 시끄러운 강당으로 들어가 강당의
한쪽 구석에 서서 놀라운 광경을 말없이 지켜보았다. 학생들은 서 있
거나 앉아 있었는데 그중 가장 놀라웠던 것은 학생들이 이리저리 걸
어 다니면서 서로를 향해 소리를 지르는 것이었다.

우리에게서 그리 멀지 않은 곳에 있던 빨간 머리의 한 남학생은 화
가 나서인지 흥분해서인지 아니면 둘 다인지 얼굴이 벌겋게 달아올
라서는 주먹을 쥔 채 발을 구르고 있었다. 그 맞은편에는 이제 겨우
한두 올씩 수염이 나고 은테 안경을 쓴 키가 큰 학생이 불그레한 얼
굴로 서 있었다. 그는 빨간 머리 학생이 이야기하는 것을 들으면서
그의 이야기에 찬성할 수 없다는 듯 가끔씩 머리를 저었다. 키가 큰
학생은 이야기하면서 한 손으로는 책상을 치고 다른 한 손으로는 손
가락질을 하면서 상대를 비난하고 있는 듯 보였다. 여기가 토라를 공
부하는 곳이라는 사실을 몰랐다면, 이런 소음과 혼란을 보면서 나는
아마도 뉴욕 한복판의 증권 시장이라고 착각했을 것이다. 제롬은 랍

비 다하리에게 얼굴을 가까이 들이대면서 큰 소리로 물었다.

"저 학생들은 이렇게 시끄러운데 공부가 되나요?"

랍비가 머리를 끄덕이면서 말했다.

"저 학생들은 공부를 성공적으로 마칠 뿐만 아니라 이 세상에서 이런 방식의 공부를 가장 잘 하는 학생들이야. 예시바 학생들이 어떻게 공부하는지 그 비밀을 알고 싶어 했지? 이게 그 비밀이라네. 이것이 세상 그 어떤 학교에서도 실행하지 않고 있는 교육 방법이지. 이 모습은 말 그대로 피와 불과 연기와 소음이 뒤섞인 엉망진창인 상태로 보이네. 그러나 일단 자네가 여기의 일부분이 되면 도망칠 수 없게 될걸. 완전히 이 분위기와 하나가 될 테니까."

"그런데 학생들이 거의 서로 치고받을 것처럼 보이는데요."

제롬은 걱정스럽다는 표정으로 말했다.

"거의 그 직전까지 가 있지. 그렇지만 절대로 서로 때리는 경우는 없다네. 그들은 어디까지 해야 하는지 알고 있거든. 또한 한계가 어디인지 잘 알고 있는 만큼 그 한계까지 이르기 위해 노력한다네. 소리를 지르고 다른 사람의 틀린 점을 찾아내면서 온 힘을 다하고 자신의 영혼을 다 쏟아부어 토라를 공부하는 걸세. 그렇게 하면 몸속에 아드레날린도 더 잘 흐르게 될 걸세."

"그걸 어떻게 아세요?"

제롬이 웃으면서 물었다. 랍비도 따라 웃으면서 대답했다.

"자네도 이렇게 공부해 본 적 있나?"

"저 같은 빨간 머리 학생은 단 10분도 집중하고 공부를 할 수 없었지요. 저기도 마침 빨간 머리 학생이 있네요."

랍비가 웃었다.

"나도 정말 저 아이를 감당하기 힘들었다네. 빨간 머리 남학생들은 대부분 감당이 안 된다네. 빨간 머리 여학생들은 그렇지 않은데 말야. 저 빨간 머리 남학생의 이름은 요셉 하임 슈네이더만인데, 이곳 예시바에서 가장 우수한 학생이라네. 많은 학생들이 그의 '헤브루타'가 되길 바라지."

제롬이 물었다.

"헤브루타라는 게 무언가요? 전에 들은 적은 있는데 기억이 잘 나지 않네요."

랍비는 고개를 끄덕이며 빨간 머리 슈네이더만과 그의 친구를 가리켰다.

"토라를 통해 배우지 못했다면 친구에게 배워야 하지."

랍비가 말을 이었다.

"예시바에서의 학습은 친구를 통해 배우는 것으로, 서로 짝을 지어 공부를 한다네. 학생 한 사람 한 사람이 정해진 짝과 함께 공부하지. 나이가 어린 학생은 나이가 조금 든 학생들과 짝을 지어 주기도 하는데, 각자 알아서 함께 공부할 짝을 찾는 걸세."

"항상 둘이서만 공부해야 하나요? 셋이서 공부하는 건 안 되나요?"

내가 끼어들어 물었다.

"항상 둘이서만 공부한다네. 이것은 힐렐 학교 시기부터 시작된 것이지."

랍비 아하론손이 말했다.

"토라를 어디에서든지 공부할 수 있도록, 예루살렘처럼 중심지에서뿐만 아니라 농촌이나 들판에서도 공부를 할 수 있도록 한 거야.

선생님들이 많지 않았기 때문에, 랍비 하이는 동료 랍비들과 랍비 예후다 하나시의 학생들에게 학생들 자신이 서로를 가르치는 방식의 교육을 하자고 제안했어. 이 교육 방식은 그렇게 생겨난 거라네."

랍비 다하리가 이어서 말했다.

"기본 방침은 친구와 함께 공부를 하면서, 학생들이 사물에 대해 자신의 견해를 분명히 하고 새로운 내용을 덧붙이기도 하지. 친구에게서 배우는가 하면 친구를 가르치기도 하는 거야. 그래서 좋은 친구 사이란 서로에게 효율적으로 가르치고 배우는 관계를 말하지. 고함을 지르면서 흥분하는 모습은 최상의 결론을 향해 가는 과정일 뿐이네. 그들은 최상의 결론에 도달하기 위해 논쟁을 벌이면서 서로를 몰아붙이는 거야. 모든 학생들은 친구들을 일깨우고 잘 이끌어 서로가 창의적인 생각을 하고 깊이 있는 공부를 하게 한다네."

이타마르가 공감했다.

"소크라테스도 그렇게 했는데 참 흥미롭군요."

"소크라테스도 유태식 교육 방법을 알고 있었던 것 같네. 그는 선생이나 다른 사람이 학생을 가르치면 학생의 머릿속은 지식으로 채워질 수 없다고 했지. 지식이 쌓이고 지적 능력이 발전하는 방법은 학생 스스로가 지식을 구하려고 할 때만 가능하다고 말일세. 다시 말해서 소크라테스는 교사의 역할이란 학생이 스스로 연구를 통해 그 내용에 대해 생각하도록 도와주는 것이라고 했다네. '교육'이라는 말은 라틴어에서 왔는데, 그것은 '밖으로 끄집어내는 것'이라는 뜻이지. 교사들은 학생들이 연구하고 생각하고 아이디어와 가능성을 끄집어내도록 의도적으로 질문을 던지는데, 학생 스스로 독립적으로 결론에 다다를 수 있도록 그렇게 하는 것일세. 학생이 하는 생각과 결론이 자신의 머리에서 얻어진 것이라고 느끼게 되면, 교사는 그의 머리에 학습 내용을 주입시킬 필요가 없게 되지. 헤브루타에서는 학생 하나하나가 상대방에게 '중립적인 교사'가 되어 서로 최상의 아이디어와 생각을 끌어낸다네."

랍비가 말했다.

"찾고 나서 거기 이르렀으면 믿어라……. 찾지 못하고 이르지도 못했다면 믿지 말아라."

랍비는 책의 한 구절을 인용하고 나서 계속 이야기했다.

"헤브루타 관계를 맺으면 그뿐만 아니라, 교사가 되어 다른 사람을 가르칠 때 짝을 지은 상대방을 가르쳐야 한다는 의무감을 갖게 되어 주제에 대해 제대로 이해하려는 강한 동기가 생기게 된다네. 이렇게 하면 공부한 내용이 빨리 잊혀지는 것도 막으면서 학생이 교사의 입장을 잘 알 수 있게 되지. 이런 속담도 전해지지 않나. '사람은 향수와 같아서 그 자신으로부터 향기가 나온다.'는 말 들어 보았겠지?"

그러자 제롬이 또 엉뚱한 얘기를 꺼냈다.

"그렇게 해 보려고 노력했더랬어요. 그런데 제가 산 향수가 군대 매점에서 파는 싸구려라 그랬는지 오히려 역효과를 냈어요. 한 1년은 어느 누구도 제 옆에 오려고 하지 않았어요. 파리까지도 얼씬거리지 않던데요."

이타마르가 제롬을 말리고 나서 나를 바라보았다. 나는 대수롭지 않다는 듯 말했다.

"제롬이 하는 말인데 어련하겠어? 항상 대화에 잘 참여하고 나누는 이야기에 대해 관심을 가지긴 하는데, 제롬이 하는 말을 들으면 내가 얼마나 상상력이 부족한지를 깨닫게 된다니까."

랍비 아하론손은 빨간 머리 학생 요셉 하임 슈네이더만에게 손짓을 해서 이리로 오라고 했다. 요셉 슈네이더만의 얼굴과 머리카락 색은 조금 전에 봤을 때와 달라 보였고 표정은 놀랍게도 편안해 보였다. 그는 웃으면서 우리 앞으로 다가왔다. 랍비는 우리와 인사를 나누게 한 뒤 손목시계를 들여다보고는 양해를 구했다.

"오후 기도 시간이라서 모두 나를 기다리고 있을 걸세. 이 친구와 서로 이야기가 잘 통하면 좋겠군."

랍비 아하론손의 그 말은 슈네이더만에게 우리의 안내를 맡긴다는 이야기인가 보았다. 이타마르가 이야기했다.

"네 정열적인 모습에 우리 모두 놀랐단다. 짝과 함께 토라를 공부하는 모습을 봤지. 친구와 무슨 이야기를 했지?"

"항상 그렇게 해요."

그는 별것 아니라는 듯 손을 흔들었다.

"유태인 결혼식에서 쓰는 특별한 종류의 베일에 대해 이야기했어요."

우리 셋은 아무 말 없이 고개를 끄덕이며 이야기를 들었다. 유태인 결혼식에서 쓰는 베일에 대해 이야기를 나누는데 왜 그렇게 흥분을 하고 화를 내는 것처럼 보였는지 이해할 수는 없었지만, 그 순간에는 그렇게 가만히 있어야 할 것만 같았다.

"대단히 열중해 있는 것처럼 보이더군."

질문하려던 건 아니었는데 불쑥 이런 말이 내 입 밖으로 튀어나왔다. 슈네이더만은 웃으며 대답했다.

"잘 보셨어요. 대부분의 학생들은 그러니까요. 그런데 우리는 가끔 인위적으로 스스로를 열중시키려고 하기도 해요. 그런 학생들은 자기의 무지를 덮어 버리려고 열중하는 거죠."

슈네이더만은 솔직하게 이야기해 주었다. 이타마르가 물었다.

"열중하는 것이 자신의 공부에 도움이 된다고 생각하나? 그러니까, 공부할 때 감정을 드러내면서 공부하는 내용에 푹 빠지면 그 내용을 더 잘 이해하게 되고 기억할 수 있게 되나?"

"물론이죠. 마음에 드는 건 항상 기억을 더 잘 하는 법이니까요."

"그렇군. 그래서 제롬이 역대 네덜란드 축구팀의 이름을 모두 다 외우는 거겠지."

이타마르가 웃었다. 제롬도 고개를 끄덕이며 슈네이더만에게로 다가가 물었다.

"자, 얼마든지 문제를 내 보라고. 연도만 읊어 봐. 몇 년도가 좋겠어?"

"몇 년도라뇨?"

슈네이더만은 축구에 대해 별로 아는 것이 없는지 이렇게 되물었다.

"그래. 연도만 읊으면 그해 네덜란드 선발팀을 모두 불러 줄게."

슈네이더만은 당황스러운 표정을 짓다가 어깨를 치켜올려 숨을 크게 들이쉬고는 말했다.

"유태력으로 1456년요."

제롬은 충격을 받은 것 같았다.

"유태력으로 1456년?"

제롬이 난감한 얼굴을 하자 이타마르는 웃음을 참지 못했다. 슈네이더만은 제롬이 갑자기 입을 다무는 데다 이타마르의 이해할 수 없는 행동에 놀라, 자기가 말한 내용에 문제가 있다는 사실을 깨달은 것 같았다.

"유태력으로 1456년이라는 말이지?"

제롬이 다시 묻자 슈네이더만은 어리둥절해서 이타마르를 돌아보았다.

"제롬은 유태력은 몰라. 서기 연도로 말해 줘야 돼."

이타마르가 웃으면서 슈네이더만에게 설명해 주었다. 제롬이 구원이라도 받은 듯 거들었다.

"그래. 서기 연도 말야. 유태력으로 1456년이면 서기 몇 년도를 말하는 건가? 바라크가 그해에 활동했었나? 네덜란드 대표 선발팀들은 해에 따라 멤버가 다르니까 몇 년도인지 알아야 되거든."

그가 의기양양한 자세로 질문했다.

"일반 달력으로 하면……."

슈네이더만은 골똘히 생각하다가 말했다.

"1951년이네요."

1951년이면 멀어도 너무 먼 옛날이다. 제롬은 슈네이더만을 쏘아보고는 떨떠름하게 말했다.

"됐다. 관두자."

"제롬 씨가 잘 알고 계시다는 것 저도 알아요."

슈네이더만은 이 민망한 상황을 잘 넘기기 위해 애썼다.

"축구 분야에 대해 해박한 지식이 있다는 것이 느껴져요. 그 이야기를 하고 싶어 하고 또 그것에 대해 알려 주려고 하시니까요. 저와 솔로몬도 종종 그러곤 하거든요. 서로 아는 얘길 하려고 기를 쓰곤 해요."

그는 자기 짝을 가리키며 말했다. 이번엔 내가 물었다.

"그러면 네가 흥미 없는 일이란 뭐니?"

"세상 모든 일에 다 흥미를 느낄 순 없잖아요. 그래서 저희도 소리를 내면서 공부하는 법을 배우고, 인위적인 방법으로 어떤 일에 흥미를 가지려고 노력해요."

'큰 소리로 읽는 것' 의 힘

친구와 짝을 지어 소리를 내어 공부하면 어떤 점이 좋은가?
그리고 주위의 소음과 음악 소리는 어떤 영향을 미치는가?

"그것이 이론과 실제의 차이라네."

랍비 다하리가 재빠르게 설명했다.

"이 내용은 이미 오래전부터 알려진 것으로, 소리를 내어 공부하는 것은 새로운 내용을 효율적인 방법으로 배우고 익히게 해 준다네. 운전, 수영, 의술을 이론으로 배워서 기계적으로 운전하고 수영하고 환자를 수술하는 일은 가능하다네. 그러나 이런 것들은 실제로 배우는 것과는 비교가 되지 않아. 몸을 움직이면 좀 더 효율적인 방법으로 새로운 지식을 흡수하게 되지. 이것이 토라 공부와 다른 분야 공부의 다른 점일세. 일반 학교의 학생들은 수업 시간에 선생님의 이야기를 듣거나 도서실에서 책에 파묻혀 조용히 공부를 하지. 토라를 공부하는 곳은 큰 목소리로 이야기하고 온몸과 온 힘을 다해 공부하느라고 항상 시끄럽고 격렬한 분위기라네."

213

"삶은 입으로 찾는 것이다."

슈네이더만은 책 속의 구절을 인용했다.

"배우는 것을 입술과 입으로 표현해야 돼요. 소리를 내어 공부하는 것이 양쪽 뇌를 자극하고 기억력과 집중력, 흡수력을 더 좋아지게 한다는 이야기를 들었어요."

랍비가 고개를 끄덕이고는 힘주어 말했다.

"일반적으로 사람들은 읽기를 통해 내용을 기억하기 때문에 시각에 만족하곤 한다네. 소리를 내어 공부하는 것은 또 다른 감각, 청각이지. 이것은 텔레비전을 볼 때 소리를 들으면서 보는 것과 소리를 듣지 않으면서 보는 것이 서로 다르다는 사실을 떠올리면 쉽다네. 소리를 내어 공부하는 것은 영혼에 기록을 남기는 것과 같은 일이지."

슈네이더만이 덧붙여 말했다.

"정말 그래요. 소리를 내어 말하는 정도가 아니라 천천히 큰 목소리를 내지요. 그렇게 하면 몸의 동작이 그 주제와 내용에 영향을 미치고 주제에 빠져들게 되거든요. 그러고 나면 논쟁을 좀 더 잘할 수 있게 돼요."

"그렇게 소리를 지르면 다른 사람들이 자기 일에 집중하는 데 방해되지는 않나요?"

제롬이 의아하다는 듯이 물었다.

"뿐만 아니라."

랍비 다하리는 제롬의 질문에 대답하지 않고 하던 말을 이어갔다.

"오늘 오후에는 학생들을 나이와 단계에 따라 나누어 강당에서 수업을 하는데, 그 수업 방법이 일반 학교와 다르다네. 손을 들어 질문을 하는 것이 아니라 질문을 하고 싶은 사람은 일어나서 선생님이 이야기할 때 함께 말할 수 있지. 수업 시간 중 언제든지 그렇게 할 수 있고, 상대가 예시바의 교장이어도 상관없지."

"환상적이네요."

제롬이 놀라서 말했다.

"그러나 그 방식이 모든 곳에서 받아들여지는 건 아니야. 방해받는 것을 싫어하는 사람들도 있으니까."

"좀 전에 여쭤 본 건데요. 시끄럽고 어지러운 분위기가 다른 학생들이 집중하는 것을 방해하지는 않나요?"

그 말에는 내가 대답을 했다.

"어느 정도는 그렇지만 곧 적응하게 되지. 그런데 흥미로운 사실은 주위가 소란스러울수록 집중이 더 잘되는 느낌을 받는 사람들이 있다는 거야. 그래서 나도 항상 카페에서 공부하곤 했어. 집에서 공부하면 집중이 잘 되지 않았거든. 분위기가 착 가라앉아 있으면 우울하다 못해 머리가 돌아 버릴 것 같아서."

제롬은 내 말에 놀란 것 같았다.

"그거 재미있네. 나도 실은 그러긴 했는데, 책상에서 조용히 공부하라는 교육을 받았고 또 그렇게 해야 되는 줄로만 알았지."

"그래. 하지만 교육 원리는 계속 변하는 것이고, 그보단 자신에게 무엇이 맞는지 알고 해 나가야지. 히브리대학의 조사에 따르면, 시끄러운 교실에서 학생들이 더 잘 배운다는 내용이 있어."

"믿을 수 없는 말이군. 그렇다면 하드록 그룹인 AC/DC의 노래를 크게 틀어 놓고 공부할 수 있다는 거겠네. 그건 어째 나한테만 도움이 될 것 같은데."

"그렇게까지 할 필요는 없지 않을까. AC/DC는 별 볼일 없는 그룹

이야. 다른 그룹이라면 또 모를까."

나는 농담처럼 대답했다.

"음악 대신 친구와 함께 목소리를 높여 공부하는 것이 더 도움이 돼요."

슈네이더만이 날카롭게 지적했다.

"저도 사실은 방에서 공부할 때 가끔 보아즈 샤르아비의 음악을 듣긴 하지만."

"뭐라고? 보아즈 샤르아비의 음악을 들어도 돼?"

제롬이 묻자 슈네이더만은 웃었다.

"그럼요, 당연하죠. 보아즈 샤르아비가 범법자라도 되나요?"

"아니, 그럴 리가 있나. 내 얘긴 음악을 듣는 게 금지되어 있는 건 아니야? 비종교인들의 음악 말이야."

"가사가 특별히 문란한 내용이 아니면 별문제 없어요.그러나 어쨌든 친구와 함께 공부하는 것이 더 효과적이라는 얘길 하려고 했던 거예요. 친구가 없는 상황이라면 혼자 소리를 내서 자기 자신을 가르치는데, 방에 서서 이리저리 움직이며 웅변을 하는 것처럼 소리를 내서 공부하는 거예요."

"친구를 어디서 찾지? 게시판에 광고라도 내야 하나?"

제롬이 웃으며 말했다.

"간절히 바라면 무엇이든 찾을 수 있는 법이죠."

슈네이더만이 말했다.

"잠깐 밖에 나갈까. 숨 좀 쉬어야겠어."

제롬이 제안했다. 강당에서 나와 복도로 나오니 사람들이 떠들고 있었지만 강당보다는 조용했다. 계단을 내려오면서 제롬은 또 물었다.

"종교인들이 공부할 때나 기도할 때 리듬에 맞춰 몸을 앞뒤로 흔드걸 볼 수 있는데 그건 왜 그럴까?"

몸을 움직이며 공부하기

몸을 흔들거나 자세를 바꾸어 가면서 공부해 보는 것은
집중력과 사고력의 향상에 얼마나 도움이 되는가?

"카자흐스탄의 왕도 랍비 예후다에게 그렇게 물어보았지."

랍비 다하리가 말했다.

"그래서 랍비 예후다는 뭐라고 대답했나요?"

"몇 년이 걸려 알아본 결과, 몸을 앞뒤로 움직이는 것이 몸속 열과 피의 순환에 영향을 미친다고 하네. 그런데 그런 동작이 시작된 건 무척 단순한 이유에서였다고 하지. 토라가 사람 수보다 부족했을 때, 토라를 각자 읽을 수가 없어서 한 사람이 등을 구부려 읽고 난 후 등을 펴면 그다음 사람이 구부려서 읽었다는 거야."

"몸을 움직이는 것이 지적인 능력에 영향을 미친다니 재미있군요."

이타마르가 말했다.

"몸을 움직이며 공부하는 것이 사고력과 학습에 도움이 된다니,

걸어가면서 공부를 하든지 서서 해야겠어요."

"왜 그래야 되는데?"

제롬이 물었다.

"두 가지 이유를 들 수 있지. 일정한 리듬과 박자에 맞춰 몸을 움직이면 집중하는 데 도움이 돼. 그렇게 하면 뇌에 산소 공급이 되고 분명한 사고력과 집중력을 갖게 되지."

"앉아 있을 때는 뇌에 산소가 안 들어오는 거야?"

제롬은 농담처럼 물었다. 그러나 놀랍게도 이타마르가 단언하듯 대답했다.

"그렇지. 그뿐 아니라 공기 오염으로 인해서 공기 중의 산소량도 많이 줄었잖아. 대도시 중심가의 공기 중 산소량은 21세기 초와 비교하면 절반으로 줄었다고 해. 그래서 도시에 사는 많은 사람들이 피곤을 쉽게 느낄 뿐 아니라 알레르기, 천식, 그 밖의 다른 병으로 고생을 하는 거지. 이러한 병은 집중력을 떨어뜨리고 사고력과 관심의 저하를 가져온단 말이지. 효율적으로 생각하기 위해서는 수영을 하거나 서 있거나 걸어가는 동작을 해서 머리에 산소 공급을 충분히 해 주고 피가 잘 돌도록 해 주어야 돼. 공부하기 전에 물구나무서기를 하는 사람들도 있다고 하잖아."

"마치 이스라엘 초대 총리인 벤 구리온의 유명한 사진 얘기와 같군."

내가 말하자 이타마르가 웃었다.

"바로 그거야. 벤 구리온 총리는 정말 위대한 지도자였지."

"그가 가끔 물구나무서기를 해서? 그렇다면 이스라엘 의회 의원들이 하루 일과를 시작하기 전에 모두 물구나무서기를 해야 한다는 법이 없는 게 아쉽군. 그랬다면 나라가 조금 달라져 있을 거 아냐. 하기야 어쩌면 이대로가 더 좋은 건지도 모르지. 정치가들이 국민들에게 더 해나 끼치지 말아야 할 텐데."

제롬이 씨익 웃었다. 우리는 그때 예시바의 낮은 돌담 위에 앉아서 이야기를 나누고 있었는데, 제롬만 서 있었다. 이타마르가 물었다.

"아인슈타인이 걸어가는 도중에 상대성 이론을 알아냈다는 이야기 들었어?"

"그렇지. 네가 그 비슷한 이야기를 한 적이 있지."

"빅토르 위고가 『레미제라블』을 서서 썼다는 이야기도 들은 적 있나?"

"정말?"

"모차르트도 걸어가면서 작곡을 했대. 베토벤은 작곡을 시작하기 전에 머리에 얼음물을 부었다고 하지."

"랍비 바쉐트도 새로운 아이디어를 생각할 때 오랜 시간 폴란드의 숲길을 거닐었다고 하네."

랍비 다하리가 덧붙였다.

슈네이더만은 주머니에서 담배를 꺼내 우리에게 한 대씩 권했다.

"너희들도 담배를 피울 수 있는 건가?"

제롬이 담배를 받아 입에 물면서 물었다. 슈네이더만은 라이터를 꺼내 불을 붙이면서 고개를 끄덕였다.

"밖에서만 피울 수 있어요."

제롬은 종교 학교의 학생이 담배 피우는 것 자체가 가능한 거냐고 묻는 것이었으나 슈네이더만은 담배 피우는 장소를 물어본 것으로 아는 모양이었다.

"담배 피워도 돼."

내가 말했다.

"가수 보아즈 샤르아비의 노래도 듣는다잖아. 오래전부터 내려오는 무신론자들의 고정관념을 벗어 버리라고."

나는 단호하게 말했다. 제롬은 조금 마음이 불편했는지 이렇게 말했다.

"진심으로 사과할게. 슈네이더만, 너는 내가 처음 만나 본 정통 유태교 종교인이라서 말이야."

"그 점이 우리나라의 문젯거리야."

이타마르는 뭔가 마음에 들지 않는다는 듯이 말했다.

"이 작은 연구에서조차 정통 유태교 종교인과 이야기를 나누어야만 한다는 건, 우리의 교육 체계가 정말로 보잘것없다는 증거밖에 더 되겠어?"

랍비 다하리는 동의한다는 듯 머리를 끄덕였다. 슈네이더만은 머리를 떨어뜨린 채 조용히 이렇게 말했다.

"우리에게도 문제는 있죠."

그러다가 그는 머리를 들어 두 눈을 빛내며 솔직하게 이야기했다.

"정통 유태교 종교인들 가운데 일부는, 무신론자들의 세상에서 유혹하는 많은 것들의 영향을 받는 걸 두려워해요. 그것이 우리들을 나약하게 만들 수 있기 때문이에요. 그러나 자신의 주관이 뚜렷한 사람은 이 세계에서 그것을 즐길 줄 알고 악한 것으로부터 멀어지지요."

그가 자신의 생각을 분명하게 밝히는 동안 제롬은 담배 연기를 내뿜고 있었다. 우리는 건물의 응달 쪽에 앉아 있었지만 더운 열기와 시큼한 땀 냄새가 공기 중에 떠 있는 것만 같았다. 슈네이더만이 물었다.

"뭐라도 좀 마실까요?"

기쁜 마음과 행복한 상태를 유지하라

편안하며 기쁨에 넘치는 마음은 학습 능률 향상에 어떤 영향을 미치는가?
화를 내면 어째서 기억력이 떨어지게 되는가?

"랍비 바알 쉠 톱, 즉 바쉐트가 하시딤 운동의 창시자일세."

랍비 다하리가 말했다.

"그 운동의 원리가 뭔가요?"

랍비는 턱수염을 쓰다듬으며 잠시 생각에 잠긴 모습이었다.

"랍비 바알 쉠 톱은 처음 이 운동을 시작하면서, 당시의 방식대로 반드시 유태법이나 성서에 대한 깊은 지식을 얻기 위해 성실히 공부해야 한다고 생각하지는 않았네. 하느님께서는 그것보다는 신앙 생활에 자신을 쏟아 붓기를 바란다고 생각했지. 그는 진실된 정신적인 관계를 통해서만 하느님께 가까이 다가갈 수 있다고 믿었다네."

"왜 그렇게 많은 사람들이 그 운동을 함께하는 걸까요?"

"하시딤들은 믿음의 힘으로 모든 유태인들을 하느님께 가까이 다가갈 수 있도록 도와준다네. 높은 수준의 신앙에 도달하기 위해 꼭 대단한 믿음을 가져야 하는 건 아니야. 학습면에서는 뛰어나지 못하다 해도 유태인 하나하나에게 자존감을 갖도록 하는 것이지. 이미 말했듯이 그 당시에는 하느님께 가까이 다가가려면 유태법에 대해 깊은 지식을 가져야 한다고 생각했다네. 누구든 토라에 대해 해박한 지식을 갖고 있으면 그는 하느님께 가까이 다가간 것이라고 생각했지. 하시딤은 공부에 몰두할 시간이나 에너지가 부족한 학생들과, 공부에 성공을 거두지 못하는 학생들에게 해결책을 알려 준 거라네."

"어떻게 그들은 하느님께 가까이 다가갔나요?"

"진심으로 좋아하는 마음과, 그 마음으로부터 우러나오는 기쁨을 가지고 다가갔지. 하시딤들이 기도하는 모습을 본 적 있나? 기도를 하면서 소리를 지르고 박수를 치며 춤도 추고 시끄럽기론 이루 말할 수가 없어. 회당에서는 기도를 하고 토라를 공부할 때는 자제를 하기 때문에 조용하고 점잖긴 하지만. 그래서 요즘은 너무 과장이 심하다고 하시딤에 반대하는 사람들도 있어. 하시딤에 대한 이야기는 이 밖에도 넘칠 만큼 많지만, 중요한 건 어쨌든 그들이 황홀함과 환희의 절정 상태에 도달하기 위해 거리에서 뛰고 춤추면서 노래 부른다는 것이지."

"대단하네요. 그러면 하시딤들은 기분이 좋지 않으면 어떻게 하나요? 기뻐할 수도 즐거워할 수도 없을 땐 어떻게 하죠?"

이타마르가 물었다. 랍비는 의아하게 이타마르를 쳐다보았다.

"질문이 잘 이해가 안 되는걸. 하임 모세는 '먼저 네 머리를 두드려라.'고 말했지. 자기 자신을 기뻐하고 즐거워할 수 있는 분위기에 밀어 넣는 거라네. 그냥 그 분위기에 자신을 맞추는 거야. 이를테면 사람의 몸이란 엔진처럼 1단 기어에서 5단 기어까지 조정할 수 있지.

공부를 하는 동안 몸을 움직이면 처음에는 천천히, 나중에는 증기의 힘이 가득 차서 공부에 열중하게 된다네. 이미 잘 알고 있듯이 생각은 행동에 영향을 미치지. 긍정적인 생각은 긍정적인 결과를 얻게 하고, 부정적인 생각은 부정적인 결과를 초래하고. 자네의 신체적인 행동은 자네의 생각에 영향을 미치는 거야."

"제가 뭘 잘못했죠?"

그때 음료수를 한아름 안고 다가온 제롬이 이야기의 끝부분만 듣고 물었다. 내가 쿡 찔렀다.

"지금 네 이야기하는 거 아니야."

"뭐 내 얘기 해도 괜찮아."

말은 그렇게 하지만 그다지 기분이 좋지 않은 표정으로 제롬은 음료수를 나누어 주었다.

"몸의 움직임과 생각, 정신 상태에 서로 관계가 있다는 이야기를 하던 참이야."

제롬은 콜라 캔을 내게 건네주려고 손을 뻗다가 그 얘기를 듣고는 갑자기 얼어붙었다.

"그렇다면 움직이는 게 겁이 나는걸. 여러분 음료수를 다시 나눠 드릴까요?"

제롬이 장난기 어린 얼굴로 천천히 돌아보면서 웃었다.

"하시딤에 대해 이야기 나누던 중이었어."

"그러면 어떤 자세가 바른 자세인가요?"

이타마르가 랍비에게 물었다.

"머리를 똑바로 들고 구부렸던 등을 편 다음 앞을 쳐다보도록 하게."

랍비가 말하자 이타마르는 울타리에서 제롬을 일으켜 세웠다.

"자, 직접 실천에 옮겨 봐. 내가 시키는 대로 따라 해 봐. 팔을 양옆으로 들고."

제롬은 음료수를 울타리 위에 올려놓고 양팔을 들어 올려 옆으로 펼쳤다.

"자, 이제 머리를 들고 앞에 있는 나무의 윗부분을 쳐다봐."

제롬은 이타마르의 말대로 따라 했다.

"그리고 웃어 봐."

제롬은 이런 상황이 어색하다는 듯한 표정을 지으며 얼굴 한가득 미소를 지었다.

"계속 웃으면서 이렇게 이야기해 봐. '정말 괴롭고 힘들다. 기분이 나쁘다.' 라고."

제롬은 침을 꿀꺽 삼키고 나서 웃음을 참으며 이렇게 말했다.

"기분이……."

제롬은 말을 다 끝내기도 전에 웃음을 터뜨리고 말았다.

"그것 봐. 잘 안 되지?"

이타마르도 킥킥거리며 웃었다.

"못하겠는데."

제롬이 다시 울타리에 걸터앉아 말했다. 랍비는 음료수를 한 모금 마시고 말했다.

"기분이 좋지 않을 때는 사실 활동적이고 활력과 기쁨에 찬 상태로 몸을 움직이기가 힘들다네. 신체의 변화는 곧 정신의 변화로 이어지지. 내가 만들어 낸 말이 아니야. 우리가 이야기하는 이 주제에 대해 박사 논문도 여러 편 나와 있지. 몸의 상태가 좋지 않으면 에너지도 부족하고 사고력도 떨어지지. 반대로 기분이 좋으면 조금은 붕 떠 있는 상태가 되고 사고력에도 긍정적인 영향을 미치게 되는 거야."

그 얘길 듣고 나는 떠오른 게 있었다.

"아, 새뮤얼도 그 얘기 한 적 있는데. 영감의 원리에 대해 말했거든."

"영감, 맞아. 바로 그거야. 영감은 몸의 상태를 얼마든지 바꿀 수 있어."

이타마르가 동의했다.

"토라를 공부하고 기도를 할 때 몸을 움직이는 것은, 뇌에 산소를 공급하고 집중력을 키울 뿐 아니라 기분을 좋게 하고 효율적으로 공부하는 경험을 갖게 한다네. 결국 효율적으로 공부하고 생각하기 위해서는 마음이 기쁜 상태여야 하지."

랍비가 결론을 내렸다.

"기뻐해야 한다. 기뻐해야 한다."

제롬이 노래 「하바나 길라」 중 한 소절을 불렀다. 이타마르가 즐겁다는 듯 말했다.

"정말 좋은 노래인걸. 한 번도 그렇게 생각해 본 적이 없었는데 말야. 기뻐해야 한다. 기뻐해야 한다는 것이 아니라 기뻐하는 것이 바람직하다는 거겠지. 그래도 이 가사의 의미는 '기뻐해야 한다'에 더 가깝다고 생각해. 정말 맞는 말이야. 유태 민족은 기뻐해야만 해. 별 도리가 없거든."

제롬은 생각에 잠긴 듯한 얼굴이었다. 랍비 다하리는 겉장에 그림이 그려진 붉은 표지 책을 가방에서 꺼내어 책장을 넘겼다. 그러다가 잠시 책에서 눈을 떼지 않았다.

"연구하는 교수들이 왜 필요하다고 생각하나?"

랍비는 그 책을 이타마르에게 건네주었다.

"랍비 나흐만의 지혜로운 이야기를 한번 읽어 보게."

"어떤 내용입니까?"

이타마르가 책을 받아 들면서 물었다. 그는 곧 소리를 내어 읽기 시작했다.

"춤과 몸동작은 당신의 기쁨을 일깨울 것이다……."

이타마르가 고개를 끄덕이며 웃었다.

"기쁨이 충만하면 지적으로 강해진다. 놀라운 이야기로군요."

이타마르는 머리를 긁적이며 이렇게 말했다.

"하나 더 있다네. 그것이 중심 내용이지."

랍비의 얼굴이 기쁨으로 가득 차 보였다. 그는 책장을 펴서 큰 소리로 읽어 내려갔다.

"큰 소리로 말하면 신체의 각 기관에 움직임과 느낌을 준다는 항목 말일세."

랍비는 '큰 소리를 내어 말하기'도 잊지 않고 짚어 주었다.

"책을 좀 천천히 다시 봐도 될까요?"

흥미롭다는 듯 그 작은 책을 뒤적이는 걸로 보아 이타마르의 학구적인 본능이 발동한 것 같았다. 랍비가 대답했다.

"그 책 가지게. 집에 한 권 더 있으니까."

슈네이더만은 다 마신 음료수 깡통을 버릴 곳을 찾고 있었다. 그러나 결국 쓰레기통을 찾지 못해 깡통을 울타리 위에 올려놓고 손으로 입을 닦은 뒤 말했다.

"그 반대도 맞아요. 믿음과 기쁨, 행복이 공부에 도움이 된다면

「그마라」에 씌어 있는 것처럼 두려움, 분노, 걱정 등은 지적인 능력에 해를 입히지요."

"정확하게 뭐라고 쓰여 있지?"

내가 물었다.

"지혜로운 사람이라면 분노로부터 멀리 떨어지고 그것으로부터 도망치라고 나와 있어요. 모든 종류의 분노는 애써 공부한 탈무드를 잊게 한다고."

"훌륭하구나."

랍비가 슈네이더만을 칭찬했다.

"우울한 기분으로 탈무드를 공부할 수 없다. 이 말은 그마라에 나오는 것이 아니라 랍비 아브라함 에벤 에즈라가 말한 거란다."

"왜 그런지 이유도 나와 있나요?"

내가 묻자 랍비가 대답했다.

"그렇고말고. 분노는 사람의 마음을 힘들게 하고 평온함을 빼앗아 간다는 거였네."

"평온함을 빼앗아 간다고요?"

"현자들은 분노하는 것이 지옥에 사는 것과 같다고 했다네. 화를 낼 때 내적 영혼이 빠져나가고 외부 영혼이 들어오는데, 그 분노는 기억력에 해를 입히고 그 사람의 삶을 지옥같이 만든다고 했지."

"기억력에 해를 입히는 것은 무엇인가요?"

이타마르가 질문했다.

"화를 내면 침착하게 논리적으로 생각할 수 없게 된다는 걸 말하지. 화가 난 사람과는 그 즉시 이야기하는 것을 피하고 화가 가라앉은 뒤 그다음 날 말하라고 하지 않나."

랍비는 제롬을 보며 말했다. 제롬이 고개를 저었다.

"어, 전 아니에요. 한 번도 화를 낸 적이 없거든요."

제롬은 하늘을 우러러 한 점 부끄럼 없다는 듯 말했다. 내가 나도 모르게 웃었다.

"정말 한 번도 한 사람에게도 화를 낸 적이 없어? 아르헨티나가 네덜란드를 꺾었을 때 어떻게 했더라?"

제롬과 함께 그 경기를 보고 난 후 제롬이 신경질 내던 모습을 떠올리며 물었다. 제롬은 그 이야기가 충격이라는 듯 꼼짝하지 않았다. 그는 담배를 한 모금 빨면서 얼굴이 심각해졌다. 내가 계속해서 그 경기를 멋지게 이끌던 아르헨티나에 대해 이야기하자, 제롬의 얼굴은 붉으락푸르락해졌다. 제롬은 담배 연기를 내뿜으며 울타리 위에 다리를 꼬고 앉아 있었다. 제롬은 자신이 좋아하는 팀이 진 경기에 대해 이야기하는 것이 못마땅한 것 같았다. 제롬이 그렇게 언짢아하는 모습은 지금까지 본 적이 없었다. 그래도 끝까지 이야기를 마치고 나서 나는 제롬의 어깨에 손을 얹으며 말했다.

"제롬, 1977년의 네덜란드 선발 팀에 대해 요셉 하임 슈네이더만에게 이야기해 주지 않겠어?"

"됐어."

제롬이 퉁명스럽게 말했다.

"하기 싫은 거야, 아니면 할 수 없는 거야?"

"그만두라고."

마침내 제롬은 화를 냈다.

"자, 어서."

제롬은 숨을 크게 한번 들이쉬고 나서 입을 열었다.

"해리 한, 로비 란센브릭크, 반 데르 키르쿠프…… 이제 됐어?"

"반 데르 키르쿠프의 이름이 뭐였더라?"

내가 되묻자 그는 냉정하게 잘라 말했다.

"말하고 싶지 않아."

"말해 줘."

나는 애원하다시피 말했다. 그러나 그는 기억해 내려고 했지만 정확하게 떠오르지 않는 것 같았다.

"말하기 싫어."

어색한 침묵이 맴돌았다. 제롬은 다시 기억해 내려고 했지만 잘 안되는 모양이었다.

"그래, 지금은 잘 생각나지 않아. 됐어? 왜 나를 자꾸 긁고 그래."

"바로 그거야."

이타마르가 웃으며 말했다.

"우리 모두는 네가 그 답을 알고 있다고 믿는데, 너는 지금 화가 나서 그 답을 제대로 기억해 내지 못하고 있잖아. 그렇지? 그게 바로 우리가 이야기했던 내용이야."

"다시 말해서 화가 나거나 신경질 날 때는 공부를 해도 별 도움이 되지 않는다는 이야기야. 먼저 냉정을 되찾아야지."

내가 말했다. 제롬은 물병을 열어서 머리 위에 물을 쏟아 부었다. 그러고는 머리의 물기를 털면서 말했다.

"너는 냉정해지면 좋을지 몰라도 나는 냉정해질 필요가 없어."

"뭐 감정을 건드리려고 그런 건 아니야. 그저 개인적인 예를 들어서 이해를 하게 했던 것뿐이야."

나는 열심히 방어하듯 설명했다. 그러자 비로소 제롬은 웃었다.

"나도 그냥 머릿속에 산소를 공급하려고 했을 뿐이야."

제롬은 다시 울타리 위에 앉았다. 나는 얼굴의 땀을 닦으면서 젖은 셔츠에 공기를 통하게 하려고 단추를 한 개 풀었다.

"신경질을 내면 건강에도 좋지 않아."

"나는 하루 종일 신경이 곤두서 있는데…… 누군가 나를 화나게 하면 우선 진정하기 위해 노력해야 한다는 삶의 지혜를 기억해 두어야겠군."

이타마르는 언제나처럼 수첩을 꺼내서 이 내용을 적으면서 소리를 내어 이렇게 말했다.

"예시바의 학습법은 친구와 함께 공부하기. 소리를 내어 공부하기. 기쁜 마음으로 움직이면서 공부하기."

"노블레스 담배를 피우면서 보아즈 샤르아비의 노래를 듣기."

제롬이 재빠르게 덧붙였다.

"아니면 말보로가 좋을까?"

"담배는 피우지 않는 게 좋겠어. 담배 연기가 공부를 방해하니까."

랍비가 대답했다.

"그 밖에 더 적어야 할 원리가 있나요?"

이타마르가 물었다.

"가장 중요한 내용을 지금부터 말씀드리려고 하는데."

슈네이더만의 말에 이타마르는 수첩에서 눈을 떼고 귀를 기울였다. 랍비는 두 눈을 똑바로 뜨고 흥미로 가득한 학생의 얼굴을 바라보았다.

침묵하는 지혜

지혜는 어떤 경우에 사람에게서 떠나게 되는가?
자신을 낮추는 겸손한 자는 어째서 새로운 지식을 계속 흡수할 수 있는가?

"대부분의 사람들은 그들이 가진 지식을 보여 주거나 들려주려고
해요. 저도 친구와 공부를 할 때 친구가 이야기하는 내용이 미심쩍으
면 그 친구에게 제 의견을 계속 주장하기도 하죠. 공부를 잘하고 아
는 것이 많아 다른 학생들에게 도움이 될 거라고 예시바에서 받아 주
셨어요. 예시바에 처음 온 날 교장 선생님께서 들려주셨던 이야기가
생각나네요. '총명한 학생이 자만하면 지혜는 그 학생을 떠난다. 토
라는 겸손한 자의 생각 속에 살아 존재한다.'고요."

랍비 다하리는 영특한 학생의 이야기를 듣는 것이 즐겁다는 듯 고
개를 끄덕였다. 슈네이더만이 계속해서 이야기했다.

"랍비 하니나는 토라 공부를 물에 비유했어요. 물은 높은 곳에서
낮은 곳으로 흐르는 법이잖아요. 이와 마찬가지로 겸손한 사람만이
새로운 것을 배울 수 있어요. 자신의 지식을 뽐내거나 자만하는 사람

233

은 자기 자신만을 믿고 자기가 모든 것을 다 안다고 생각하지요. 자기 자신이 모든 것을 안다고 생각하면 새로운 것을 배울 수도 없고 오래된 것에 변화를 주지도 못해요. 그렇기 때문에 '지혜가 그를 떠난다.'고 말하는 거예요. 자신을 낮추면서 겸손한 사람은 다른 사람들이 자신을 어떻게 생각하는지에 관심이 없고, 자신의 지식과 지혜를 증명해 보일 필요도 느끼지 못합니다. 그에게 중요한 것은 새로운 것을 배우고 듣는 것이지요."

"침묵하는 지혜가 필요한 거로군."

슈네이더만은 이타마르의 말에 고개를 끄덕였다.

"바로 그거예요. 그것이 지혜의 한 측면이에요."

이타마르는 다시 수첩을 펼쳐 적기 시작했다.

우리는 그렇게 계속해서 예시바 생활, 종교인과 무신론자들의 관계 등에 대해 이야기를 나누었다. 그러다가 슈네이더만이 예시바로 돌아가야 한다고 해서 다음에 다시 만나기로 약속하고 헤어졌다.

"슈네이더만을 우연히 만난 게 아닌 것 같군."

랍비 다하리가 낮은 목소리로 말했다.

"예시바의 랍비에게 부탁해 놨네. 다음에도 함께 이야기를 나눌 수 있도록 슈네이더만을 보내 달라고 말야."

"감사합니다. 그렇게 배려를 해 주셔서요. 슈네이더만을 다시 만날 수 있었으면 좋겠습니다."

이타마르가 인사하자 랍비는 당치 않다는 듯 손을 흔들면서 웃었다.

"감사는 무슨. 나도 만나서 많은 이야기를 나누었고 반가웠다네. 슈네이더만은 아직 자신이 얼마나 유명한지 잘 모르고 있지. 그는 젊은 친구지만 여러 선생에게 잘 알려져 있어. 기억력도 원래 뛰어났는데, 요 몇 년 사이에 더욱더 좋아졌어. 나도 그 친구가 즐겨 쓰는 방법은 아는데, 그가 그 방법을 어떻게 사용하고 있는지 알아보려고해. 뿐만 아니라 슈네이더만은 자네들에게서도 학문적으로 많은 것을 배우게 될 거라고 생각하네."

"저도 그렇게 생각합니다."

내가 동의했다.

"다음번엔 빌리 조엘과 모르데하이 벤 다비드 베르디거의 CD를가져와야겠는걸. 현대적인 것과 옛것의 조화로 새로운 것을 창조하도록 말야."

제롬은 들떠서 말했다.

"사실은 스콜피온스의 것으로 가져올 생각이었지만."

"그게 누군가?"

랍비가 물었다.

"헤비메탈 록 밴드인데, 아마 그 음악을 트는 순간 모두 집으로 가버릴 거예요."

"카페 라디노에서 만날까?"

내가 제안했다.

"좋지."

랍비는 조금 망설이다가 수염을 만지작거리면서 물었다.

"카슈루트 자격증이 있는 식당인가?"

"물론입니다. 주인 파비오는 유태 전통을 지키는 사람이고, 그곳에 종교인들도 많이 오거든요."

제롬이 자신 있게 대답하자 랍비는 진지한 얼굴로 물었다.

"급수도 알고 있나?"

"1급 자격증입니다. 정통 종교인들이 인정해 주는 자격증이에요."

이타마르가 랍비를 안심시키려고 분명하게 말했다. 그러자 제롬이 끼어들었다.

"아니야. 그것보다 한 단계 더 높은 거야. 특등급 자격증이라니까. 랍비의 수장인 랍비 오바다야 요셉의 집에서만 볼 수 있는 그런 자격증이야."

랍비는 껄껄 웃으면서 제롬을 바라보았다.

"제롬, 자넨 정말 특이한 사람이야."

자기에게 가장 알맞은 장소를 찾아라

어떤 장소에서 공부할 때 사람은 가장 효과를 낼 수 있는가?
나에게 맞는 장소는 조용한 곳인가, 소란스러운 곳인가?

슈네이더만은 랍비 다하리, 이타마르와 함께 카페 라디노에 와서 입구의 문설주에 붙어 있는 메주자에 입을 맞춘 뒤 주위를 살피며 서 있었다.

주위의 모든 풍경이 슈네이더만에게는 낯선 것들이어서인지 그는 호기심 어린 눈빛으로 주위를 둘러보았다. 젊은 예시바 학생이 카페에 온 것을 보고 카페에 있던 손님들도 흘끔흘끔 그를 쳐다보았다.

파비오는 손님들을 반기면서 미리 준비해 놓은 마당 구석에 있는 나무로 만든 식탁으로 그들을 안내했다. 제롬과 나는 일어나서 악수를 나누었다.

"장소가 참 멋지군요."

랍비 다하리는 점잖게 카슈루트 자격증을 보여 달라고 파비오에게 말했다. 파비오는 재빠르게 주방으로 가서 액자에 끼워 둔 자격증을 가지고 왔다. 랍비는 자격증을 한참 동안 들여다보더니 안심한 듯 고개를 끄덕였다.

"어때? 요셉 하임 슈네이더만. 여기보다 더 멋진 카페를 본 적 있어?"

제롬이 젊은 예시바 학생에게 물었다. 슈네이더만은 부끄러워하며 웃었다.

"사실은 카페에 가 본 적이 없어서요. 그런데 여기는 참 편안하네요."

우리는 식탁 주위에 둘러앉아 메뉴판을 들여다보았다. 파비오가 옆에 서서 친절하게 말했다.

"우리 식당의 특별 메뉴를 설명드릴까요?"

"특별 메뉴도 있었나요? 언제 그런 게 있었다고 갑자기 그러실까. 그게 뭔데요?"

파비오는 제롬이 하는 말에 별로 신경을 쓰지 않는 듯 웃고 있었다.

"시금치를 곁들인 생선 요리와 검은 올리브와 피망 소스가 들어간 파스타, 후식은 피스타치오와 꿀을 섞어 무화과 속을 채운 겁니다. 스페인식 유태인 요리지요."

랍비는 슈네이더만에게 물었다.

"자넨 뭘 주문할 건가?"

슈네이더만은 아직도 카페라는 낯선 곳에 적응이 잘 안 되었는지 말을 더듬으며 물 한 잔을 부탁했다.

"물 한 잔이라. 정말 환상적인 메뉴야. 파비오, 내가 쏠 테니까 이 젊은 친구에게 물 한 잔 갖다 주세요."

제롬의 익살에 파비오가 웃었다.

"그래도 뭘 좀 먹지."

랍비는 자기가 주문한 메뉴를 슈네이더만에게 보여 주면서 권유했다. 파비오는 주문을 받아 식당 안으로 들어갔다. 이타마르는 슈네이더만에게 파비오와 라디노 카페에 대해 잠깐 설명을 해 주었다. 슈네이더만은 말없이 이야기를 듣고 있다가 몇 가지 질문만 했을 뿐 다시 입을 다물었다. 낯선 장소와 상황에 좀이 쑤시는 것처럼 보였다.

"예시바의 랍비가 자유 시간을 주신 거지?"

제롬이 묻자 슈네이더만은 속삭이듯 작은 목소리로 말했다.

"네. 랍비께서 가치가 있는 일이라고 한번 해 보라고 하셨어요."

나는 이쯤 해서 사정 설명을 해 줄 때가 되었다고 생각했다.

"그래, 넌 가치 있는 일을 하려고 지금 여기 우리와 함께 있는 거야. 실은 제롬이 대학에서 공부를 하고 있는데 지금이 한창 중요한 시기야. 그런데 제롬은 공부를 열심히 해서 좋은 결과를 얻고 싶은 마음도 있긴 한데, 한편으로는 카페에서 친구들과 즐기는 것을 더 좋아하기 때문에 제롬을 도와주려는 거야."

"맞아. 여기 카페 라디노에서 공부를 한다면 그보다 더 이상적인 장소는 없겠지만."

제롬은 의자 깊숙이 등을 기대고 편안하게 앉으면서 말했다. 슈네이더만은 살며시 웃으면서 시선은 바닥에 두고 있었다. 얼마 지나 눈을 들어 잠시 랍비를 쳐다보는가 싶더니, 이번에는 제롬에게로 시선을 돌리며 물었다.

"그러면 왜 그렇게 하지 않나요?"

슈네이더만은 다시 랍비를 바라보면서 뭔가 허락을 받으려는 듯한 눈빛을 보냈다. 랍비는 슈네이더만에게 계속하라는 손짓을 하며 아무 말 없이 이야기를 듣고 있었다. 슈네이더만은 의자에 등을 바로 세우고 앉아 마치 이것이 자신의 임무라는 듯 당당한 자세로 말했다.

"현인들의 지혜를 모은 책에 보면 '공부는 각자 마음에 드는 장소에서 잘할 수 있다.' 라고 쓰여 있어요. 각자 공부를 하고 기억을 잘할 수 있는 시간과 장소, 수준이 모두 다르니까요. 유명한 현인들은 자신들의 공부를 방해하는 외부 요인이 무엇인지 연구하기도 했어요."

슈네이더만은 이렇게 말한 뒤 다시 침묵을 지켰다.

"기억과 망각 문제를 다룬 책에 나와 있지."

랍비 다하리가 보충 설명을 해 주었다.

"그 책은 1887년 예후다 하이만이 쓴 거야. 우리가 이미 이야기한 것들이 나와 있는데 이런 내용이지. 어떤 사람들은 시끄럽고 소음이 가득한 곳에서도 전혀 방해받지 않고 글을 쓰고 책을 읽으며 공부할 수 있는가 하면, 또 다른 사람들은 반드시 조용한 곳에서만 공부를 할 수 있다고. 어디서든 앉아서 공부할 수 있는 사람이 있고 항상 책상 앞에 앉아서만 공부할 수 있는 사람도 있다고 말일세. 강가에서 공부하는 유태인 이야기도 읽었는데, 그에게 강이란 장소는 생각을 넓히고 기억력을 좋아지게 하는 곳이었다네. 공부하고 싶은 마음과 공부에 대한 기쁨, 공부를 하겠다는 굳은 의지가 생기는 곳이라는 거지. 슈네이더만이 이야기한 것과 마찬가지로, 공부를 하는 장소는 공부하는 사람의 마음과 정신이 원하는 곳이어야 해. 그런 장소만이 그 사람의 생각을 넓혀 주는 역할을 한다는 거지."

"어느 강인데요?"

"나도 잘 모르겠네. 유럽 어딘가에 있겠지."

"글쎄요. 만약 아마존 강변에 앉아 있는데 앞에서는 악어가 책 읽는 모습을 지켜보고 있고 뒤에서는 사자가 몇 쪽을 읽는지 노려보고 있다면 조금 긴장이 되지 않을까요?"

제롬이 농담을 하고 나서 슈네이더만에게 물었다.

"요셉 하임 슈네이더만, 애칭은 없나?"

"요시크라고 부르세요. 가끔 제 친구들도 그렇게 부르거든요."

"요시크! 좋네. 간단해서 좋아. 그런데…… 내가 뭘 물어보려고 했더라? 아, 왜 너는 카페에서 공부하지 않는 건데?"

슈네이더만은 놀라서 눈이 휘둥그레졌다. 한 번도 생각해 본 적 없는 문제임이 분명했다. 그는 눈동자를 이리저리 굴리더니 두 손을 깍지 끼고 조용하게 질문에 대답했다.

"저는 예시바에서 공부하는 게 체질에 맞으니까요."

단순한 대답이었다.

"그곳이 제일 좋아요. 공부하는 분위기도 좋고, 사실 저는 혼자서 공부하는 걸 별로 좋아하지 않거든요."

"이 부분에 핵심이 있는 것 같군. 혼자 공부할 때는 유혹하는 것들도 있고, 공부를 하기 싫다는 생각도 들지."

랍비가 말했다.

"유혹하는 것들요?"

제롬이 고개를 갸우뚱하자 내가 대답했다.

"당연하지. 너 '1분만, 2분만' 그래 본 적 있지?"

"그게 뭔데?"

"방이나 도서실에서 책상 앞에 앉아 공부를 하다가 1분만 쉬었다가, 냉장고에서 먹을 것 잠깐 꺼내 먹고, 이럴 거 아냐. 10분만이라고 하기도 하고 더 줄여서 딱 1분만, 아니 1초만 친구에게 전화 걸고 다시 공부해야지 그러기도 하고. 랍비께서 말씀하신 유혹이 이 얘기죠?"

이타마르가 설명을 덧붙였다.

"그런 경우는 주로 혼자서 공부할 때 생기지. 그것이 친구와 함께 공부해야 하는 확실한 이유도 되고. 서로의 주장을 펴면서 공부를 하다 보면 자연스럽게 효율적인 공부를 하게 되고 쉽게 유혹을 받지도 않게 되며, 마음이 느긋해져서 노력을 게을리 하는 일도 줄어들게 되니까."

"그럼 카페에서 혼자 공부하는 건 도움이 안 된다는 거네?"

제롬이 따져물어서 나는 대답했다.

"그래도 첫째, 카페에서는 완전히 혼자가 아니지. 답답하게 집에 갇혀 있다는 생각 대신 다른 사람들이 놀 때 나도 논다는 생각이 들잖아. 주위에 사람들이 있는 분위기 좋은 카페는 바로 집에서 혼자 꿈꾸던 그런 분위기인 거야. 둘째는 랍비가 말씀하신 것처럼 집에서보다 유혹이 적다는 거야. 텔레비전이라든가, 언제든지 뭔가를 꺼내 먹을 수 있는 냉장고라든가. 있는 거라곤 커피와 자기 자신뿐이지. 사람을 불러다 돈만 지불하면 중간에 일어나서 커피를 가지러 가야 하는 번거로움도 없고. 그저 앉아서 커피를 마시면서 공부만 하면 되는 거잖아."

"커피 얘길 들으니 맥주 얘기가 생각나는군."

제롬이 말했다.

"어떤 남자가 맥주 1리터를 주문했는데 종업원이 맥주를 가지고 온 순간 볼일이 급해졌어. 그 남자는 자기가 화장실에 간 사이 누군가 그 맥주를 마셔 버릴까 봐 메모를 해 놓기로 했지. '이 우주에서 가장 힘센 사람의 것.' 이라고 말야. 그가 돌아와 보니 맥주 잔이 비어 있고 그 옆에 이런 메모가 적혀 있었지. '고맙군요. 이 세상에서 가장 빠른 남자로부터.' 이렇게 말야."

우리는 그 얘기에 와르르 웃어 버렸다. 그러는 동안 파비오는 주문한 음식을 가지고 와서 나누어 주었다.

"파비오, 이런 경우 당신이라면 어떨 것 같아요?"

제롬이 파비오를 쳐다보며 물었다.

"어떤 사람이 달랑 커피 한 잔 주문하고 다섯 시간쯤 앉아 있으면 어떻게 할 건가요? 머리 뚜껑이 열리겠죠?"

"당신들이 항상 그러잖아요."

파비오가 제롬을 보고 웃으면서 말했다.

"저기 저 사람도 그런 사람이죠."

파비오는 정원의 한쪽 끝을 가리켰다.

"저 사람은 일주일에 세 번은 친구들을 데리고 와서 몇 시간씩 이야기를 나눈답니다. 그렇지만 저는 별로 방해된다고 생각지 않아요. 오히려 이곳이 공부할 때 집중하기 좋은 곳이라면 저로선 기쁠 뿐입니다. 학생들이 공부하는 데 도움이 되는 후원자 역할을 하는 셈이니까요."

제롬은 파비오가 가리킨 그 남자를 한참 동안 쳐다보다가 갑자기 뭔가 큰일이 난 것처럼 흥분해서 소리쳤다.

"저것 좀 봐. 내가 파는 셔츠를 저 사람이 입고 있어."

우리는 제롬이 가리킨 남자를 바라보았다. 멀리서도 제롬이 파는 그 특이한 셔츠를 입은 남자가 한눈에 들어왔다. 그는 줄을 타면서 고층 건물의 유리창을 닦고 있는 빌 게이츠의 얼굴이 찍힌 셔츠를 입고 있었다. 그 얼굴 아래에 'Windows와 청소 대행업체 사무실 2000' 이렇게 쓰여 있었다.

"저 사람 어디선가 본 적 있는데……. 잠깐 만나고 올게."

제롬은 의자에서 일어섰다. 제롬이 자리를 뜬 뒤 슈네이더만이 우리의 대화에 다시 합류했다.

"예시바에서 공부하는 게 좋은 이유가 하나 더 있어요. 랍비 요한난은 '회당에서 공부하는 탈무드는 빨리 잊혀지지 않는다'고 했어요. 성스럽고 깨끗한 장소에서 공부하는 게 좋다는 뜻이에요."

"그렇지. 학문적으로 대단한 사람들은 장소에 따라 특별한 영감을 얻기도 하고 학습 성취도가 더 높아지기도 해."

내 말에 슈네이더만이 고개를 끄덕였다.

"그래요. 저는 예시바가 이스라엘이 가지고 있는 지혜를 학생들에게 가르치는 성스러운 장소라고 생각합니다."

"슈네이더만, 우리는 잠깐 손을 씻고 오기로 하지."

랍비가 자리에서 일어서며 말했다. 종교인들은 항상 식사 전에 손을 씻기 때문에 랍비가 슈네이더만에게 이렇게 말한 것이었다. 그러는 동안 딴 자리로 다녀온 제롬은 약간 상기된 얼굴로 이야기를 시작했다.

"누군지 알았어. 저 남자는 이츠하크 벤 도드라고 하는데, 같은 과 학생이지 뭐야. 경영학과에는 학생들이 너무 많아서 난 아직 누가 누군지 잘 모르는데 어쩐지 어디서 본 것 같더라니까."

"그 사람이 입은 셔츠를 네가 만들었다는 이야기 했어?"

"당연하지. 저 사람도 굉장히 기뻐하는 것 같던데."

손을 씻고 돌아온 랍비와 슈네이더만이 식사 기도를 마치고 빵에 축복 기도를 했다.

"맛있게 드십시오."

랍비는 종교인들의 식사 예법에 맞춰 빵의 한 귀퉁이를 뜯어서 우리 모두에게 조금씩 나누어 주었다.

"네가 잠깐 자리를 비운 동안, 공부하기에 좋은 장소란 성스러운 곳이라는 이야기를 나누었어."

이타마르는 잠시 쉬었다가 다시 말을 이었다.

"다시 말해서 그 성스러운 곳에서 영감을 얻게 된다는 거야."

"아, 그래. 알았어. 나 같으면 윔블던 구장에서 공부하면 좋겠던데."

제롬은 입 안 가득 음식을 씹으면서 또 농담을 했다.

랍비가 새로운 화제를 꺼냈다.

"그건 그렇고, 랍비 요셉 하임은 랍비들의 학교가 아닌 회당에서 공부하는 것이 더 낫다고 했네. 왜 그랬을까? 랍비들의 학교가 회당보다 더 성스러운 장소인데, 왜 보다 더 성스러운 곳에서 공부하는 것을 추천하지 않는 걸까?"

걱정과 스트레스

망각의 원인에는 어떤 것들이 있는가?
지나친 걱정이 우리에게 미치는 역효과는 무엇인가?

랍비는 이어서 말해 주었다.

"너무 성스러운 곳은 학생들을 지나치게 긴장하게 하지. 긴장감이 느껴지는 곳에서 공부하는 것은 바람직하지 않기 때문이야."

"그렇군요. 그러고 보니 대학의 도서관처럼 겉으로 보기에는 조용하고 공부하기에 이상적인 장소로 보이는 곳이, 오히려 공부가 잘 안되는 경우도 있어요."

나는 도서관에서의 경험을 떠올리며 말했다. 내 눈에는 도서관에서 공부하는 학생들은 모두 성실하고 똑똑하고 효율적으로 공부하는 것처럼 보였으나, 나로선 책 한 장 읽고 이해하는 것도 쉽지 않았다. 때문에 내게 있어서 대학 도서관은 스트레스를 주던 곳으로 기억되었다.

"걱정이나 스트레스가 있으면 토라를 배울 수 없다고 하지. 고민이나 걱정거리가 있으면 생각이 정리되지 않고 차분한 생각을 할 수 없기 때문에 토라를 공부하기 힘들고, 공부해 보았자 잊어버리게 된다고 말야."

"존경하는 랍비님, 좀 더 자세히 설명해 주세요."

제롬이 말했다.

"전에도 이미 이야기했던 것처럼, 화가 난 상태에서 공부를 해서는 안 된다네. 걱정을 하거나 불안한 상태, 화가 나거나 스트레스를 받는 상황에서 공부를 해서는 안 되지. 불안감은 정신적으로 편안한 상태를 유지할 수 없게 한다네. 두려움은 몸을 떨리게 하고 걱정은 마음을 답답하게 해서 몸과 두뇌 모두 약하게 만드는 것일세. 이 내용이 내가 이야기했던 『기억과 망각』이라는 책에 나오는 내용이야."

슈네이더만이 덧붙여 말했다.

"하나하나 모든 것을 걱정해서는 안 됩니다. 우리는 매일같이 걱정거리가 생기고 또한 그것을 해결해야 합니다. 그렇지만 모든 일에 대해 걱정하는 것은 항상 정신적인 긴장감을 갖게 해서 영혼에 좋지 않은 영향을 미칩니다. 걱정과 불안을 떨치고 집중할 수 있어야 공부를 제대로 할 수 있습니다. 이런 이야기가 나와 있지요."

"그런데 여러분."

제롬은 무언가 씁쓸한 듯한 얼굴로 우리에게 말했다.

"공부 그 자체가 스트레스를 주는 건 어쩌죠. 교수님께서 400쪽이나 되는 원서 교재를 읽어 오라고 하셨는데, 그 숙제가 무척이나 걱정스럽고 스트레스거든요. 걱정 근심으로부터 벗어날 수 있는 뭔가 실제적인 방법이 있을까요?"

"자신감을 갖고 강의를 들으면서 편안한 마음을 가지려고 노력하고, 생각을 집중해야지. 그러면 책을 성공적으로 읽게 되고 그 상황을 잘 극복하게 될 걸세."

랍비의 대답이 제롬은 별로 마음에 차지 않는 모양이었다.

"어떻게 그걸 하라는 말씀이세요? 제롬, 너는 똑똑하니까 성공할 거야. 이렇게 마음속으로 되뇌면서 하루에 세 번 명상이라도 해야 하나요?"

랍비는 웃으면서 제롬을 바라보았다.

"첫째, 공부를 방해하는 요인들을 자세하게 나눠 보게. 『기억과 망각』에는 공부를 시작하기 전에 손을 씻는 게 바람직하다고 나와 있어. 그 이유는 손을 씻어 지저분한 것을 벗겨 내려는 것이지. 왜 그렇게 하는 걸까? 공부를 시작하려고 책상 앞에 앉을 때는 기분이 상쾌하고 편안해야 돼. 몸이 가렵거나 지저분하면 주의 집중이 잘 되지 않지만, 몸이 깨끗하고 정갈하면 즐거운 마음으로 공부를 할 수 있게 되지."

"맞는 말씀입니다."

이타마르가 동의했다.

"제롬, 이야기 잘 들었지? 이번 달부터는 샤워 좀 잘해야겠는걸."

나는 눈을 찡긋해 보이며 제롬을 쳐다보았다. 랍비가 이어서 말했다.

"또 공부에 방해가 되는 원인을 없애 버리고 주의를 집중해야 하네. 전화도 끊어 버리고 더우면 선풍기를 틀도록 하게. 공부하면서 마실 수 있도록 물을 한 잔 준비하고, 배가 고프면 공부가 잘 안 되니까 식사를 하고 나서 공부를 하면 공부가 잘 될 걸세. 음식도 공부에 도움이 되지."

랍비는 물을 마시기 위해 잠간 말을 멈추었다. 그때를 놓치지 않고 제롬은 물었다.

"음식이 공부에 도움이 된다니 그게 무슨 말씀이세요?"

음식과 두뇌 활동의 관계

배가 고픈 상태에서는 어째서 공부를 효과적으로 할 수 없는가?
어떤 음식이든지 두뇌 활동에 도움이 되는가?

"산헤드린(제2성전 시대의 유태인 최고 법전——옮긴이)의 기록에 따르면 '먹거리를 걱정하는 사람은 공부하는 것을 잊게 된다.'고 쓰여 있네. 그래서 배고픔도 공부를 방해하는 한 요인이기 때문에, 배가 고픈 상태에서 공부하지 못하도록 하고 있지. 배고픈 상태에서는 주의 집중이 잘 되지 않아 공부하기 힘들게 돼."

"랍비 엘리에젤 헤클러르의 어머니는 아들이 토라를 공부하고 싶어 하는 마음이 들게 하려고 케이크를 먹였다고 해요."

슈네이더만이 그 이야기를 하는 순간 말로 표현하기 힘든 묘한 그리움이 내 가슴속에서 소용돌이치기 시작했다. 돌아가신 아버지가 했던 이야기가 문득 생각난 것이다.

"제2차 세계대전 때 우리 아버지 파울 카츠는, 유태인들을 배척하는 프라하에서 자라 엔지니어로 일하셨다고 해. 나치를 피해 떠돌아다니고 숨어 지내던 시절이었는데, 할아버지께서는 아버지께 기초적인 교육을 시키려고 애를 쓰셨다더군. 어느 날 저녁, 아버지께서 수학 공부를 하려고 책상 앞에 앉았는데 너무 배가 고파서 먹을 것만 생각이 나고 공부는 할 수가 없었다는 거야. 그러자 할머니께서 밖으로 나가시더니 얼마 있다가 원래의 4분의 1이나 될까 싶은 빵 조각을 가지고 돌아오셨다는 거지. 아버지께서는 그 빵 조각을 허겁지겁 먹고 나서야 수학 연습 문제를 다 풀 수 있었다고 해."

"간단히 말해서 배가 고픈 상태로 공부를 하지 말라는 이야기가 되겠네."

랍비는 분명하게 힘주어 말했다.

"유태교에서 가장 큰 선행은 배고픈 사람에게 음식을 주는 것일세. '배고픈 사람에게 자신의 빵을 나누어 주고 불쌍하고 가엾은 사람을 집으로 데려오라.' 모든 유태인들은 배우려고만 하면 똑똑해질 것이고, 우리 유태인 현인들은 단 한 명의 유태인도 배고프지 않도록 보살펴야 한다고 했지."

"그와 같은 이유로 유태인 엄마들도 교육과 함께 음식 먹이는 데에 큰 관심을 가지기 시작한 거군요."

제롬이 웃으며 말했다.

"공부와 음식의 관계에 있어서, 모든 유태인 엄마들이 자녀가 의사나 변호사가 되기를 바라는 건 아니지만 공부를 위해 음식을 조금이라도 더 먹게 하려고 무척 애를 썼다네. 혹시 「유태인 엄마와 글래디에이터」라는 유머를 들은 적 있는가?"

랍비의 물음에 우리는 고개를 저었다.

"중세 시대에 유태인들은 콜로세움에서 글래디에이터들의 격투 장면을 관람하도록 끌려나갔어. 그 이유는 유태인들도 복종하지 않으면 저렇게 될 거라고 말해 주기 위해서였지. 그들은 그곳에서 노예들과 사자들이 서로 싸우는 모습과, 사자들이 노예들을 잡아먹는 장면을 보곤 했어. 그러던 중에 유태인 엄마들은 한쪽 귀퉁이에 서 있는 새끼 사자를 보면서 이렇게 걱정스럽게 이야기했다고 하지. '저기 있는 저 새끼 사자는 왜 아무도 잡아먹지 않는 거야?' 하고 말이네."

그다지 재미있는 농담은 아니었지만 그래도 우리는 예의상 웃었다. 이타마르는 과거의 연구 내용에 대해 이야기했다.

"음식과 지능이 서로 밀접한 관계가 있다는 것 아십니까? 영양실조는 행동의 발달을 늦추고 지능 발달 면에서도 퇴보하게 합니다. 임신한 여성들에게 영양가 있는 음식을 더 섭취하게 했더니 그 음식을 먹지 않은 엄마들의 아이들보다 지능이 높았다는 연구 결과도 있었어요."

"그거 흥미로운 연구로군. 유태교에서도 임신한 여성을 우선적으로 배려해야 한다는 이야기가 있는데, 아버지와 큰 자녀들은 임신한 엄마와 아기를 위해 배고픔을 참을 줄도 알아야 한다고 가르친다네. 이런 선행은 자선 행위와 연결되어 있어서, 하시딤들의 경우 유태인이 아닐지라도 가난하고 배고픈 사람에게는 반드시 자선을 베풀어야 한다고 이야기하지. 그 말이 맞는지는 모르겠지만 유태인들은 도움이 필요한 사람들에게는 꼭 자선을 베푼다고들 하네. 그 점이 혹시 유태인의 두뇌 발달에 도움이 된 것은 아닐까?"

"그럴 수도 있죠. 지금 한 이야기는 유태인들이 영양실조로 고생한 적이 없었다는 게 아닙니다. 시대별로 영양실조에 시달렸던 유태인들이야 많았지요. 그러나 유태인들은 유태교에서 지켜야 하는 음식에 대한 법이 있기 때문에 다른 민족들보다 먹을 수 있는 음식의 종류가 제한되어 있었습니다. 유태교에서는 음식에 관한 법을 무척 강조합니다. 카슈루트에서는 먹어도 되는 것과 먹어서는 안 되는 것을 분명히 구분하고, 언제 어떻게 얼마나 요리하는지에 대해서도 하나하나 지키도록 가르치지요. 이렇게 먹을 수 있는 음식을 정해 주는 것과 신체의 건강 사이에 깊은 관계가 있다는 것은 틀림없습니다. 음식은 인지 능력을 발달시키는 데 도움을 준다는 사실과도 말이죠."

이타마르는 진지하게 쉬지 않고 이야기했다.

"그럼 공부를 시작하기 전에 식사를 하는 게 좋다는 건가?"

제롬이 묻자 랍비는 슈네이더만을 돌아보며 물었다.

"자넨 어떻게 생각하나?"

"와인과 올리브유, 향신료를 섞은 소스에 소금을 뿌리지 않고 삶은 달걀을 넣어 굴리는데 이 음식이 기억력을 좋게 하는 데 도움이 된다고 해요. 사실 올리브 자체는 기억력을 떨어뜨린다고 하는데 말예요."

"『향신료 치료법』이라는 책에는 꿀, 계피, 머스터드가 기억력에 도움이 된다고 적혀 있지."

랍비가 덧붙여 말했다. 우리는 조용히 랍비의 이야기를 듣고 있었다. 나는 랍비의 이야기를 들으면서 우리가 먹는 음식이 우리의 학습에 적지 않은 영향을 미치고 있다는 것이 신기하기도 하고, 과연 믿을 만한 근거가 있는 것인지 궁금하기도 했다. 마침 이때 제롬이 랍비에게 물었다.

"과학적으로 증명이 된 내용인가요?"

랍비는 그것에 대한 정확한 지식은 없다며 손을 저었다.

"나는 그저 우리 예멘 유태인들이 이야기하는 내용을 기억하는 것 뿐이네. 우리 예멘 유태인들은 매일 공부를 시작하기 전에 아이들에게 꿀을 섞은 올리브유 한 숟가락을 먹이지."

제롬은 짧은 한숨을 쉬며 말했다.

"하임 모세와 보아즈 샤르아비에게는 매운 고추라도 갈아서 먹였겠군요."

"음식과 관련된 내용에는 뭔가 그럴 만한 이유가 있을 거라는 생각이 듭니다."

이타마르는 이 내용에 대해 좀 더 구체적으로 생각해 보자는 뜻을 비쳤다.

"밀, 즉 빵에는 달걀 노른자나 생선에 들어 있는 레시틴이 들어 있어요. 이 세 가지 음식을 함께 먹으면 학습 능력과 기억력이 25퍼센트 증가된다는 연구 결과가 몇 번 있었지요. 글루코민산과 꿀 속에 들어 있는 글루코민이 만나면 두뇌의 활동이 활발해진다고 합니다. 달걀 속에 들어 있는 아미노산은 인간의 정신적인 긴장 상태와 학습 능력, 기억력에 중요한 역할을 합니다. 올리브유는 어떨까요?"

이타마르는 잠시 말을 멈추더니 물었다.

"얘기 더 할까요?"

"계속해 봐."

랍비와 제롬과 내가 거의 동시에 말했다.

"먹는 데 있어서 극단적으로 자유주의를 추구하다 보면 결국 뇌가 늙어 버리게 됩니다. 뇌의 노령화는 기억력에 영향을 미칩니다. 음식의 양이 많아지면 불포화 지방산도 함께 늘어나는데, 올리브유에는 올리브 열매보다 불포화 지방산이 8배나 더 들어 있다고 합니다. 그래서 옛 현인들이 올리브유는 기억력이 좋아지게 하지만 올리브 열매는 해가 된다고 했나 봐요."

랍비는 과학적인 증거에다 옛 현인들의 예까지 들어 이야기하는 이타마르를 보며 웃었다.

"대단하군."

제롬도 이타마르에게 감탄한 것 같았다.

"그래서 후식은 무화과 열매 속에 꿀을 넣은 걸 시켰나? 정말 맛있겠군. 그런데 혹시 이타마르의 후식에 실수로 불포화 단백질산이라도 넣어 가지고 오는 건 아닌지 모르겠네. 어쨌든 정말 대단해."

제롬은 짓궂은 농담을 하면서 이타마르를 추어올렸다.

"그런데 넌 음식과는 무관한 정치학과 교수 아니었어?"

이타마르가 자세를 바로 하고 앉으면서 대답했다.

"리서치를 하면서 이 주제에 관련된 내용을 조금 깊이 있게 읽었을 뿐이야. 화학적인 원리나 반응에 대해서는 아는 게 없어."

"그런데 탈레반도 극단적인 자유주의자들 아닌가?"

제롬이 비꼬듯이 물었다.

"중요한 것은 너무 많이 먹어서도 안 되고 적당히 먹어야 한다는 겁니다. 배가 고파도 공부하기 힘들지만 너무 배가 불러도 공부에 방해가 됩니다. 옛 현인들은 토라는 작은 기쁨과 작은 열정을 가진 상태에서 얻게 된다고 강조합니다. '어디서든지 먹어 대는 학생은 아무리 총명하더라도 자기가 배운 내용을 잊게 될 것이다.'고 말했죠. 식사 후에 아직 소화가 덜 된 상태에서는 뱃속이 가득 차 있어서 집중하거나 기억하기 어렵고, 몸은 무거운 데다 피곤하게 느껴지지요."

슈네이더만은 그렇게 말하고 나서 접시에 있는 빵 부스러기를 모으더니 입 속에 재빨리 털어 넣었다. 우리는 아직 식사를 하고 있는 중이었다. 군대에서 음식을 받으면 단 2분 내에 식사를 끝내야 하는 경우가 많았기 때문에, 슈네이더만이 식사를 빨리 마친 모습을 보면서 나는 잠시 군대 생활을 떠올렸다. 예시바 생활도 군대 생활과 비슷할 거라는 생각이 들기도 했다.

제롬은 식사를 마치고 접시 위에 포크를 내려놓으면서 의자 등받이에 몸을 기대고 앉았다.

"정말 맛있었어."

제롬은 빵빵해진 배 위에 손을 얹으면서 말했다.

"이제 걱정거리로부터 벗어나서 몸과 마음이 편안해졌어. 그러니 이제부터 공부를 시작해야겠군."

"좋아. 몸이 편안하다는 생각이 들면 공부를 시작해도 된다네. 다음 단계는 자기 자신을 방해하는 것들을 모두 잘라 내고 공부에만 집중하는 것일세."

"아니, 그런데 그걸 어떻게 해야 될지 가르쳐 주시지 않았잖아요. 어떻게 집중을 해야 하고 그 문제의 원서와 같은 재미없고 어려운 공부를 어떻게 시작해야 하는지 말씀해 주세요. 아니면.요시크, 네가 얘기해 줄래? 네게 효율적인 방법이 있을 것 같은데."

제롬은 총명한 예시바 학생 슈네이더만을 바라보았다. 슈네이더만은 의자에서 등을 펴고 앉더니 손을 들어 머리에 쓰고 있는 검정색 키파를 벗었다가 다시 썼다.

인센티브의 원칙

이 내용을 학습함으로써 내게 이익이 되는 것이 무엇인지를 생각하라.
동시에 이것을 공부하지 않으면 어떤 불이익이 따르는지도 생각하라!

"가장 좋은 방법은 기도를 하는 거예요."

슈네이더만은 제롬의 얼굴을 살피면서 말했다. 제롬은 그 말에 전혀 반응을 보이지 않다가 이윽고 약간 비꼬는 투로 말했다.

"요시크, 너는 아직도 내가 기도와는 거리가 먼 사람이라는 걸 알아채지 못한 거야? 너는 하느님께 도움을 받을 수 있겠지만, 하느님은 내가 당면한 문제는 해결해 주시지 않아. 나는 속죄일에 단 한 번 회당에 간 적이 있는데 하느님께서는 내가 회당에 온 것을 별로 달가워하시지 않는 것 같았어."

"그럴 리가 있나? 언제든 하느님을 만나는 건 늦지 않다네."

랍비가 제롬의 어깨를 두드리며 말했다.

"기도는 바라는 내용을 되뇌면서 말하는 거라네. 자네가 하느님을 믿는다면 그분께 도움을 청하는 거야. 하느님이 계시면 자네는 혼자

257

가 아니라는 사실을 알고 있지 않나? 하느님을 두려워하지 않는다면 기도는 자네를 집중하게 만들어 줄 걸세. '마음이 청결하신 하느님께서 나를 창조하셨고 바른 영혼으로 나를 새롭게 하셨네.'라는 내용의 기도를, 믿음을 갖고 혼신의 힘을 기울여 하는 거야. 이런 생각을 하면 저절로 책과 공부에 가까워지지 않겠나? 자네가 종교가 없는 사람이라고 해도 이런 문장을 들으면 긍정적인 마음을 갖게 되지 않겠어?"

"그럴 수도 있겠네요."

"유태교에서는 모든 행위에 대해 그에 적합한 기도가 있지. 식사를 하기 전에 손을 씻고 빵에 대한 축복 기도를 한다거나, 외출하기 전에도 기도를 하고 잠자러 가기 전에도 기도를 하곤 하지. 이런 기도는 자네 앞에 놓인 상황에 도움을 주는 기도인 동시에 다른 생각을 떨쳐 버리고 주어진 상황에 집중할 수 있도록 해 준다네. 기도의 내용은 이런 것이지. 정신을 차리고 운전에만 주의를 집중하게 해 주세요. 또는 이 음식을 주셔서 감사하고 소화가 잘 되도록 해 주세요, 뭐 이런 거. 더 자세한 이야기를 할 필요는 없겠지. 공부 기도도 이런 것들과 비슷하게 하는 거라네."

"그럼 요시크는 어떤 기도를 하지?"

제롬이 슈네이더만에게 물었다. 슈네이더만은 웃음을 짓고는 이렇게 대답했다.

"여러 종류의 기도를 하죠. 예를 들자면 세상을 사랑하게 해 주세요. 제 마음에 지혜를 주세요 같은 것들."

제롬은 편치 않은 얼굴로 슈네이더만을 쳐다보았다.

"나는 기도를 시작하면 나 자신이 위선자라는 생각이 든다는 게 문제야. 제대로 선행을 해 본 적도 없는데 갑자기 공부를 잘하게 도와달라고 하면 너무 뻔뻔하잖아?"

"그렇게까지 생각할 건 없어. 하느님께서 너를 꽤 괜찮은 학생으로 여기실 거야."

놀랍게도 이타마르가 웃으면서 대신 대답했다. 제롬이 믿어지지 않는다는 듯한 표정을 짓자 이타마르는 이어서 말했다.

"사람을 해치거나 물건을 훔친 적도 없잖아. 부모님을 공경했고 마음에서 우러날 때마다 좋은 일을 많이 했잖아. 네가 하느님을 쳐다보지 않는다 해도, 우리가 다른 사람들의 행위를 존중하는 것처럼 하느님께서는 인간의 행위를 보고 듣고 있다고 나는 믿어."

"슈퍼에서 초콜릿 한 번 훔친 적 있는데."

"괜찮아."

"잔돈 더 받았는데 안 돌려주기도 했고."

"염려 마."

"고양이를 치어 죽인 적도 있어."

"그런 일 생길 수 있지 왜."

"강아지도 치어 죽였는데?"

"그런 일도 생길 수 있지."

"펭귄도 치어 죽였어."

"뭐, 펭귄을?"

"아니, 수녀님이었나? 잘 기억이 나지 않아."

제롬이 웃었다.

"요시크, 이건 그냥 웃자고 한 얘기야."

이타마르는 순진한 학생이 오해할까 염려하면서 서둘러 제롬의 말을 잘랐다.

"어쨌든 너 스스로 기도문을 만들어 봐. 기도문은 네가 시작해야 하는 일에 동기를 부여하면서 동시에 너 자신에게 기쁨을 느끼게 해 줄 거야. 기도가 너를 집중하게 도와줄 테니 한번 시도해 봐."

제롬은 천천히 고개를 끄덕이며 대답했다.

"정말 흥미로운 이야기야. 잘 생각해 볼게."

"그리고 한 가지 더 있다네. 눈여겨보았다면 이미 알고 있겠지만, 종교인들은 필기하는 공책의 각 장에 '바사드'라고 먼저 쓰지."

랍비의 말에 제롬이 대뜸 말했다.

"'바시아타 데시마'(하느님의 도움——옮긴이)의 줄임말이죠?"

"그 단어도 자기가 하고 있는 일에 대한 분명한 의지를 나타내는 것이지."

랍비는 가지고 있던 노트를 예로 내보이면서 말했다.

"바사드라고 씌어 있는 종이에 글을 쓸 때는, 성스럽고 중요한 일을 할 수 있는 마음의 준비를 하고 그 일에만 몰두해야 한다네. 하늘에 도움을 청하고 손으로 하나하나 정성을 들여 써 내려가는 거지. 글을 써 내려갈 때 하느님도 함께하시기 때문에, 그 종이에 우리는 거짓이나 헛된 내용을 담을 수 없고 오로지 중요하고 진실된 내용만을 써야 하는 거라네."

"좋은 방법이군요."

이타마르는 그 이야기가 마음에 든 모양이었다.

"공부할 자료를 정리하는 공책의 첫 장에 '바사드'라고 쓴 다음 내용을 적기 시작하면, 좀 더 효율적인 방법으로 정리하려고 노력하게 될 거야. 그렇게 하면 가장 정리가 잘된 내용을 얻을 수 있지."

이타마르가 결론을 내리자 제롬이 동의했다.

"그것도 좋은 생각이네."

랍비가 제안했다.

"자, 그럼 시작해 볼까? 편안한 상태에서 기도를 한 뒤 '바사드' 라고 썼으면 책 읽기와 공부를 시작하겠네."

"좋습니다."

제롬이 주먹 쥔 손을 위로 뻗으면서 말했다.

"저는 이제 재미없는 책을 펴서 읽기 시작할 텐데 아마 한 쪽을 다 읽기도 전에 잠들어 버릴 겁니다."

제롬은 식탁 위에 손을 얹고 어깨를 이리저리 돌리면서 말했다. 슈네이더만은 제롬이 하는 말과 행동이 재미있는지 킥킥 웃고 있었다. 랍비도 웃으면서 말했다.

"천천히 시작하게나. 그 재미없는 책부터 읽기 시작하라는 건 아니니까."

"그래요?"

"그럼, 그럴 필요가 없지. 학습에도 단계가 있으니까 쉽고 재미있는 것부터 시작하도록 하게. 학생들마다 좋아하는 내용과 재미있어 하는 내용이 다르기 때문에, 학생 자신이 공부하고 싶어 하는 것부터 시작하는 게 좋다네. 다윗 왕은 '놀라운 일일수록 그 내용을 잊지 않는다.' 고 했지. 그 말의 뜻은 공부가 재미있어야만 공부하는 모든 내용을 기억할 수 있기 때문에, 공부는 즐거운 마음으로 시작해야 한다는 것일세."

"그러니까 재미있는 신문기사부터 읽기 시작하는 게 좋겠군요."

이타마르가 제안했다.

"그렇지. 뭔가 재미있는 것부터 시작하도록 하지."

"뇌는 다른 근육과 마찬가지로 단계별로 움직이기 시작해야 한다는 거군요. 아침에 침대에서 일어날 때 튀어오르는 스프링처럼 움직여서는 안 되지요. 차에 시동을 걸고 조금 기다려야 하는 것과 같은 원리겠군요."

이타마르가 예를 들며 말했다.

"15분, 20분 정도 어떤 내용을 공부해야 하는지 자료를 살펴보는 게 먼저라는 거죠?"

"그러나 지금은 그 지루하고 어려운 자료를 어떻게 공부해야 하는지를 이야기했던 것 같은데."

랍비가 말하자 제롬이 기뻐하며 소리쳤다.

"와! 모두 제 얘길 듣고 있었군요."

랍비는 잠시 침묵하면서 생각을 정리했다.

"내용이 어려운 자료를 제대로 파악하기 위해서는 그 내용이 내게 어떤 이익을 주는지 생각해야 된다네. 그리고 참된 이익과 인위적인 이익을 구분해야 하지."

랍비의 말에 제롬은 혼란스러운 얼굴로 우리를 돌아보았다.

"탈무드, 토라를 공부하는 어린 학생은 쉬지 않고 열심히 공부하면 후에 존경을 받게 된다는 것을 알고 있다네. 여기서 참된 이익은 학생이 하느님께 가까이 나아가 결국은 상을 받게 된다는 거야. 자네가 경영학을 공부하면 얻게 되는 참된 이익은 뭔가? 지식을 얻고 자신의 사업을 경영할 때 도움이 되는 방법을 익히는 것이겠지. 그렇지 않은가?"

"네, 그렇죠. 그런데 주제 하나, 단원 하나까지 영 재미가 없는 건 어떻게 해야 하나요? 제 사업과 관련이 있다고 해서 대학에서 가르치는 내용을 모두 읽어야 하는 건 아니잖아요. 그리고 그 내용에서 제게 이익이 되는 내용도 찾을 수가 없어요."

"이익이 되는 게 뭔지 찾으려고 노력해야지."

랍비가 단호하게 말했다.

"총명한 학생들은 학문에 정진하면서 자신들이 지켜야 하는 율법과 관련된 내용이 무엇인가를 철저하게 찾아내려고 노력한다네. 그 과정 속에 큰 기쁨이 있기 때문이지."

다음으로 이타마르가 나섰다.

"이런 예를 들어 보도록 할까. 경영학 공부가 정말 재미없을 때, 그 강의를 통해 얻을 수 있는 참된 이익은 뭘까 하고 생각해 보는 거야. 그 강의에서 이자에 대한 내용을 자세하게 배운다면 네가 나중에 은행에서 대출을 받을 때, 그런 내용을 모르고 있었을 때보다 훨씬 도움이 될 거야."

제롬은 이해가 된다는 듯 고개를 끄덕였다. 랍비가 말을 이었다.

"정통 보수주의 유태교인들한테는 공부를 잘하려는 이유가 한 가지 더 있다네. 학문적으로 뛰어난 학생들은 랍비의 칭찬을 받을 뿐만 아니라 결혼하기도 쉽지. 과거에 랍비들은 총명한 학생들에게 자신의 딸을 중매하곤 했거든. 유태인 사회의 부자들도 총명한 학생들을 찾아내어 사위로 삼았지. 그것은 양쪽 모두에게 좋은 일이었네. 총명한 학생들은 경제적, 사회적인 지위를 함께 보장받는 좋은 기회를 얻을 수 있었지."

"랍비의 딸들이 예쁘면 총명한 학생들도 그 랍비에게로 모여들었겠네요?"

제롬이 웃으면서 말했다.

"그랬겠지."

그러자 제롬은 슈네이더만에게 물었다.

"요시크, 너는 예쁜 여자와 부자인 여자 중에서 누가 더 좋겠어?"

슈네이더만은 얼굴이 붉어지면서 불편해 보이는 얼굴로 이마를 긁었다.

"아이들에게 좋은 엄마이면서 좋은 아내가 될 수 있는 사람이면 돼요."

"그럼 못생겨도 된다는 거야?"

제롬이 따지듯이 묻자 이타마르가 말렸다.

"제롬, 슈네이더만 좀 그만 내버려둬."

랍비도 타이르듯이 말했다.

"사랑하는 사람과 결혼하면 되는 거지. 자네들은 그렇게 결혼하지 않나?"

"진실한 사랑은 시간이 지나면서 생겨날 수도 있지요."

제롬의 대답을 듣고 랍비는 웃으면서 말했다.

"어느 날 한 유태인이, 중매쟁이가 자기 집에 들어온 것을 보고 자기는 중매가 필요없다고 말했네. 사랑하는 사람, 정말 자기가 좋아하는 사람과 결혼할 거라고 말일세. 중매쟁이는 설득했지. '부자 아버지를 둔 무남독녀가 있거든요. 그녀에게는 아이가 없는 삼촌과 과부가 된 고모가 있는데, 둘 모두 유산을 이 무남독녀에게 물려준대요.' 어떤가? 이런 여자를 어떻게 좋아하지 않을 수 있겠나?"

제롬이 손뼉을 쳤다.

"나한테도 그런 일 좀 일어나면 좋겠는데. 그런데 인위적인 이익이란 게 뭔가요?"

"공부하고 싶은 마음이 들게 하고, 복잡한 내용을 보다 쉽게 공부하도록 격려하는 등 여러 가지 인센티브를 주는 것을 말하지."

랍비가 대답하고는 슈네이더만을 바라보았다.

"자네 내가 무슨 이야기 하는지 알겠나?"

슈네이더만은 금세 알아차렸다.

"작은 관심과 노력이 학생들의 마음을 공부하는 방향으로 이끈다는 거겠죠."

"예를 들면 어떤 거?"

제롬이 묻자 슈네이더만이 간단하게 대답했다.

"사탕과 군것질거리 같은 거요. 제가 어렸을 때 공부를 잘하면 랍비가 초콜릿을 한 조각씩 주셨던 기억이 나요."

"초콜릿이라, 좋은 생각이군. 그렇다면 나는 나 자신에게 '제롬, 집중해서 열심히 공부하면 공부 끝나고 나서 초콜릿 케이크 줄게.'라고 말해야겠네.'

"부정적인 인센티브도 있다네. '예루살렘을 잊어버린다면 너의 오른손도 잃어버릴 것이다.' 이런 구절 들어 본 적 있는가? 자네도 자신에게 이렇게 말할 수 있을 거야. 할 일을 제대로 다 하지 못하면 보고 싶었던 축구를 볼 수 없다고 결심하는 거지."

랍비가 정확하게 핵심을 짚어 내자 제롬은 놀라서 눈이 휘둥그레졌다.

"존경하는 랍비님, 그건 너무 잔인한 인센티브인데요?"

"예를 들어서 그렇다는 것뿐이야."

랍비가 웃으면서 말했다. 제롬은 문득 우리를 돌아보며 말했다.

"오른손 말이 나왔으니 생각나는데 말야, 내가 이런 이야기 한 적 있었나? 하루는 길을 걸어가고 있는데 갑자기 오른손이 막 아파 오는 거야."

"그래 무슨 일이었나?"

랍비가 긴장하면서 물었다.

"처음에는 어디 이상이 생긴 줄 알았어요. 그런데 그날 아침 누군가 제게 이스라엘의 수도가 어디냐고 물었거든요."

제롬은 여기서 말을 멈췄다. 랍비는 이마에 주름이 생길 정도로 심각한 표정을 하고 제롬이 하는 말을 이해하려고 노력하는 중이었다.

"잊어버렸어요. 예루살렘이 이스라엘의 수도라는 걸 잊어버렸다니까요."

제롬이 호소하듯이 양손을 펼치며 이렇게 말하자 랍비는 그제야 이해했다.

"자네 정말 농담을 잘하는군. 이제 뭐라도 좀 마실까?"

이때 파비오가 다가와 물었다.

"존경하는 랍비님, 커피를 드릴까요? 박하 잎을 띄운 차를 드릴까요?"

우리는 각자 원하는 대로 주문을 했다. 파비오는 주문을 받아 다시 식당으로 들어갔다.

"쉬운 내용의 교재를 먼저 공부하는 게 좋겠다는 이야기를 하다가 말았지?"

랍비가 계속 말을 이었다.

"지금부터 잘 들어 두게. 공부하는 동안에는 의자에서 일어나지 말고 집중해서 끝마칠 때까지 열심히 해야 되네. 쉬는 시간이 될 때까지는 그대로 앉아서 공부에 빠져 들어가야 하지."

쉴 때와 나아갈 때를 구분하라

공부하면서 다른 일에 신경을 쓰기란 어려운 일이다.
유태인식 안식일의 법칙은 마음의 정돈에 어떤 효과를 가져다 주는가.

"새벽 2시까지 공부를 하고 나서 쉬는 시간을 가져야 하는 건가
요?"

제롬이 물었다.

"난 항상 한 시간 반 정도 공부하고 쉬는 시간을 갖거든요."

"공부하는 시간은 각자 좋은 대로 계획하고, 공부에 쏟는 에너지
도 각자 조절하면서 하도록 해야지. 한 시간 반이 지나도 집중력이
떨어지지 않고 계속 공부에 몰두할 수 있다면, 굳이 쉬는 시간을 그
때 가질 필요는 없다네."

내가 한 가지 예를 들었다.

"그건 마치 윈드서핑을 하는 것과 같군요. 윈드서핑을 하던 사람
은 쉬는 시간이 되었다고 해서 파도 높이 올라가 있는데 굳이 내려오
려고 하지 않잖아요. 파도의 끝자락이 해변가에 밀려오는 순간까지

계속 즐기지요."

"아주 좋은 비유로군. 파도의 흐름을 타는 거라네."

"파도타기를 하라는 거군요. 흐름을 탄다는 건 이미 물에 빠졌다는 것 아닌가요?"

"미리 계획하지 않았다면 멈추지도 말고 쉬는 시간도 갖지 말고 의자에서 일어나지도 말게. 머릿속에 다른 생각이 나기 시작하면 그때 쉬는 시간을 갖도록 하게."

이타마르가 고개를 끄덕이며 말했다.

"맞습니다. 집중력과 이해력이 떨어질 때는 공부를 계속하려고 노력하기보다는 차라리 조금 쉬는 게 나아요. 한 번에 두 시간 정도 공부하는 것이 바람직하지요. 한 번에 다섯 시간을 공부하면 나중에는 피곤하고 집중력이 떨어져서 공부를 더 하기 힘들어요."

"그럼 언제 공부를 시작하고 언제 마쳐야 하겠나?"

랍비의 물음에 이번에는 내가 말했다.

"심을 때가 있고 심은 것을 뽑을 때가 있다고 하지요. 찾을 때가 있고 잃을 때가 있으며 지킬 때가 있고 버릴 때가 있으며 잠잠할 때가 있고 말할 때가 있으며……."

"모든 것에는 때가 있느니라."

제롬이 요약했다.

"자네가 어떤 일에 몰두하고 있다면 그 일을 끝마칠 때까지 하도록 하게. 자네가 그 일을 멈추는 순간 그런 일이 언제 있었냐는 듯 그 일로부터 멀어질 수 있으니까. 한 가지 일에서 다른 일로 옮겨갈 때 분명하고 정확하게 선을 그을 필요가 있지."

랍비는 의자를 끌어당겨 앉으면서 다리를 꼬았다.

"나도 몇 년 전 일과 아이들 문제로 고민을 한 적이 있다네. 일이 바빠서 아이들과 충분히 놀아 주지 못할 때는 일하는 중에도 아이들에게 미안한 마음이 생겼고, 아이들과 놀아 줄 때는 일이 밀려 있는데 어떻게 해야 하나 싶어서 많은 고민을 했지. 그러다 보니 양쪽 일을 다 제대로 하기 힘들었고 짜증이 나더군."

랍비는 설탕 봉지를 찢어 작은 설탕 한 개를 찻잔에 넣고 천천히 숟가락으로 저었다.

"내가 찾아낸 결론은 바로 전도서에 있는 내용이었네. '일할 때는 가족 생각을 하지 말고 일에 전념하고, 가족과 있을 때는 일과 관련된 것은 모두 잊어버린다'는 것이었지. 일할 때는 일만 생각하게. 가족과 있을 때는 오로지 가족에게만 최선을 다하는 거야. 공부를 할 때는 공부에 온 힘을 기울이고, 쉬는 시간에는 공부했던 내용에 대해 생각하지도 말고 머릿속으로 공부한 내용을 정리하려고 노력하지도 말게. 쉴 때는 완벽하게 쉬어야 하지."

이타마르는 몇 가지 내용을 메모하다가 물었다.

"유태교에서 가장 중요하게 생각하는 게 뭔가요? 안식일을 지키는 것 아닙니까?"

"그렇지. '안식일을 기억하여 거룩히 지키라.'는 것이 가장 중요한 이유는, 그 내용에 유태 민족의 숨겨진 미래가 있기 때문이라네. 오랜 역사 속에서 유태인들은 그들의 안식일을 지키고 안식일의 촛불을 켜며 빵을 굽고 식사 전 기도를 해 왔다네. 일주일에 하루 안식일에 유태인들은 모든 일을 떠나 편히 쉬고, 기도하고, 공부하면서 식탁에 가족과 둘러앉아 이야기를 나누면서 온전한 유태인의 삶을 누리는 것이지. 어째서 안식일이 거룩한 날인가? 그것은 일과 휴식으로 완전히 나뉘기 때문이야. 안식일에 지켜야 할 일과 해서는 안 되는 일들이 유태법에 적혀 있다네. 일을 해서는 안 되고 성서에 대한 내용이나 종교 생활에 관련된 내용에 대해서만 이야기를 나누고, 의복도 잘 갖춰 입어야 하지. 안식일에는 하느님의 말씀으로 머리를 채우면서 정신 건강을 위해 머릿속 청소를 하는 거라네."

"신문에서 읽은 이야기가 생각납니다. 모티 지사르라는 사업가는 종교인인데 일을 하다가도 안식일이 시작되기 전에 집에 돌아가려고 자가용 비행기를 구입했다고 하죠. 안식일에는 일을 잊어버리고 가족들과 함께 지낸다고 말예요."

"그가 가장 큰 가치를 유태교에 두기 때문이지. 일도 공부도 아닌 유태교에 가장 큰 가치를 부여했기 때문이네."

랍비는 잠시 쉬면서 눈을 감았다.

"안식일에 대해서, 휴식 시간을 가질 때 항상 생각해 보도록 하게."

제롬이 알겠다는 듯 고개를 끄덕였다.

"휴식 시간에 대한 내용은 별로 잊어버리지 않을 것 같네요."

브리타 정수기 효과

한정된 크기의 정수기에 지나치게 많은 수돗물을 부어 넣으면
정수되지 않을 뿐만 아니라 통에서 물이 새어 나간다.
사람의 두뇌도 그와 마찬가지다.

"잘 이해했다고 하는 것은 이해하지 못한 것이고, 조금 이해했다고 하면 이해한 것이다. 이런 이야기가 있습니다."

쥬네이더만이 책 속의 문장을 인용하자 랍비가 말했다.

"정확해. 바로 그거야. 유태인 현인들은 인간의 제한된 지혜로 모든 것을 안다는 것은 불가능하기 때문에 조금씩 배우는 것이 좋다고 했다네. 그래서 천천히 배워 가면서 복습과 기억을 많이 하도록 해야 한다고 가르쳤지."

"대부분의 학교에서는 짧은 시간에 많은 자료를 빠른 속도로 공부하고 넘어가지요. 그런 방식으로 공부를 하는 건 비능률적이라는 게 분명한데, 우리를 가르치는 교수님들 대부분이 그렇게 하고 있습니다."

나는 씁쓸하게 이야기했다. 그리고 나서야 이타마르 교수님이 있

271

다는 걸 깨달았다. 이타마르는 민망한 듯 이마를 만지작거렸다.

"나는 가르치는 학생들에게 읽어야 할 책의 목록이 적혀 있는 두꺼운 리스트를 나누어 주는데, 학생들은 그 책을 모두 읽고 내용을 기억해야 돼. 나도 좀 심한 건가?"

"그렇게 하면 한 학기가 끝날 때 학생들 머릿속에 뭐가 남게 되지?"

제롬이 묻자 이타마르가 할 말 없다는 듯 시선을 바닥으로 떨어뜨렸다.

"뭐 그리 많은 걸 기억하진 못하겠지."

"브리타 효과라는 거 알아?"

나는 이타마르에게 물었다. 처음 듣는 이야기인지 슈네이더만이 내게 물었다.

"브리타 효과라는 게 뭔데요?"

"그 왜, 물 깨끗하게 걸러 먹는 브리타 정수기란 상표 있지."

"그래요, 있어요. 그런데요?"

"그 정수기와 공부하는 방법을 비교할 수 있거든. 정수기에 일정한 양의 물을 채우면 그 물은 필터를 통해 정수가 되어 아래로 흘러내리게 돼. 그런데 물을 너무 많이 채우면 물이 옆으로 새어 나가거나 밖으로 흘러 버리게 되지. 공부 자료도 마찬가지야. 내용을 조금씩 가르쳐서 서서히 지식을 얻으면 다시 또 가르치는 거야. 몇 시간 동안 계속해서 집중적으로 너무 많이 가르치면 그 내용이 머릿속에 남지 않고 흘러내려서 사라져 버린다고."

"좋은 예로군. 브리타 효과라."

랍비는 혼자서 중얼거리다가 말했다.

"『기억과 망각』에, '의미 있는 적은 것이 의미 없는 많은 것보다 더 낫다.' 는 내용이 있다네. 저자는 매번 조금씩 공부하라고 권하고 있지. 예를 들어 시편에서 150편의 시를 고른다면 30일로 나누어 하루에 5편씩 공부하도록 계획을 세우는 거라네. 그리고 매일 두 권의 소책자를 공부하는 것이 바람직하다고 말하지. 그중 하나는 꼼꼼하게 그 의미를 파악하면서 읽고, 다른 하나는 빨리 읽는 것을 추천하고 있다네."

"간단하게 가르친 내용은 영원히 머릿속에 남는다고, 유월절 책자에도 쓰여 있어요."

슈네이더만은 이렇게 말했으나 그에 대한 추가 설명은 하지 않았다. 나는 결론을 내렸다.

"결국 그 이야기는 인간의 집중력과 학문을 흡수하는 능력이 제한적이라는 걸 말하고 있군요. 전하는 내용이 간단 명료할수록 사람들은 더욱 잘 기억한다는 것입니다."

모두 조용히 내가 끝마무리하는 것을 들었다. 제롬이 문득 입을 열었다.

"죄송한데 제가 오늘은 집중을 잘 못했거든요. 식사를 시작할 때부터 나눈 이야기를 다시 들려줄 순 없겠습니까?"

그러자 랍비가 웃으면서 말했다.

"아쉽게도 이제 정말 마쳐야 할 시간이 된 것 같네. 나는 집으로 가야 할 시간이고 요셉 하임 슈네이더만은 예시바로 돌아가야지."

자리에서 일어나면서, 학습 방법과 기억력에 대한 슈네이더만의 이야기를 듣기 위해 며칠 뒤 다시 만나자는 약속을 했다. 우리는 인사를 나누고 헤어졌다. 제롬은 파비오와 이야기를 몇 마디 나누었다.

카페에서 나와 길을 걷고 있는데 길모퉁이에서 눈에 익은 한 여자가 지나가는 것을 보았다. 리사였다. 그녀는 카페 라디노 쪽으로 빠르게 걸음을 옮기고 있었다. 제롬은 우리에게 리사를 계속 만난다는 이야기를 따로 하지 않았지만, 그걸 보니 둘 사이에 뭔가 진지한 만남이 이루어지고 있다는 생각이 들어 기뻤다.

자기만의 방법으로 이해하기

이해되지 않은 내용을 기억하기란 어려운 일이다.
기억에 앞서 무엇보다 이해해야만 한다.
유머를 통한 이해도 도움이 된다.

회색빛 구름이 해를 가리고 있었지만 날씨는 더웠다. 제롬은 우리가 지난주에 앉았던 바로 그 식탁 앞에 앉아 있었고, 그 식탁에는 많은 자료가 쌓여 있었다. 제롬은 시험을 대비하여 기억력이 좋아지게 하는 방법을 요셉 하임 슈네이더만에게서 배울 준비가 되어 있는 것처럼 보였다.

나는 아무 말 없이 웃으면서 그의 앞에 앉았다. 제롬은 이상스럽다는 듯이 나를 쳐다보았다.

"왜 웃는데?"

"나한테 특별하게 할 말 없어?"

"무슨 말?"

"지난주에 우리 헤어지고 나서 집으로 돌아갈 때, 이곳으로 들어가는 어떤 여학생을 본 것 같아서."

나는 참지 못하고 먼저 말을 해 버렸다. 제롬은 그제야 알겠다는 듯 웃었다.

"대학에서 만나고 나서 우리 둘이만 만난 건 지난번이 두 번째야."

"그랬군."

그는 고개를 들어 사랑에 빠진 사람이 으레 그렇듯이 부드러운 눈빛을 하고 입가에 잔잔한 미소를 지었다. 나는 더 자세히 물어봐야겠다고 마음먹었다.

"그래서 그다음엔?"

그는 입을 다물고 아무 말도 하지 않다가 내가 재촉하자 천천히 입을 열었다.

"뭐 좋은 쪽으로 발전을 할 수도…… 아마도 내 생각에는……."

그는 다시 침묵을 지켰다. 랍비 다하리와 요셉 하임 슈네이더만이 카페의 정원에 들어서면서 우리에게 기쁜 얼굴로 손을 흔들고 있었기 때문이다.

"나중에 얘기해."

제롬은 의자에서 일어나면서 내게 속삭이듯 말했다. 그러고는 금방 태도를 바꾸어 그들에게 인사했다.

"어서 오세요."

"다시 만나 반갑군."

랍비는 지난번 앉았던 자리에 앉으면서 말했다.

"학교 공부는 어떤가? 지난번에 배운 것을 실천해 봤나?"

제롬은 의자에 앉고는 고개를 설레설레 흔들며 웃었다.

"올리브유와 꿀을 사려고 슈퍼에 갔는데 그 종류가 너무 많아서 어떤 것이 기억력에 가장 도움을 주는지 모르겠더라고요."

랍비가 뭐라고 입을 열려 하자 제롬이 손사래를 치며 말했다.

"농담입니다. 농담. 벌써 여러 가지 시행해 봤어요. 시험지나 필기한 내용의 각 장에 제 이름을 써 넣기로 했어요. 종교인들이 쓰는 것처럼 '바사드'라고만 쓰면 틀린 내용을 적는다거나 성적이 낮은 경우 하느님께 누를 끼치는 것 같아서 제 이름을 쓰기로 한 거예요. '바사드'라고만 쓰여 있는 경우 하느님께서 시간이 없거나 그 내용을 몰랐거나 또는 다른 이유로 낮은 성적을 받게 되면 별로 좋아 보이지 않잖아요. 교수님들이 하느님께서 어떤 내용이든 그 내용에 대해 전문가가 아니라는 사실을 받아들일 수 있을까요? 만약 제 이름만 씌어 있다면 상황은 많이 다르겠죠. 그러나 하느님과 함께한다면 어떤 방법으로든 도움을 주실 거예요."

슈네이더만과 랍비는 조용하게 제롬의 이야기를 들으면서 이것이 평소 그가 즐기던 농담인지 진지하게 받아들여야 할지 고민하고 있는 것 같았다.

"그것 말고도 저는 이곳 카페 라디노에 와서 공부하기 시작했어요. 일주일에 세 번 저쪽 구석에 있는 식탁에서, 지난주에 보았던 친구와 헤브루타 방식으로 공부를 하고 있어요."

"정말 잘하고 있군."

랍비가 웃었다.

"카페에서 공부를 하니까 공부하는 게 노는 것과 비슷해서 정말 재미있어요. 여기서 공부를 하니까 공부하는 내용이 머릿속에 더 잘 들어와요. 그동안 어떻게 그렇게 작고 답답하고 조용한 집에서 공부를 했는지 모르겠어요."

이타마르는 늦게 도착해서 우리 옆에 자리를 잡고 앉았다.

"요시크, 잘 지냈나?"

제롬이 슈네이더만에게 안부를 물었다.

"하느님 덕분에 잘 지냈죠."

슈네이더만은 웃으면서 대답했다.

"당신을 위해 몇 가지 준비했는데 도움이 될 만한 내용이에요."

"그래?"

제롬이 자세를 바르게 고쳐 앉으며 말했다. 슈네이더만은 랍비가 이야기해도 좋다고 허락할 때까지 기다렸다가 말문을 열었다.

"지난번에 쉬운 내용부터 공부하기 시작해서 나중에 어려운 내용을 다루라고 이야기했죠? 그리고 중간중간에 짧게 쉬는 시간을 갖는 게 좋고요. 지금 이야기하는 건 무척 중요해요. 어렵고 복잡한 내용도 그 내용을 완전히 이해했다면 문제될 것 없다는 사실 말이에요. 모든 것을 자세히 이해했다면 쉽게 잊어버리지 않는 법이지요."

제롬은 못마땅한 얼굴로 슈네이더만을 바라보았다.

"그건 당연한 이야기잖아?"

이타마르가 웃으면서 말했다.

"꼭 그렇다고 할 순 없어. 어떤 내용은 분명하게 아는 것 같은데 사실은 그렇지 않을 때도 있다고."

제롬은 이타마르를 바라보면서 다음 말을 들었다.

"자, 예를 들어 볼까. 혹시 외래어로 아드 혹, 모두스 비벤디, 타불라 라사, 보나 피데라는 말을 들어 본 적 있어?"

"그럼, 들어 봤지."

제롬이 자신있게 대답했다.

"그러면 '예언자는 자신의 고향에서 환영받지 못한다.' 라는 말은 들어 봤겠지?"

이타마르는 말을 마치고 나서 제롬을 똑바로 쳐다보며 물었다.

"제롬, 아드 혹이 무슨 뜻인지 알아?"

제롬은 창백해진 얼굴로 더듬거리면서 말했다.

"그건…… 음…… '~한 결과로' 라는 뜻 아닌가?"

"그럼 '예언자는 자신의 고향에서 환영받지 못한다.' 는 무슨 뜻인데?"

이타마르는 제롬에게 집요하게 질문을 했다. 제롬은 갈수록 난처해졌다.

"누가 뭘 할 수 없다는 뜻 아니야? 아니, 잘 모르겠어."

이타마르는 꼬았던 다리를 풀면서 탁자에 손을 올려놓았다.

"그 뜻이 머릿속에 떠오를 듯하지만 알쏭달쏭하지?"

"맞아."

제롬이 고개를 끄덕였다.

"그런 말을 듣기는 들었는데 한 번도 그 말의 분명한 뜻을 알아보려고 한 적은 없어."

"미국 텔레비전에서 방영했던 프로그램이 있었는데, 아이들에게 여러 가지 다양한 질문을 던져서 주어진 답을 맞히게 하는 것이었어. 그중 '카리스마' 라는 단어가 있었는데 아이들은 그 단어의 뜻을 잘 모르고 있더라고."

내가 나서서 거들었다.

"한 아이는 병원에 누워 계신 증조할아버지가 가장 카리스마가 있다고 대답했지 뭐야."

내 말에 모두 큰 소리로 웃었다.

"다른 아이는 아빠가 오늘 카리스마를 정원에 심었다고 했고, 어떤 여자 아이는 엄마에게 카리스마가 있었는데 지금은 없다고 하면서 그게 어떤 종류의 샴푸인지 잘 기억하지 못한다고 했어."

이타마르가 고개를 끄덕였다.

"좋은 예로군. 이게 바로 슈네이더만이 말한 내용이야. 자기가 공부하는 내용을 전부 완전하게 이해해야 한다는 것이지. 인간의 뇌는 분명하지 않거나 이해하지 못한 내용은 기억하기 힘들거든."

그러자 랍비가 말했다.

"그렇다고 포기하진 말게. 앉아서 다시 이해하려고 1분만 노력해 보라고. 처음에 이해가 잘 안 되는 내용이 있으면 나중에까지 영향을 미치기도 한다네. 구슬 목걸이가 처음에 잘 끼워지지 않으면 끝까지 잘 안 되는 수가 있잖은가."

제롬이 대답했다.

"네, 무슨 얘긴지 알았어요. 이해가 돼요!"

그다음 슈네이더만이 말을 이었다.

"공부하는 내용을 읽고 나서 이해가 되면 그 내용에 자기 생각을 덧붙여서 자기 것으로 만드는 겁니다. 토라에 자신의 새로운 생각을 덧붙이면 그건 자신만의 것이기 때문에 훨씬 이해가 빠릅니다."

"그래, 음…… 예를 들어 그 어디에서도 찾아볼 수 없는 나만의 결론을 내리라는 거군. 그 내용에 관련된 자기만의 생각이나 의견을 가져 보라는 뜻이지?"

"뭔가 유머러스한 건 어때?"

이타마르가 묻자 슈네이더만이 대답했다.

"그런 것도 괜찮아요. 저는 이스라엘 민족이 이집트를 떠나 광야를 떠돌 때 지났던 곳과 멈추었던 곳을 적어 두면서, 그 장소와 대추야자 나무, 천막, 우물 등을 상상해 봤어요. 상상을 하던 중에 재미있는 생각이 떠올랐어요. 그들은 자기들이 멈추었던 광야 어딘가에 보물을 파묻어 두었는데 그곳이 어디였는지 기억을 못하는 거예요. 그래서 그 보물을 찾는 데 걸린 시간이 40년이나 되는 거죠. 시간이 꽤나 걸렸죠?"

슈네이더만은 민망한 듯이 웃어 보였다. 우리도 따라 웃었다. 나는 마음속으로 그리 나쁘지 않은 유머라고 생각했다.

"새로운 변화를 준다는 것은 새로운 생각을 하려고 노력한다는 것이고, 아이디어란 생각의 열매와도 같지."

이타마르가 말했다.

"그 밖에도 보물을 묻는다는 그 우스꽝스러운 생각, 즉 유머를 통한 새로운 생각이 광야 생활을 더 잘 기억하도록 도와주었어요. 그런 과정을 거쳐서 기억력에 대한 나름대로의 노하우가 생겼고요."

키워드 기억법

중심이 되는 단어를 기억하는 것은 전체 내용을 떠올리는 데에 도움이 된다.
기억을 도와주는 물건을 활용하는 것도 좋다.

"새로움은 상상을 통해 이뤄지고 상상력은 기억을 좋아지게 하는 기본적인 기술이며 비밀이지요. 랍비 예후다는 두 가지 힘, 상상의 힘과 기억의 힘에 대해 카자흐스탄 왕과 이야기를 나누었어요. 상상 속에서 내용을 기억하려고 하면 우선 그 광경이나 모습을 눈을 감고 떠올린 후 그것을 그대로 기억 속에 저장해 두라고요. 시나이 산에 대한 내용을 자세히 기억하려면 그와 관련된 모든 내용을 상상해 보는 거예요. 이스라엘 민족, 십계명을 들고 있는 모세, 홍해 바다 등 기억에 도움이 될 만한 모든 내용을 떠올려 보는 것이지요. 그런 다음 상상 속에 그리는 그 그림 속에 자신을 포함시켜 보는 겁니다. 눈을 감고 자기 자신도 상상의 일부가 되어 보는 거죠."

슈네이더만은 마치 지금 상상을 하는 듯 잠시 눈을 감았다.

"기억이란 순간적으로 떠오르는 그림을 정신적으로 잘 저장하는 능력을 말합니다. 이때는 보다 선명하고 예외적인 그림으로 바꾸어 기억하는 것이 바람직해요."

나도 새로운 예를 들어 주었다.

"아리스토텔레스와 플라톤은 기억을 돕기 위해 시각적인 상상력의 기술을 계발했지. 그 당시 발명해 낸 기술이 아직까지도 기억력이 좋아지게 하는 데 도움을 주는 것으로 인정받고 있어. 책에서 본 내용인데 물론 그건 그리스에서 발명한 거고 유태교 방식은 아니지만."

"하느님께서는 이스라엘 민족에게 '체계'를 선물로 주셨어요. 출애굽기에서 우리에게 계명을 주셨지요. '너희는 이집트에서, 곧 종되었던 집에서 나온 그날을 기념하라'고. 하느님께서는 기억력이 부족한 사람이 누군지 알고 계셔서, 그 사람에게 기억을 잘하게 되는 기술을 가르치신답니다."

슈네이더만의 이 말이 무슨 뜻인지 몰라 제롬과 나는 서로의 얼굴을 쳐다보았다.

"좋은 예를 들어서 가르쳐 주시지요. 이집트에 일어났던 모든 재앙, 피와 메뚜기, 이, 우박, 장자들이 죽임을 당하는 재앙을 정리해서 써 보세요. 하느님께서는 이스라엘 민족에게 '이집트에 큰 재앙이 내린 것을 상상해 보아라, 그것은 누가 이 세상에서 가장 위대하고 진실된 하느님인지를 너희에게 기억하게 함이니라.'라고 말씀하셨어요."

슈네이더만은 손짓을 해 가며 열정적으로 말했다. 나도 그가 든 예가 적절하다고 생각했다.

"시각적인 효과는 어때?"

이타마르는 계속 이집트의 재앙을 예를 들어 이야기하자고 했는데, 놀랍게도 제롬도 같은 생각이라며 이렇게 말했다.

"머릿속에서 할리우드 스타들을 출애굽의 내용에 갖다 붙여 시각적인 효과를 얻는다는 건 그리 쉽지가 않거든. 근육질의 아놀드 슈워제네거가 최첨단 장총을 손에 들고 적들을 향해 웃으면서 이렇게 말하는 걸 상상할 수 있겠어? '너희들을 여기에서 모두 쓸어 버리겠다. 너희도 알고 있는 것처럼 나는 이와 어둠의 재앙을 가지고 있다.' 그의 말이 끝나자마자 천둥 번개가 치고 적들은 그의 발 앞에 엎드려 '제발 이는 안 됩니다, 살려 주세요.' 라고 빌기 시작하는 거야."

제롬은 말도 안 된다는 듯 말하면서 머리를 가로저었다.

"그렇지만 그 재앙의 내용을 확실히 기억하게 되잖아요."

슈네이더만은 제롬의 상상이 썩 괜찮은 모양이었다.

"요시크, 내 말은 농담이었어. 슈워제네거의 영화를 본 적 있나?"

"아뇨, 전 영화 안 보는걸요."

"아, 미안. 슈워제네거 자체가 볼거리거든."

"어쨌든 특별하고 예외적인 방법을 쓰면 기억을 더 잘하게 돼요. 그렇게 하면 기억력도 좋아지면서 마음도 움직이게 되지요."

"요는 감성을 사용하란 거야. 감성도 기억력에 영향을 미치니까. 마음이 기쁨으로 가득한 상태에서는 기억력도 향상되지."

제롬은 이타마르를 향해 손을 들어 잠시 이야기를 멈춰 보라는 표시를 했다.

"잠깐, 좀 더 구체적인 예를 들어 줘. 내가 이 방법으로 학교에서 공부한 내용을 어떻게 기억할 수 있는지 알고 싶어."

슈네이더만은 결론을 내릴 준비가 되어 있는 것처럼 보였다.

"자, 함께 생각해 보기로 해요. 공부할 내용이란 자료나 책자에 요약된 내용을 말하는 것 맞죠?"

"그 자료는 새로운 경영학 개론에 대한 내용이야."

"좋아요. 이제는 결론을 내리고 핵심을 짚어 보는 거예요. 중심이 되는 주제와 아이디어를 찾아내는 작업입니다. 종이를 한 장 준비한 다음 그 중심 내용과 관련이 있는 단어를 한두 개 적어 보는 거예요. 회당에서 일주일 동안 읽어야 하는 율법의 중심 내용을 나누어서 정리하듯 당신의 머리에 떠오르는 중심 단어를 나누어서 써 보는 거예요."

"회당에서 읽는 율법?"

"네. 회당에서 읽는 율법에는 항상 중심 생각과 단어가 있고 그것은 앞부분에 명시되어 있어요. 창세기의 첫 부분에 보면 첫 문장이 '태초에 하느님이 천지를 창조하시니라.' 라고 쓰여 있지요. 그러고 나서 노아의 방주 편을 보면 '네 아들들과 네 아내와 네 자부들과 함께 가라.' 고 하십니다. 하느님께서는 아브라함에게도 '가라' 고 명하십니다. 중심이 되는 단어는 그 의미가 눈에 띄고 마음속에 남아 기억해야겠다는 생각이 들게 해 줍니다."

"첫째라는 단어는 확실히 강한 느낌을 주는 것 같아."

"그래서 노아라는 이름을 들으면, 한 노인이 방주에 들어가고 그 뒤에 암수 짝을 맞춘 짐승들이 따라가는 장면이 떠오르지 않아요?"

"그래, 맞아."

대답하며 제롬이 웃었다.

"거기서 '가라' 라는 중심 단어는 장소의 변화와 이동하는 것을 상상하게 하지요. 유태인들은 전 세계에 흩어져 살면서 어떻게 유월절을 지키며 유월절 의식을 잊지 않고 대대로 이어 올 수 있었을까요?"

"중심 단어를 통해서였나?"

"바로 그겁니다. 축복, 정결하게 씻음, 셀러리, 만나, 쓴 풀 등의 중심이 되는 단어를 리듬에 맞춰 외웠지요."

"그래, 생각나는군."

"지금 이야기한 그 단어들은 유월절 책자의 앞부분에서 반복해서 강조하는 단어들이에요. 포도주에 대한 축복, 유월절 의식이 시작되기 전에 정결하게 씻는 손, 소금물에 찍은 셀러리를 먹는 것, 만나를 반으로 나누기 등 유월절 의식은 열다섯 부분으로 나뉘어 있어요. 그래서 이처럼 많은 내용을 잘 기억하기 위해서는 인상적인 단어를 골라 눈에 띄게 시선을 끌 수 있도록 써 보는 거예요."

"예시바 근처에서 볼 수 있는 광고문들처럼?"

"광고요? 무슨 광고요?"

슈네이더만은 이해가 되지 않는다는 표정이었다.

"종교인들의 동네에 가면 벽에 빽빽하게 붙어 있는 특이한 광고문들 있잖아."

"잘 모르겠는데요."

슈네이더만은 광고라고는 기억나지 않는 모양이었다. 이타마르가 예를 들어 주었다.

"최근에 보았던 것으로는 구인 광고가 있었는데 그 내용이 뭐였는지 알아? '도와주세요. 불쌍하고 배가 고픈 고아들에게 요리를 해 주실 분을 찾습니다.' 이런 것이었어. 요리사를 구한다는 내용이 지금 가장 중요한 일이라는 느낌이 확 와 닿는 광고문이지."

이타마르가 말을 마치자 랍비 다하리와 슈네이더만은 그제야 알겠다는 듯 서로의 얼굴을 쳐다보며 웃었다.

"우리는 이미 그런 광고문에 적응이 된 상태라서 그게 그다지 신기하지 않아요. 그래도 어쨌든 사람들의 이목을 끈다니 좋은 일이네요."

슈네이더만이 말했다.

"사람들의 주의를 집중시키는 또 다른 방법이 있네. 그건 특이한 모양으로 글씨를 쓰는 것일세."

슈네이더만은 그렇게 말하는 랍비를 놀란 눈으로 돌아보았다.

"주로 광고문이나 책의 첫 부분에 특이한 글씨체를 사용하는데, 그 이유는 사람들의 눈에 잘 띄게 해서 그것을 읽고 싶은 마음을 갖게 하려는 것이지."

"중심이 되는 단어도 눈에 띄게 하면 좋겠네요. 그 단어를 성공적으로 기억하기 위해서는 거리에 있는 신호등의 불빛이 주변을 밝혀주는 것처럼 그와 연관이 있는 다른 단어를 떠올릴 수 있어야 해요."

슈네이더만이 자신의 생각을 힘주어 덧붙였다.

"돌아가신 랍비 하임 비텔은 토라를 공부하는 방법으로 '간단함, 힌트, 설교, 비밀'이라는 네 가지 방법이 있다고 했어요. 간단함이라는 건 이미 이야기했듯이 내용을 읽고 결론을 내린 뒤 중심 단어나 주제를 찾는 것이었어요. 힌트란 중심 단어를 가지고 다른 내용을 알아내는 것이에요. 그렇게 기억력 향상을 도와주는 요소는 유태교에서도 찾아볼 수 있어요."

슈네이더만은 잠시 물을 마시기 위해 이야기를 멈췄다.

"기억을 도와주는 요소라는 게 뭐지?"

내가 묻자 슈네이더만은 곧 적절한 예를 찾아보았다.

"기억을 돕는 요소 또는 물건이란, 당신이 무언가를 보면 다른 것을 떠올리도록 도움을 주는 것을 말하는 거예요."

슈네이더만은 몸을 조금 일으키더니 바지의 허리에 묶여 있는 찌찌트(유태인들이 기도할 때 쓰는 두건의 아랫부분 네 귀퉁이에 달려 있는 장식 술——옮긴이)를 보여 주면서 말했다.

"이 찌찌트도 기억을 도와주는 물건이에요."

"찌찌트?"

"성경에서 민수기를 보면 하느님께서는 이렇게 말씀하셨어요. '여호와께서 모세에게 일러 말씀하시길, 이스라엘 자손에게 명하여 그들의 대대로 그 옷단 귀에 술을 만들고 청색 끈을 그 귀의 술에 더하라. 이 술은 너희로 하여금 여호와의 모든 계명을 기억하여 준행하고 너희로 하여금 방종케 하는 자기의 마음과 눈의 욕심을 좇지 않게 하기 위함이라.' 라고요. 「그마라」에 나와 있는 말인데, '보는 것은 기억하는 것' 이라고 해요. 찌찌트를 단 사람을 보면 그가 누구이고 무엇을 하는 사람인지 알게 되고, 그는 율법을 지키는 사람이라고 생각합니다. 찌찌트는 특별히 쉐마(유태인 종교인들이 아침, 저녁에 드리는 중심 되는 기도——옮긴이) 기도를 기억하게 해 주는 것이죠."

슈네이더만이 자신의 찌찌트에 늘어뜨린 푸른 끈을 가리키며 말했다.

"하루에 두 번, 아침과 저녁에 쉐마 기도를 해요. 옷단의 귀에 술을 만들어 청색 끈을 그 귀의 술에 더하는데, 그 술을 보고 하느님의 모든 계명을 기억하고 준행해야 하는 거예요. 그걸 보고 몇 개의 율법을 지켜야 하는지 어떻게 알 수 있을까요?"

"몇 개냐 하면 그건 알지. 613개 맞지?"

제롬의 말에 고개를 끄덕이며 슈네이더만은 다시 찌찌트를 가리켰다.

"네, 맞아요. 지켜야 할 계명이 613개라는 것을 암시하는 다른 힌트가 있어요. 찌찌트의 줄 하나마다 다섯 개의 매듭과 여덟 개의 작은 줄로 되어 있어요. 다섯에 여덟을 합하면 몇이죠?"

"열셋이지."

"그럼 찌찌트란 단어는 기메트리아(유태인들은 히브리어를 숫자로 풀어 그 단어에 더 깊은 의미를 부여하거나 새로운 해석을 시도했는데 이를 가리켜 '기메트리아'라고 한다. ─옮긴이)로 얼마예요?(히브리어의 모든 자음은 그에 상응하는 아라비아 숫자가 있다. 예를 들어 히브리어의 첫 자인 '알렙'은 아라비아 숫자의 1과 같고 두 번째 자음인 '베트'는 숫자 2와 같다. ─옮긴이)"

이타마르가 머릿속으로 계산을 하더니 말했다.

"ㅉ은 90, ㅣ는 10, ㅉ은 90, ㅣ는 10, 그리고 '트'는 400이니까 모두 합하면 600이야."

"그럼 조금 전에 계산해 놓은 13을 더하면 613이에요. 그래서 우리가 지켜야 할 계명은 모두 613개가 됩니다."

"대단하군."

나는 그 계산법에 감탄했다.

"그럼 손으로 매듭 짓는 것이 여기에서부터 시작된 건지 궁금한걸."

제롬은 고개를 갸우뚱거리면서 말했다. 랍비가 대답했다.

"그건 다른 데에서 연유했다고 생각되네. 잠언에 '이것을 네 손가락에 매며'라는 구절이 있는데, 거기에서부터 시작된 것으로 생각하지."

"트필린(기도할 때 양미간 사이에 두르는 작은 상자와 팔에 묶는 끈
——옮긴이)도 기억을 도와주는 물건이에요. '이것으로 네 손의 기호
와 네 미간의 표를 삼고 여호와의 율법으로 네 입에 있게 하라. 이는
여호와께서 능하신 손으로 너를 애굽에서 인도하여 내셨음이라.' 라
고 민수기에 나와 있어요. 트필린에도 출애굽에 대한 내용이 나타나
있는데, 트필린을 머리에 덮어쓸 때 하느님의 말씀과 지켜야 할 계명
을 생각해야 합니다."

슈네이더만은 손에 쥐고 있던 찌찌트를 내려놓으면서 우리를 바라
보았다.

"내가 이스라엘로 이민을 올 때 찌찌트가 무엇인지는 알고 있었지
만, 밖에서 찌찌트가 달린 옷을 입고 다니는 사람들을 보면서 왜 좀
더 괜찮은 옷을 입지 않는 걸까 생각했던 기억이 나는군. 나는 그저
올이 많이 풀린 옷이라고 생각했거든."

제롬이 말하면서 웃었다.

"정리하면 기억을 도와주는 물건은 남다른 아이디어를 떠오르게
해 주는 거라네. 어떻게 하는지 한번 해 볼까?"

랍비는 제롬이 필기해 놓은 내용을 펼쳐 보며 말했다.

"사업 자금 조달 방법이라. 사업을 시작하기 위해서는 자금이 필
요하다. 새로운 사업을 위해 먼저 자금에 대한 내용을 살펴보도록 한
다. 첫째는 자금을 가장 빠르게 조달하는 방법인 개인 자본이다. 여
기까지 내가 지금 읽은 내용 중 중심 단어는 무엇이었지?"

"개인 자본이에요."

랍비는 종이에 '개인 자본'이라고 썼다.

"개인 자본을 뭐라고 상상하면 좋을까?"

제롬이 슈네이더만을 바라보았다.

"음…… 금화가 들어 있는 자루를 끌어안고 있는 모습이 떠오르는데요."

제롬은 한쪽 눈을 살짝 찡긋해 보이며 밝은 미소를 지었다.

"다음으로 투자를 크게 할 필요가 있을 때에는 위험 부담을 줄이기 위해 동업자를 두면 좋다. 동업자는 능력, 지식, 전문성에도 도움을 준다. 여기에서 중심 단어를 꼽자면?"

"동업자."

제롬이 말하자 랍비는 '동업자'라는 단어도 종이에 썼다.

"나와 함께 공부하는 친구인 솔로몬을 떠올리게 되네요. 사실 그는 공부를 함께 하는 동업자라고 할 수 있으니까요."

슈네이더만이 말했다.

"나는 헤브루타 친구인 이츠하크를 상상했어. 그 친구는 사업에 대한 감각이 있거든. 나중에 동업하게 될지도 몰라."

제롬이 크고 분명한 목소리로 말했다.

랍비는 '동업자'라고 쓴 곳 옆에 괄호를 치고 이츠하크라는 이름을 써 넣었다.

"투자를 오랜 기간 동안 하는 경우 투자한 자본에 위험성이 뒤따른다. 특히 기술 프로젝트의 경우에 위험성이 높은 편이다."

"투자한 자본의 위험성."

랍비는 그 내용도 종이에 적어 넣었다.

"이것이 자금에 대한 세 번째 내용이다."

"투자한 자본의 위험성을 어떻게 상상하면 좋을까?"

제롬이 슈네이더만에게 질문을 던졌다.

"전 '투자한 자본의 위험성'이란 것이 뭘 말하는지조차 모르겠어요."

슈네이더만이 부끄럽다는 듯이 웃었다.

"그런데 머릿속에 떠오르는 그림은 무시무시하고 날카로운 코뿔소의 '위험한 뿔'이에요. 그래서 중심 단어는 위험한 뿔이라고 생각해요."

"좋은 생각이군. 코뿔소의 뿔, 그 뾰족한 뿔의 끝에 치명적인 독이 있을 수 있겠지."

랍비는 슈네이더만의 대답에 고개를 끄덕였다. 그러자 제롬이 재빨리 말을 꺼냈다.

"보조금을 지급받는 경우도 있어요."

"자본의 네 번째 내용이 보조금이군."

랍비는 종이에 '보조금'이라고 적었다. 제롬이 말했다.

"거액의 종이돈을 뿌리는 장면이 생각나네요. 이 내용의 중심 단어는 '거액'이라는 단어겠죠? 거액이라는 단어만으로도 거액의 보조금을 떠올리게 되네요."

"일반적으로 가장 중요한 자본 중의 하나는 은행 대출을 들 수 있다."

노트를 읽으면서 랍비가 제롬을 쳐다보자 제롬은 또 말했다.

"이번에는 '대출'이지요."

"이로써 자본에 대한 내용을 모두 살펴보았는데, 어떤 내용인지 다시 한 번 요약해 볼까?"

"존경하는 랍비님, 제가 이야기해 보겠습니다."

슈네이더만이 랍비에게 이렇게 청하고는 눈을 감고 그 내용에 대해 이야기하기 시작했다.

"개인 자본, 사업을 함께하는 동업자, 투자한 자본의 위험성, 보조금과 은행의 대출금."

슈네이더만이 어찌나 빠른 속도로 줄줄 외워 내려가는지 우리는 놀라움을 감출 수 없었다.

"그 내용을 모두 외워서 그렇게 빨리 말할 수 있다니 그 비결이 뭐야?"

"비법은 중심 단어를 모두 기억하는 것이에요. 내용을 요약한 중심 단어만 기억하면 전체 내용도 쉽게 떠오르니까요."

모든 감각을 동원해 생생한 이미지 잡기

기존의 지식을 활용하여 새로운 지식에 상상의 재료로 쓴다.
우리 두뇌는 서로 관계 있는 것을 하나로 모으는 그물과도 같다.

"랍비 예후다 하레비는 공감각에 대해 이야기했는데 그 내용은 이런 것이에요. 일정한 시간, 일정한 장소에서 몇 가지 내용을 합해서 새로운 것을 만들거나 기억을 되살아나게 하는 것이지요. 예를 들어 혀는 맛을 느끼고 눈은 색을 구별합니다. 혀로 꿀의 단맛을 느낄 수 있지만 꿀의 노르스름한 색은 볼 수 없듯이, 눈으로 색을 볼 수는 있지만 맛을 느낄 수는 없는 겁니다. '공감각'이란 눈으로 꿀을 볼 때 머릿속으로 단맛이 생각나고, 눈으로 흰 눈을 보면 몸이 춥다고 느끼는 겁니다. 즉 한 가지 사물이 다른 사물을 연상시키기도 하고 한 가지 내용이 다른 내용을 떠오르게 하는 것을 말합니다. 이것은 생각과 생각 사이에 서로 관련이 있고 중심 단어들도 서로 연결되어 있는 것을 말하는 겁니다. 랍비 아리에 메무디나는 단어를 서로 연결하여 연상 작용을 하라고 제안하기도 했어요."

"연상 작용이라. 제롬이 공부했던 내용에서 중심 단어를 그런 방법으로 기억한 건가?"

내가 슈네이더만에게 묻자 그는 아니라는 뜻으로 손을 흔들었다.

"공부를 시작할 때부터 사업 자본에 관련된 내용을 머릿속에 그려 봤어요. 그랬더니 삼촌이 살고 계시는 브네 브락의 수예점 앞에 있는 현금 지급기가 머릿속에 떠올랐어요."

슈네이더만이 잠시 말을 멈췄다. 제롬이 고개를 끄덕이며 웃었다.

"현금 지급기와 자본, 수예점과 사업. 좋네."

"이야기는 지금부터 시작이에요. 저는 현금 지급기 옆에 있는 수예점 앞에 천으로 만든 커다란 갈색 가방을 안고 앉아 있는 제 모습을 상상했어요. 현금 지급기가 고장이 나서 수천 개의 금화가 제 가방 속으로 굴러 떨어지는데 저는 그 가방을 잡고 앉아서 행복해하는 상황을 그려 보았지요."

"돈 가방은 자신의 자본을 말하는 거라네."

랍비가 설명해 주었다.

"가방이 꽉 차서 무거웠는데, 헤브루타 방식으로 공부할 때의 동업자인 친구 솔로몬이 도와주러 왔어요. 우리는 함께 가방을 들어 길을 걸어가기 시작했는데 갑자기 도둑을 만났어요. 거리의 한 모퉁이, 예기치 않은 상황에서 날카롭고 위험한 뿔이 달린 코뿔소를 만났는데 거대하고 무시무시한 자동차가 그 코뿔소 위에 있는 것이지요."

"투자한 자본의 위험성과 보조금 얘기로군."

이번에는 제롬이 알아맞혔다.

"코뿔소가 뿔로 가방을 찢는 바람에 거리에 동전이 쏟아지기 시작했어요. 솔로몬과 나는 있는 힘을 다해 코뿔소가 쓰러져서 숨이 끊어질 때까지 동전을 던지기 시작했어요. 코뿔소가 죽자 우리는 그 코뿔소의 장례를 치르고 거리에 있는 어떤 집의 정원에 묻어 주었어요. 그게 전부예요."

우리 셋은 놀랍다는 얼굴로 슈네이더만을 쳐다보았다.

"풍부한 상상력을 느낄 수 있는 이야기였네."

랍비가 머리를 끄덕이며 말했다. 제롬도 웃으면서 동의했다.

"요시크, 정말 대단해. 너 왜 예시바에 있는 거야? 그 정도 상상력이 있는 사람은 영화 시나리오 작가나 방송작가가 되면 좋겠어. 종교계의 스티븐 스필버그가 될 수 있겠는걸."

슈네이더만은 얼굴이 붉어지면서 고개를 저었다. 문득 이타마르가 물었다.

"항상 그런 방법으로 공부하나? 그렇게 하려면 매번 큰 노력과 상상력이 필요하겠는데. 시간도 많이 소모되지 않을까?"

"그렇긴 해요. 그런데 이 내용은 처음 이야기를 듣기 시작할 때부터 상상이 됐어요."

나도 내가 아는 방법을 떠올리며 덧붙였다.

"분명 일정 기간 동안 연습과 훈련이 필요하긴 한데, 그게 익숙해지면 능숙하게 할 수 있게 되지. 지금은 이것이 정신적으로 많은 노력을 기울여야 하는 것처럼 보이지만, 어느 정도 익숙해지고 나면 공부하는 내용을 짧은 시간에 익히게 해 주고 시간을 절약하게 해 주거든."

"그래. 머릿속에 확실하게 기본 원리를 넣어 두고 그 방식으로 공부하면 어떤 내용을 공부하든지 여러 번 반복할 필요가 없겠네. 이야기 하나가 강한 효과를 내니까."

이타마르가 머리를 끄덕이자 제롬도 동감했다.

"좋은 방법이라고 생각해. 나도 그 방법을 한번 써 봐야겠다."

"그래. 너는 상상력이 풍부하니까 할 수 있을 거야. 네가 만드는 셔츠도 네 그 풍부한 상상력을 보여 주는 거잖아. 나는 그런 상상력이 없어. 내 뇌는 다른 방식으로 활동하나 봐."

이타마르는 손가락으로 딱딱한 네모를 그려 보이며 말했다.

"그래서 말인데, 조금 더 보수적이고 구체적이면서 논리적인 방법은 없을까?"

이타마르가 사정하듯이 말했다. 슈네이더만은 머리를 끄덕이면서 자신이 가지고 온 자료를 뒤적였다.

"혜르가초프라는 천재가 있었는데요. 대단히 박식한 사람이었는데 한 가지 이야기나 내용을 머릿속에 떠올리면 그것과 관련된 내용들이 마치 서로에게 종을 울리듯 소리를 내어 조화를 이루었다고 해요."

슈네이더만은 종이를 넘기면서 말을 이었다.

"이런 경험은 자신이 알고 있던 내용을 잘 짜맞추는 훈련을 통해 얻어지는 것이기도 해요. 그런 면에서 두뇌는 서로 관련이 있는 것을 하나로 모으는 그물과도 같지요."

나누어 생각하는 기술

모든 지식의 내용은 일정한 기준에 따라 나누어 생각할 수 있다.
나누어진 지식은 좀 더 기억하기가 쉽다.

"모든 자연은 가족, 성별 등 여러 가지 기준에 의해 분류할 수 있습니다. 나이가 어린 아이들도 바나나는 먹을 수 있는 음식이고 인형은 장난감에 속한다는 것을 알고 있지요. 세상의 시간도 연도, 계절, 세대, 명절과 절기로 나뉘고 지역도 나라, 도, 시로 나뉘어 있어요. 이런 내용은 기억하기 쉬운 내용이기도 하지만 그룹으로 나뉘어 있기 때문에 뇌에서 논리적으로 기억하기 더 좋아요. 유태교에 관련된 내용도 이와 같아요. 거의 모든 내용과 주제가 이처럼 상세하게 나누어져 있어요. 토라는 몇 부분으로 나뉘어 있는지 아세요?"

"다섯 부분이지."

이타마르가 대답했다.

"미슈나는 몇 부분의 책자로 나뉘어 있나요?"

"여섯 부분이야."

"계명은 몇 개인가요?"

"613개."

"모든 것들이 잘 나뉘어 있다는 걸 알 수 있지요? 613개의 계명도 248개의 '하라'는 계명과 365개의 '하지 말라'는 계명으로 나뉩니다. 미슈나도 소책자로 나뉘어 있고 성경은 장과 절로 나뉘어 있지요. 성경은 39편, 929장, 23,214절, 773,000단어로 이루어져 있어요."

슈네이더만의 자세한 설명에 다시금 우리 모두는 놀라워했다.

"우리의 일상생활 중 슈퍼에서 사야 할 물건을 예로 들어 볼까요. 우유 제품, 고기, 채소 등으로 나누어 놓으면 훨씬 더 쉽게 기억할 수 있잖아요. 우유 제품 다섯 가지, 네 종류의 과일이라고 나누어 놓으면 물건을 구입할 때 좀 더 잘 기억할 수 있을 거예요. 그렇겠죠?"

"그렇다고 할 수 있지. 내 아내가 사 오라는 것들을 전화로 불러 주고 나면 나는 항상 몇 가지를 사면 되는 거냐고 묻곤 해. 여섯 가지를 사는 거라고 하면 집으로 돌아갈 때 여섯 가지 물건을 사 가지고 가긴 하는데, 아내가 원했던 것들이 아닐 때가 많지."

이타마르가 자기 경험을 말하면서 웃었다. 나도 덩달아 이야기를 꺼냈다.

"우리 집사람은 물건 살 때 어떤 물건을 사야 하는지를 적은 리스트가 아예 필요없던걸. 슈퍼에 가서 보이는 대로 카트에 담으니까."

"어쨌든 공부를 지혜롭게 하는 방법은 공부할 내용을 합리적이고 정확하게 잘 정리하고 하나로 모아서 기억하는 거예요. 내용을 잘 정리하면 쉽게 이해할 수 있거든요. '다섯 살에는 미크라, 열 살에는 미슈나, 열다섯 살에는 그마라를 공부한다'고 말하듯이, 기본이 되는 미크라를 공부하고 나서 차근차근 집을 짓듯이 벽을 올리고 지붕을 덮는 겁니다."

"시간을 연대순으로, 합리적인 방법으로 정리해 보는 거로군."

이타마르가 말했다.

"그래요. 유태교에서는 미크라에 쓰여 있는 내용을 많이 참고하는데 그 내용은 연대순으로 정리되어 있어요."

랍비 다하리가 제안했다.

"미슈나에서 예를 하나 들어 보면 어떨까?"

"미슈나는 소책자로 나뉘어 있어요. 씨뿌리기, 절기, 여성, 손해, 축성, 정결례로 구성되어 있고 미슈나의 서론에 왜 이 순서대로 책자가 나뉘어 있는지 그 이유가 적혀 있지요. 씨뿌리기부터 시작하는데 그것은 인간 생활의 근본이 되는 내용이면서 씨앗은 동식물 모두에 관련이 있기 때문입니다. 다음은 절기에 관련된 내용인데 하느님께서는 '너는 6년 동안은 너의 땅에 파종하여 그 산물을 거두고 7년째에는 갈지 말고 묵혀 두어서'라고 말씀하셨어요. 그러고는 이어서 '너는 6일 동안 네 일을 하고', '너는 매년 3차 절기를 내게 지킬지어다.'고 말씀하셨어요. 그러니까 소책자도 논리적으로 잘 정리되어 있는 것을 보여 주는 겁니다."

슈네이더만이 말을 마치자 랍비가 보충 설명을 했다.

"소책자는 축복의 내용으로 시작되는데, 그 이유는 모든 행사나 일을 시작하기 전에 항상 축복 의식을 해야 하기 때문이라네."

제롬은 귀를 덮은 머리카락을 손가락으로 꼬면서 천천히 이야기를 꺼냈다.

"미크라의 내용을 인용할 때는 적어도 그것과 관련된 내용 세 구절 정도는 이야기를 해 주면 좋겠어요. 성경을 잘 모르는데 성경과 이어진 이해하기 어려운 내용들이 나오니까, 말씀하시는 것들을 잘 알 수가 없네요."

"알겠네."

랍비의 대답에 이어 슈네이더만이 말했다.

"합리적인 방법에 관한 건데, 나라면 자본에 대한 내용을 시간 순서대로 정리를 할 거예요. 첫째, 자기 자본이 가장 먼저이고 그다음엔 가족이나 친구들을 동업자로 맞아들이는 거죠. 그러고 나서 은행에서 대출을 받고 투자한 자본의 위험성과 보조금은 마지막에 생각해 보겠어요."

"훌륭하네. 누구나 자신에게 좋은 방법을 선택하는 게 최상책이지."

슈네이더만이 다시 이야기를 하겠다고 랍비에게 눈짓으로 청했다.

"이렇게 나누는 방법도 도움이 되고 그 외에도 다른 방법이 있어요."

"이미 이야기한 내용 아니었나? 중심 단어 이야기 말이야."

제롬이 의아한 표정으로 물었다.

"앞 글자로만 줄여서 쓰는 생략 부호를 말하는 거라네."

랍비가 설명해 주었다.

앞글자 따기 연상법

앞 글자 이니셜을 따오거나, 원래의 단어를 생략한 형태를 기억하는 것이
전체 내용을 기억하는 데에 어떤 도움이 되는가?

슈네이더만은 말했다.

"생략 부호 없이는 토라도 없다는 이야기가 있어요. 생략 부호는 중심 단어가 될 수도 있고 앞 글자만 짧게 줄여서 쓰이기도 해요. 이집트에 내린 재앙을 줄여서 말하기도 하죠."

"그래. '다차흐'라고 하는 건 담(히브리어로 '피'라는 뜻 ─ 옮긴이), 츠파르데아(개구리 ─ 옮긴이), 키님(이 ─ 옮긴이)을 줄인 다음, 앞 글자만 또 줄여서 만들어 낸 단어라네."

"그마라에도 율법을 잘 기억하도록 앞 글자만 따서 쓰는 단어가 많이 나오지요."

"일반적인 텍스트에도 앞 글자만 쓰는 것과 축약을 많이 사용하고 있다네. 미슈나가 쓰여진 시기의 동전에서도 단어의 축약이 많이 나타나고 있지."

"엘 알(이스라엘 국영 항공사—옮긴이)은 그럼 어떤 단어를 줄인 건지 알아요?"

제롬이 물었으나 아무도 대답하지 못했다.

"Every Landing Always Late(항상 늦게 착륙함)."

그러자 이타마르가 자신의 경험을 이야기했다.

"이젠 그렇지도 않던걸. 다른 비행기들보다 서비스가 좋았는데. T.W.A는 무엇의 약자일까?"

"Try With Another(다른 비행기를 타 보세요)."

제롬이 같은 종류의 유머로 바꾸어 이야기했다. 그걸 듣고 랍비가 말했다.

"자네는 상상력만 뛰어난 게 아니라 연상도 잘하는군. 앞으로 잘 해낼 거야."

"그런데 단어를 줄여 만든 약자는 뜻이 없기 때문에 기억하기 힘들지 않나요? 예를 들어 '가나바흐 라카비쉬' 같은 것은 어떻게 기억하죠? 그 단어는 전혀 의미가 없는 단어잖아요."

제롬이 물었다. 슈네이더만이 대답해 주었다.

"그런 단어는 상상력을 동원해서 단어를 따로 기억하는 방법을 사용하지요. '가나바흐' 라는 예를 들어 보면 이 단어는 '가나브' 와 '바하' 로 나누고 라카비쉬는 '리크본' 이라는 단어로 바꾸어 생각하는 거예요. 그리고 나서 쑤카(초막절에 사용하는 초막—옮긴이)에 초점을 맞춰서 이야기를 만들어 보는 겁니다. 가나브(도둑)가 쑤카(초막)로 들어가서 바하(울다), 그가 우는 이유는 초막 속에 있는 과일과 채소가 모두 리카본(썩은 것)이었기 때문이에요. 저는 '가나브' 와 '바하' 라는 단어를 연결하면 가나바흐라는 약자를 떠올릴 수 있어요. 두 번째 방법은 공부한 내용 중의 중심 단어를 요약한 뒤 그 단어를 순서대로 정리한 다음 앞 글자만 따서 새로운 단어를 만드는 거예요. 우리가 공부했던 자본에 대한 내용에 이 방법을 적용할 수 있어요. 자기 자본, 동업자, 투자한 자본의 위험성, 은행 대출, 보조금 등을 순서대로 쓴 다음 그 단어의 앞 글자만 따서 새로운 단어를 만들어 냅니다. 어떻게 생각해요? 더 쉽게 기억할 수 있지 않을까요?"

이타마르가 말했다.

"단어의 순서를 항상 지켜야 하는 건 아니겠지. 단어의 순서를 바꿔서 의미 있는 단어로 만들어도 괜찮을 거야."

"그리고 부호가 바뀌는 경우와 부호에 또 다른 뜻이 있는 경우도 있지요."

슈네이더만이 말했다.

"그건 어떤 거야? 자세하게 설명해 봐."

"영어 알파벳과 숫자가 함께 섞여 있는 경우인데 이를테면 PMBJ3K5란 것이 있어요."

"그런 형태의 부호는 인터넷에서 많이 쓰는 것 아닌가?"

내가 물었다.

"그렇죠. PMBJ3K5는 문장으로 바꿀 수가 있어요. PMBJ에서 P=PLEASE, M=MAKE, B=BIG, J=JOHN, 3K5=새로 나온 음료수 K5를 세 잔 달라는 이야기예요. 어때요, 재미있죠? 이런 과정은 의미가 없었던 문자와 숫자의 나열이 의미 있는 문장으로 바뀌는 것을 말합니다."

"좋은 생각이로군. 부호에 또 다른 뜻이 있는 경우는 어떤 건가?"

제롬이 잊지 않고 두 번째 경우에 대해 질문했다.

"부호에 다른 부호를 덧입히는 겁니다. 미국에서 사용하는 동전 단위는 달러, 25센트인 쿼터, 10센트인 다임, 5센트인 니켈과 1센트로 나뉘어 있지요. 미슈나가 쓰여진 시대에도 동전의 종류가 셀라, 디나르, 메아, 폰디온, 이세르와 프루타로 나뉘어 사용되었어요. 그런데 그 당시 사람들은 1셀라가 몇 디나르인지, 몇 개의 메아 동전이 1디나르와 같은지를 어떻게 기억하고 있었을까요? 그 당시 사람들은 동전의 머리글자를 따서 약자를 사용했어요. 4개의 디나르가 셀라 한 개와 같고 6개의 메아가 디나르 한 개와 같다는 것이지요. 히브리어의 모든 자음은 그에 상응하는 아라비아 숫자를 사용하기 때문에, 셀라와 디나르 사이에 있는 달렛은 히브리어 자음 중 네 번째 것이므로 숫자 4에 해당돼요. 디나르와 메아 사이의 바브는 히브리어의 여섯 번째 자음이기 때문에 숫자 6을 사용하는 것입니다. 그래서 이렇게 동전과 동전 사이의 관계를 히브리어를 사용하여 정확하게 기억했던 겁니다. 미국 동전에 적용하면 달러는 쿼터의 달렛을 숫자로 나타내어 4를 곱하고, 다임은 유드를 숫자 10으로 나타내어 곱하고, 니켈은 20을 나타내는 카프를 곱하고, 센트는 100을 나타내는 쿠프를 곱하는 겁니다. 쿼터인 25센트가 4개 있으면 1달러, 10센트인 다임이 10개 있으면 1달러로 계산을 하면 됩니다. 이런 방식을 쓰면 동전을 가지고 쩔쩔매는 일은 없을 거예요."

슈네이더만이 자세하게 설명을 해 주었다.

"미국에 갔을 때 뉴욕에서 어떤 물건을 샀나?"

제롬은 종교인들이 어떤 물건을 사는지 궁금한 모양이었다.

"여행 비용과 식비에 돈을 주로 썼기 때문에 다른 곳에는 별로 쓰지 않았어요. 무엇을 샀는지 잘 기억나지 않는데…… 아, 카메라를 샀어요."

"슈퍼에 들어가 식빵을 사면서 주인에게 '옛날 돈 셀라도 받나요?
잔돈은 폰디온으로 주세요.' 라고 하면 그 주인이 너를 어떻게 생각할
까?"

제롬은 유쾌하게 웃더니 유머를 하나 들려주었다.

"정신병원 환자들이 1년에 한 번 바깥 나들이를 하러 나왔다가 카
페에 들어갔어. 정신병원 원장이 카페 주인에게 이렇게 말했지. '저
사람들은 정신병자들이에요. 괜찮으시다면 저들이 찻값을 계산할 때
돈 대신 병 뚜껑을 내도 받아 주세요. 그럼 제가 나중에 돈으로 지불
할게요. 그래도 될까요?' 카페 주인은 그렇게 해도 좋다고 허락을 해
주었어. 정신병자들은 음료수를 마신 후에 병 뚜껑 두세 개를 내고는
모두 밖으로 나갔어. 카페 주인이 정신병원 원장을 불러서 계산을 해
달라고 했더니 그 원장이 하는 말, '아, 그래요. 그런데 쓰레기통 뚜
껑에 대한 잔돈이 있으신가요?' 라고 했다지."

이 이야기를 들은 슈네이더만은 씨익 웃으면서 자신이 가지고 온
자료를 뒤적였다.

"슈네이더만, 너는 계명이나 성경 구절을 기억할 때 앞 글자만 따
서 줄인 약자를 쓰는 방법을 사용하나?"

이타마르가 다시 한 번 확인하듯 물었다.

"네."

슈네이더만은 조용히 대답을 하고 나서 담뱃갑에서 가느다란 담배
를 꺼냈다.

"중심 단어를 이용하여 멋진 이야기를 만들고 부호도 사용하죠."

"내용을 잊어버리는 일은 없고?"

이타마르가 캐물었다. 슈네이더만은 담배를 내려놓고 잠시 숨을 크게 들이쉬었다.

　"당연히 잊어버리죠. 잊어버리지 않는 사람은 없을 거예요. 그래서 반복에 의해 강조를 하는 거죠."

반복 학습의 효과

상상하여 이야기를 꾸미는 방식으로 공부하는 것이 효율적일까?
조금 의심스럽더라도 실천에 옮겨 보자. 처음에는 많은 시간이 걸리더라도,
나중에는 결국 그 방법이 시간을 절약하게 해 줄 것이다.

"산헤드린의 소책자에 보면, '토라를 공부하면서 복습을 하지 않는 학생은 씨를 뿌리고 추수하지 않는 사람과 같다.'는 내용이 있어요. 공부하는 사람은 누구나 자신이 공부하는 내용이 확실하게 이해가 될 때까지 반복하고 기억하기를 되풀이해야 한다는 것이지요."

슈네이더만이 말하자 이타마르가 고개를 끄덕였다.

"맞아. 반복과 기억은 오랫동안 배운 내용을 기억하는 데 중요한 요인이 되지. 토라를 공부할 때는 복습이 가장 중요하고 복습을 해야 공부한 내용이 머릿속에 가장 잘 남아 있게 돼. 복습을 하지 않으면 자신에게 남는 것이 없고 노력도 허사가 되어 버리지. 그래서 20년 동안 토라를 공부한 사람도 2년 만에 그 내용을 모두 잊어버릴 수 있다고 해."

"바로 그 이유 때문에 토라와 미슈나, 계명을 비롯해서 성서와 관

련된 모든 내용은 반복해서 가르칩니다. 아마 영원히 그렇게 할 겁니다. 반복에 의한 기억과 복습은 질문과 답을 주고받는 토론과 논쟁의 방식을 쓰는 것이 좋습니다. 이 방법을 다섯 번 정도 되풀이하면 혼자서도 질문하고 답을 할 수 있게 됩니다. 이렇게 혼자 공부할 수 있다면 큰 소리를 내거나 연주를 하는 방법으로 복습을 해도 됩니다."

"연주? 연주라면 뭘 말하는 거야? 공부하는 내용을 노래로 부른다는 건가?"

제롬은 자신의 귀를 믿을 수 없다는 듯 물었다.

"네, 바로 그거예요. 이런 이야기가 있어요. '공부하는 내용을 즐겁게 노래하듯이 읽지 않으면 그 내용은 자신의 것이 될 수 없다.' 그것은 '노래로 공부하는 것이 기억력을 향상시킨다.'는 뜻이지요."

"그럼 너도 노래를 부르면서 공부하나?"

제롬이 궁금하다는 듯 물었다.

"그럼요, 많은 내용을 노래로 공부해요. 그런데 잠깐…… 성인식은 했어요?"

"성인식? 했지."

"그럼 '하프타라' 부분은 어떻게 공부했나요?"

제롬은 그 내용을 기억에 떠올리기 위해 몇 초 동안 눈을 감고 머리를 갸우뚱거렸다. 그러고는 이렇게 노래하듯 이야기했다.

"아도나아아아이, 우지이이이, 마오지이이이."

제롬은 눈을 뜨면서 손뼉을 쳤다.

"아니, 신기하네. 어떻게 가락이 있는 부분만 생각이 나는 거지?"

"히브리어 성경의 악센트, 문장 구조, 악상 기호 등의 도움을 받는다는 말이 더 맞을 겁니다. 그런 신호를 알게 되면 문단이 시작되고 끝나는 부분을 알게 되며 질문과 답, 주제와 주제를 구분하고 빠르게 읽어야 하는 부분, 차분하게 읽어야 하는 부분, 명령하는 부분, 청하는 부분 등을 구분 지을 수 있게 되지요. 조금 전에 곡조에 맞춰 노래를 불렀던 하프타라가 바로 그런 겁니다."

"노래를 부르거나 연주하는 방법을 사용하게 되면 기억에 많은 도움을 주고 쉽게 잊어버리지도 않게 되지."

랍비가 말하자 이타마르가 이렇게 물었다.

"그럼 유태인들은 음악적인 재능이 있는 민족인가요?"

이타마르는 유명한 유태인 음악가인 루빈슈타인과 바렌보임에 대해 랍비와 이야기를 나누면서 고개를 끄덕였다.

"다윗 왕도 수금을 연주했고 여이엘은 비파와 수금을 탔으며 야하시엘은 하느님의 언약궤 앞에서 나팔을 불었다."

랍비가 성경 구절을 인용했다.

"연주를 하며 공부하기."

제롬은 중얼거리면서 공책을 펴더니, 프랭크 시내트라의 노래 곡조에 맞춰 경영학 내용을 흥얼거렸다.

"지나치게 많은 대출은 사업을 무너뜨리게 된다네, 보상을 받을 수도 없지. 아, 별로 공부하고 싶은 마음이 없는데, 라라라."

제롬은 공책을 덮고 등을 의자에 기대고 앉았다. 이타마르도 등을 기대고 앉아서 몸을 흔들거렸지만 편해 보이지는 않았다. 이 주제에 대해 좀 더 진지하고도 깊이 있게 다루어야 한다고 생각하는 것 같았다.

"나는 이해가 잘 되지 않는데. 상상력을 사용하고 생략 부호를 끌어들여 이야기를 만들어 낸다니, 그렇게 되면 너무 할 일이 많아지지 않나? 결론 부분을 서너 번 반복하고 복습하면 되는데 왜 그렇게 하지 않는 거지? 스무 권 정도 되는 책의 내용을 모두 기억하려면 평생 걸릴지도 몰라. 그게 좋은 방법일까?"

슈네이더만이 이타마르의 질문에 답을 준비하는 동안 내가 잠시 설명했다.

"풍경을 볼 때 항상 빨간 지붕, 초록 울타리, 나무, 언덕 등 몇 가지가 눈에 쏙 들어오잖아. 이런 것들은 시각적으로 눈길을 끄는 것들이어서 기억 속에 분명히 남게 돼. 책이나 자료를 읽을 때도 부분적으로 중심 단어를 선택한 후 그 내용의 기본적인 생각과 주제에 맞춰 기억을 하는 거지. 자료에 나타난 모든 중심 단어를 리스트로 만든 다음 그 단어를 연결해서 이야기를 만들어. 복잡하게 들릴지 모르지만 이 방법으로 한 시간에 몇 백 개의 단어를 기억할 수 있지. 이런 방법을 한 번도 사용해 본 경험이 없기 때문에 잘 모르겠지만, 이 방법이 큰 효과가 있는 것은 분명해. 대부분의 학생들은 공부할 내용을 읽은 다음 반복해서 외우는 방법을 쓰고 있어. 외운 내용을 가능한 한 잊지 않으려고 노력하고, 노력을 해도 안 되는 부분은 어쩔 도리가 없다고 생각하면서 계속 외우는 거야. 그래도 대부분의 내용을 기억하고 있다는 것으로 위안을 삼지. 슈네이더만이 제안한 방법을 사용하면, 적어도 외운 내용을 잊어버리는 상황이 생기지는 않게 될 거야. 물론 그렇게 해도 몇 가지는 잊을 수 있겠지만, 반복과 복습을 통한 방법을 쓰면 그런 경우가 그리 빈번하게 일어나지는 않게 된다는 거지. 반복과 복습은 무척 체계적인 방법으로 이루어지기 때문이야. 중심 단어만 보아도 전체적인 내용과 주제를 떠올리게 될 거야. 한번 해 봐."

이타마르는 어깨를 으쓱해 보이며, 완전히 동의하지는 않는다는 말투로 이렇게 말했다.

"그럴지도 모르겠군."

슈네이더만이 말했다.

"우리 뇌의 공간은 넓어요. 바다와도 같아서 수백, 수천, 수만 개의 내용을 담을 수 있어요. 우리의 삶 속에서 보고 듣고 생각하는 모든 것이 그 안에 있는 거예요. 이런 모든 내용이 뇌에 입력이 되면 그 중 일부분은 계속 기억할 수밖에 없습니다. 사람들은 기억의 도움을 받아 그 내용을 끄집어낼 수 있는 거예요. 그렇게 기억해 내는 일이 때로는 쉽지만 어려울 때도 있어요. 그건 어떤 방법으로 기억을 했는가에 따라 달라진다고 생각해요. 입력된 내용을 스스로 머릿속에서 정리를 했는지 알아봐야 하지요. 다시 말해서 서랍 속에 들어 있는 내용을 스스로 찾았거나, 그 내용을 서랍에 넣고 특수한 열쇠로 잠그는 것을 상상해 봅시다. 입력된 내용을 어떻게 하느냐의 문제는 모두 각자 다르지요. 어쨌든 제가 말씀드린 방법은 많은 양의 내용을 기억하기 좋은 방법입니다. 의심하지 말고 에란 씨가 말한 것처럼 일단 실행에 옮겨 보세요. 이 방법은 꾸준한 훈련과 연습을 통해 이루어지기 때문에 새로운 언어를 배우는 것과 같거든요. 언어를 공부할 때에도 많은 양의 단어를 계속해서 반복하고 복습을 통해 익히도록 하잖아요."

이타마르는 손가락을 만지작거리면서 머리를 이리저리 흔들었다.

"너희들 말이 맞기도 해. 사실 그렇게 하는 게 너무 큰 노력이 필요한 일이라서 시도할 생각조차 못했거든. 너희들이 말한 것처럼 꼭 한번 시도해 봐야 할 것 같아."

그러자 제롬이 이타마르의 어깨에 손을 얹으며 말했다.

"이타마르는 그럴 필요없다고 보는데. 종신 재직권이 있는 공룡, 대학 교수잖아."

이타마르가 쑥스럽게 웃었다.

"자, 이것 좀 보세요."

슈네이더만이 종이와 펜을 꺼내면서 말했다.

"여기에 단어를 40개 쓰고 나서 세어 보세요. 단어를 쓸 때 소리를 내면서 적어 보세요. 예를 들어 (1) 나무, (2) 집, (3) 책 이렇게 하는 거예요."

이타마르는 종이를 받아서 단어를 써 내려갔다.

"그래. (1) 나무, (2) 뭘 할까? 공, (3) 촛대, (4) 빗자루, (5)……."

그는 잠시 말을 멈추고 주위를 돌아보았다.

"(5) 밀가루, (6) 강아지."

그런 식으로 40까지 모두 채우고 나서 슈네이더만이 보지 못하게 종이를 들어 올렸다.

"지금까지 쓴 단어를 모두 기억할 수 있겠나?"

이타마르가 반신반의하며 물었다. 슈네이더만이 자신 있게 대답했다.

"번호만 부르면 어떤 단어인지 말할 수 있어요."

이타마르는 미심쩍다는 듯한 얼굴로 슈네이더만을 쳐다보며 번호를 불렀다.

"17번."

이타마르는 종이를 들여다보고 나서 곧 슈네이더만을 쳐다보았다.

"카메라."

슈네이더만은 단 몇 초 만에 대답했다. 이타마르는 종이를 들여다보더니 소리쳤다.

"이럴 수가! 17번은 카메라 맞아. 그럼 34번은 뭐지?"

"오이예요."

슈네이더만은 이번에도 재빠르게 대답했다.

"믿을 수가 없군."

이타마르는 어안이 벙벙해졌다.

"4번은?"

"빗자루예요."

"요시크, 너 뭔가 좀 돌연변이 아냐?"

제롬도 놀라서 말했다.

"전체를 시작부터 끝까지, 아니면 끝에서부터 거꾸로 말해 볼까요?"

"끝에서부터 말해 봐!"

제롬이 재빨리 대답을 하고 나서 이타마르가 가지고 있던 종이를 쳐다보았다.

슈네이더만은 별 어려움 없이, 한 번도 실수하지 않고 끝에서부터 거꾸로 40개의 단어를 알아맞혔다. 제롬이 감탄했다.

"정말 놀라워."

"이렇게 기억하는 방법은 랍비 아키바와 랍비 아리에에게서 배웠어요. 누구든지 몸에 익기만 하면 할 수 있어요."

슈네이더만은 겸손하게 말했다. 제롬이 의심스러운 듯 물었다.

"나도?"

"물론입니다. 다음번에는 이 방법을 가르쳐 드릴게요."

슈네이더만은 손목시계를 들여다보며 말했다.

우리는 커피를 한 잔씩 더 마셨다. 그러고 나서 조금 뒤 카페 정원의 오렌지 빛 가로등에 불이 켜졌다. 그제야 우리는 세 시간이 넘도록 그곳에 앉아서 기억력 강의를 들었다는 것을 깨달았다. 이타마르가 찻값을 지불하러 갔을 때 랍비는 먼저 자리에서 일어났고 슈네이더만은 검정 코트를 입고 있었다. 한편 제롬은 시계를 쳐다보며 줄곧 출입구 쪽을 쳐다보고 있었다. 나도 제롬이 쳐다보는 곳으로 눈길을 돌렸다. 그곳에 리사가 서 있었다. 그녀는 우리에게 손을 흔들면서 이리로 걸어왔다. 슈네이더만은 그녀를 오랫동안 바라보지 않기 위해서 얼른 고개를 돌렸다. 그런데 슈네이더만은 리사를 알고 있는 모양이었다.

"리사 골드만?"

그는 고개를 한쪽으로 돌린 채 물었다. 제롬은 놀란 눈으로 그들을 번갈아 보았다.

"서로 아는 사이야?"

나는 한쪽에 앉아서 흐뭇한 마음으로 그들을 바라보았다.

숫자와 글자를 이용한 기억력 향상

숫자와 글자의 모양, 단어의 의미를 서로 연결지어
기억의 방에 넣어 두는 방법은 어떤 점에서 좋은가?

리사의 남동생 모르데하이는 슈네이더만과 함께 하르 노프에 있는 탈무드 토라 종교 학교에서 공부를 했다고 한다. 그때 리사도 만난 적이 있다고 한다. 리사의 가족이 예루살렘에 살고 있었을 때 슈네이더만을 집으로 초대한 적이 있었기 때문에, 리사는 슈네이더만을 한 눈에 알아보았다. 우리는 리사에게 슈네이더만의 놀라운 기억력에 대해 이야기하면서 이타마르가 들고 있던 종이를 펼쳐 보여 주었다.

"번호를 말해 봐요. 슈네이더만이 그 번호에 해당되는 단어를 말 할 거예요."

제롬이 리사에게 말했다.

"저도 이것 알아요. 요셉 하임 슈네이더만은 무척 빠른 속도로 대 답한다는 거 알고 있어요."

리사가 말했다.

"리사, 당신도 할 수 있어요?"

제롬이 놀라워하면서 물었다.

"그럼요. 누구든지 할 수 있어요. 저는 종이와 연필이 없는 상황에서 무언가를 기억해야 할 때 이 방법을 써요."

"어느 방법으로 해요? 숫자를 쓰는 거, 아니면 알파벳을 사용하는 거?"

슈네이더만이 묻자 리사가 말했다.

"나는 알파벳이 더 쉽던걸요."

우리는 마치 두 마술사가 만나 자신들의 기술에 대해 이야기를 나누는 것 같은 모습을 지켜보았다.

"그럼 그 방법이 어떤 건지 우리에게 보여 줄 수 있나?"

이타마르가 호기심에 가득 찬 목소리로 말했다. 슈네이더만은 시계를 보면서 조금 걱정스러운 얼굴로 이렇게 대답했다.

"보여 드리고 싶은데 오늘은 이만 가 봐야겠어요. 수업이 있거든요."

"그럼 우리 모두 슈네이더만을 배웅하도록 하지."

제롬이 일어나며 말했다. 우리도 따라 일어났다.

"그렇게 해 볼까."

"날씨도 좋으니 예시바까지 함께 걷는 것도 좋을 것 같군."

우리는 각자의 짐을 주섬주섬 챙겨서 카페를 나섰다. 맑고 푸른 저녁 하늘에 조금씩 붉은 노을 빛이 감돌기 시작했다. 랍비 다하리는 우리와 인사를 나누고 헤어졌다. 우리는 슈네이더만의 기억력 강의를 들으며 함께 걸었다.

"숫자만 무턱대고 상상하는 건 어려워요. 그래서 저는 숫자와 비숫한 그림을 생각한 후 머릿속에 숫자와 그림을 함께 떠올려 봐요. 숫자와 가장 비슷한 사물을 떠올리는 것이지요."

그는 머릿속의 생각을 정리하는 듯 잠시 이야기를 멈췄다.

"이 방법은 랍비 아리에의 저서인 『아리에의 마음』을 통해 처음 알았어요. 이 방법을 제 나름대로 조금 변화를 주어 사용하고 있지요. 랍비 아리에는 1이란 숫자를 생각하면서 그 숫자와 가장 비슷한 사물을 떠올려 보라고 했어요. 1이란 숫자와 가장 닮은 게 뭐라고 생각하세요? 위를 가리키는 화살표와 비슷하지 않나요?"

우리는 모두 고개를 끄덕였다.

"랍비 아리에는 숫자 2는 낫과 닮았다고 했는데, 저는 2라는 숫자가 짝수이기 때문에 노아의 방주가 생각났어요. 노아의 방주에 동물들을 암수 한 쌍씩 태웠던 게 생각나서예요."

슈네이더만은 이야기하는 동안 줄곧 우리와 눈을 맞추며 표정을 살폈다. 자신의 말을 이해하고 있는지를 확인하려는 듯했다.

"그럼 3은 뭐지?"

내가 물었다.

"3은 포크예요. 포크를 옆으로 놓으면 숫자 3과 같은 모양이 나옵니다."

"좋아. 알겠어."

제롬이 말했다.

"숫자 4는 톱이에요. 숫자 4의 아랫부분을 손으로 잡고 톱처럼 들어 나무를 자르는 모습을 상상해 보세요. 머릿속에 그림이 그려지나요?"

"간단히 말하자면 숫자를 떠올릴 수 있는 사물을 상상하는 방법을 쓰는 거군."

이타마르는 분명히 이해한 것 같았다.

"그러면 숫자 5는 뭔가?"

이타마르는 이렇게 묻고 나서 자신의 손바닥을 들어 보였다.

"혹시 한쪽 손을 펼친 것?"

슈네이더만이 웃으면서 대답했다.

"네, 바로 맞혔습니다."

나도 질문을 하면서 상상을 해 보려고 노력했다.

"숫자 6은?"

"숫자 6은 끝이 구부러진 갈고리예요."

"그런데 어떻게 이걸 모두 기억하고 있지?"

이타마르가 핵심적인 질문을 했다.

"숫자와 사물을 서로 연관지어 기억하는 것뿐이에요. 그게 전부예요. 자, 다시 계속해 볼까요? 숫자 7은?"

슈네이더만이 우리를 쳐다보며 물었다.

"글쎄, 7은 조금 어려운데. 일주일이 7일이라는 것은 어떨까."

제롬이 대답했다.

"8은? 숫자 8은 무엇을 생각나게 하나요?"

"음…… 숫자 8은, 글쎄, 에란에게 8쉐켈 꾸어 준 돈이 있는데 그게 생각나. 어쨌든 숫자 8은 안경을 떠올리는 것도 가능하겠지?"

제롬이 내 안경을 가리키며 답했다.

"숫자 9는?"

이번에는 내가 말했다.

"임신 기간."

"그렇습니다. 여자들의 임신 기간은 9개월이죠. 10은?"

"십계명."

여기까지 이야기가 계속되자 이타마르가 궁금하다는 얼굴로 물었다.

"숫자 22는 뭔가?"

"그러게. 22, 35, 23 이런 건 어떻게 기억하지?"

제롬이 근심스러운 표정으로 물었다.

"그건 다른 방법을 사용해야 돼요."

이번에는 리사가 대답했다.

"이것도 같은 방식인데 숫자 대신 글자를 넣어 상상해 보는 방법이에요. 숫자 1은 알렙, 2는 베트, 3은 김멜 이렇게 히브리어 알파벳의 순서에 맞게 생각하는 거예요. 그런데 문제는 어떻게 글자를 상상하느냐는 것이 되겠네요. 많은 현인들이 이 문제에 대해 그들의 생각을 이야기했는데, 그들 중에는 18세기의 랍비 아키바, 랍비 예후다 레야브 등이 있어요. 그들에 따르면 히브리어는 조상들의 삶과 밀접한 관계가 있다고 해요. 히브리어의 첫 번째 글자인 '알렙(א)'은 뿔이 달린 황소의 모양과 닮았어요. 등에 무거운 짐을 진 황소 말이에요. 그런데 아람어로 '알파'는 짐을 싣고 바다로 나가는 배를 뜻하지요. 그래서 저는 첫 번째 글자인 알렙은 배 모양을 떠올리기로 했어요.

베트는 쉬워요. 베트는 바이트니까 바이트는 곧 집이란 뜻이고요. 김멜은 혹이 달린 가말, 즉 낙타를 떠올릴 수 있어요. 달렛은 델레트, 문이라는 단어를 떠올릴 수 있고, 헤는 헤라이온, 즉 임신을 떠올릴 수 있어요. 이게 저만의 리스트인데 여러 종류의 내용을 정리해서 머릿속에 넣어 둔 거예요. 제 경우에는 일반적으로 열 개 정도로 나누어 정보를 입력시켜 두고 있어요."

리사가 말했다.

"정보를 입력한다고요? 그게 어떤 방식으로 작동이 되는 정보입니까?"

이타마르가 물었다. 리사는 조금 더운 듯, 코트의 손목에 있는 단추를 풀어 소매를 위로 걷어 올리면서 대답했다.

"예를 들어 오늘 아침에 제가 대학 문방구에 가서 사야 할 물건이 몇 개 떠올랐어요. 버스에서 밝은 노랑과 연두색 형광펜, 클리어 파일과 수정액을 사야 하는 게 생각났어요. 그래서 그 즉시 제 머릿속에 있는 가방을 열고 제가 사야 할 물건들을 넣기에 적당한 서랍에 그 내용을 저장했어요. 알렙, 베트, 김멜 등 슈네이더만이 하는 것처럼 첫 번째 '알렙' 서랍을 열면 그곳은 배가 있는 곳이니까, 거기 있는 배를 형광펜으로 칠한다고 상상하는 거예요."

"끔찍한 일이로군. 그걸 어떻게 다 칠하지? 내가 군대 있을 때 한번은 작은 솔을 가지고 울타리를 칠하라고 했는데, 얼마나 힘이 들던지 칠하는 이야기만 들어도 몸서리가 쳐지네."

"쓱싹하고 한번 칠하니까 다 칠해지던걸요."

리사가 활짝 웃으면서 말했다.

"그러고 나서 두 번째 글자인 '베트(ㄱ)' 서랍을 열었어요. 베트는 집이란 뜻의 바이트라고 했잖아요. 이 서랍에는 집을 온통 클리어 파일로 꽉 채운 모습을 기억시켜 두었어요. 그다음 서랍은 '김멜(ㅣ)'로 가말, 즉 낙타가 있는 곳이고 그곳에 들어가야 하는 것은 수정액이에요. 낙타와 수정액, 이 두 가지를 어떻게 연결하면 좋을까요?"

제롬은 걱정스럽게 리사를 바라보며 물었다.

"리사, 그 불쌍한 낙타에게 뭘 하려는 거지?"

"낙타 전체를 수정액으로 칠했나 보군."

이타마르가 끼어들었다.

"아뇨, 손톱과 발톱만 칠했어요."

리사는 안심하라는 듯이 말했다.

"잘했군요."

이타마르가 미소를 지으며 말했다.

"그런 사소한 데에서 당신이 여자라는 사실을 알 수 있군요. 남자들이라면 그런 생각을 하지 못했을 테니까."

내가 그녀에게 말했다.

"그러게. 나는 상상 속에서 낙타의 꼬리를 수정액으로 지웠거든."

제롬이 덧붙여서 말했다.

"자, 그럼 이제부터 어떤 방법으로 기억을 되살리는지 살펴볼까요? 먼저 문방구에 가서 뭘 사려고 했는지 기억해야겠지요? 머릿속의 가방을 열고 첫 번째 서랍인 알렙을 여는 거예요. 알렙은 배가 들어 있었는데 배에다 어떻게 했는지 기억나세요?"

"뭘 했냐고요? 형광펜으로 칠을 했던가."

이타마르가 울타리를 페인트로 칠하는 몸짓을 흉내 내며 대답했다.

"네, 맞았어요. 그럼 이제는 형광펜이 있는 곳으로 가는 거예요. 그런데 어떤 색을 사야 하나요?"

"노랑과 연두색이었던 것 같은데……."

"맞아요. 그리고 어떤 물건을 더 사야 하나요?"

"아……, 베트, 바이트니까 집이었지. 집에는 무엇이 있었더라?"

이타마르는 조용히 생각하고 있었다. 몇 초 동안 아무도 말을 꺼내지 않고 있었는데 제롬이 말했다.

"클리어 파일이었어. 집을 온통 클리어 파일로 채운다고 했잖아."

"그럼 김멜도 기억나?"

내가 물었다.

"가말, 즉 낙타였지. 1B 연필로 낙타 귀를 크게 그렸던가?"

제롬은 장난스럽게 이렇게 말하고 나서 우리를 쳐다보며 익살스러운 눈웃음을 짓더니 말했다.

"손톱과 발톱에 매니큐어 대신 수정액을 칠한 낙타를 어떻게 잊을수 있겠어! 어쨌든 숫자와 글자를 사용해서 기억하는 방법을 일목요연하게 정리해 두면 좋겠군."

글자와 숫자를 이용한 연상 작용

알렙 —— 배1 —— 화살표

베트 —— 집2 —— 노아의 방주

김멜 —— 낙타3 —— 포크

달렛 —— 문4 —— 톱

헤   —— 임신한 여성5 —— 손

바브 —— 갈고리6 —— 갈고리

자인 —— 망치7 —— 일주일

헤트 —— 의자8 —— 안경

테트 —— 바구니9 —— 여성의 임신 기간

유드 —— 작은 물건10 —— 십계명

"숫자 22나 46같이 두 자리가 넘어가면 어떻게 기억하냐고 물으셨죠? 11부터는 기메트리아를 사용해서 기억해요. '기메트리아'는 히브리어의 모든 글자와 숫자를 순서에 맞춰서 기억하는 방법이에요. 숫자 1은 히브리어의 첫 번째 글자인 알렙으로 나타내고 2는 베트, 3은 김멜, 11은 유드와 알렙을 함께 쓰고 20은 카프, 24는 카프 달렛으로 나타내는 방식이에요. 그럼 37은 어떻게 나타낼까요?"

"37은, 글쎄, 30은 람메드이고 7은 자인이니까 람메드 자인이겠네."

제롬이 대답했다.

"42는요?"

"40은 멤이고 2는 베트니까 멤 베트."

이타마르가 대답했다.

"예, 맞았어요. 이제는 숫자와 글자를 합한 것과 가장 비슷한 단어를 찾아보기로 해요. 24는 카프 달렛인데 저는 여기에서 '손잡이가 달린 병'이란 뜻의 '카드'라는 단어가 생각났어요. 33은 람메드 김멜이어서, 나는 '레고'라는 단어와 유월절로부터 33일 만에 오는 '라그 바오메르'라는 명절을 떠올릴 수 있었지요."

슈네이더만이 말했다.

"12는 어떤 단어가 떠오르지?"

이타마르가 물었다.

"12는 유드 베트라서 '오야브'라는 단어와 비슷하게 들린다고 생각했어요. 오야브란 단어는 '원수'라는 뜻이지요."

"13은 뭘까? 나는 떠오르는 것이 전혀 없는데……."

이타마르가 말했다.

"13은 유드 김멜이니까 요구르트가 떠오르는군."

제롬이 말했다.

"25는 어때?"

이타마르는 조금씩 더 어려운 단어를 찾고 있는 것 같았다.

"25는 카프 헤라니까 '짙은', '어두운' 이란 뜻의 '케헤' 라는 단어와 비슷하게 들린다고 생각했어요. 그리고 저는 숫자와 재미있는 이야기도 서로 연결지어 기억해요. 공부와 관련 있는 내용 중 확인해야 하는 것과 질문을 해야 하는 내용은 10~19 서랍에, 기억해 둔 재미있는 이야기는 30~39번의 서랍에 넣어 기억해요.

30 —— 람메드, 자동차 번호판에 람메드라고 쓰여 있는 것을 보고 그것과 운전을 배우는 차량을 연결시켰어요. 비슷한 방법으로 계속해 보겠습니다.

31 —— 람메드 알렙, 누군가 '안 돼요' 라고 고개를 흔드는 것.

32 —— 람메드 베트, 빨간 심장.

33 —— 람메드 김멜, 유월절 이후 33일째 되는 라그 바오메르라는 명절에 누군가 불을 붙이는 모습.

34 —— 람메드 달렛, 어린이.

35 —— 람메드 헤, 누군가 라라라 노래를 부르는 것."

"라라, 그 이름을 들으니 「텔레토비」에 나오는 캐릭터가 생각나는군. 아, 참 텔레비전 안 본다고 그랬지."

제롬이 슈네이더만을 보며 말했다.

"어쨌든 지난번에 이야기했던 것 중 맥주를 주문하고 화장실에 다녀온 남자 이야기 기억하세요? 화장실에 갔다 오니 누군가 자신의 맥주를 다 마시고는 '세상에서 가장 빠른 사람' 이라는 메모를 남기

고 갔다는 이야기 말이에요." ·

"기억나지."

제롬이 대답했다.

"저는 그 이야기에서 중심 단어를 '맥주'로 정하고 숫자 30에 연관 지어 기억하기로 했어요. 30은 람메드, 즉 운전을 배우는 자동차를 상상해 두었다고 했잖아요? 저는 대학생이 몇 병의 맥주를 마시고 나서 운전을 하는데 그 차가 지그재그로 가는 걸 상상해 보았어요. 맥주병이 차 바닥에 뒹굴고 있는 장면을 떠올려 보았고요. 정신병원 을 나온 환자들과 병마개에 대한 이야기도 있었어요. 그 이야기는 정 말 재미있었는데 중심 단어는 쓰레기통 뚜껑이에요. 그 중심 내용은 31번에 연결하기로 했어요. 31번은 '안 돼요'라며 고개를 흔드는 모 습이라고 했지요. 정신병원의 원장이 커다란 쓰레기통의 뚜껑을 두 드려서 소음을 내자 카페의 주인이 귀를 틀어막으며 '안 돼요, 안 돼 요, 그만 해요.'라고 소리를 지르며 고개를 흔들다가 나중에는 애원 하는 모습을 생각해 봤어요."

슈네이더만은 자신의 귀를 두 손으로 막으면서 그 상황을 그리듯 보여 주었다.

"다윗 왕과 골리앗에 대한 이야기는 32번 람메드 베트, 빨간 심장 에 기억시키기로 했어요. 골리앗과 빨간 심장을 연결했어요. 제롬 당 신은 무엇을 상상했나요?"

"나는 다윗이 돌팔매를 날려서 골리앗의 이마를 맞힌 게 아니라 심장을 맞히는 장면을 상상했지."

"그래요. 오늘은 여기까지 하기로 합시다."

슈네이더만은 우리가 예시바 가까운 곳까지 함께 가는 것을 바라지 않는 것 같았다. 슈네이더만은 리사와 함께 있는 것을 친구들이 보는 것이 불편하다며 우리에게 양해를 구했다.

"오늘 즐거웠어."

제롬이 우리를 대표해서 슈네이더만에게 감사의 말을 전했다. 슈네이더만은 우리에게 다가와서 악수를 했으나, 리사 차례가 되자 손을 호주머니에 집어넣으며 땅만 내려다보았다.

"행운을 빌어요, 리사. 모르데하이에게도 꼭 안부 전해 주세요."

슈네이더만은 웃으면서 말했다. 리사도 인사를 했다.

"안부 전할게요. 건강하게 지내요."

우리는 카페 라디노로 돌아와서 인사를 나누고 헤어졌다. 나는 자동차를 세워 둔 베찰렐 거리 쪽으로 걸어오면서, 새로 탄생한 젊은 커플이 무엇을 하고 있는지 보고 싶은 유혹을 뿌리치지 못하고 뒤를 돌아보았다.

제롬과 리사는 벤치에 앉아 이야기를 나누고 있었다. 멀리서 힐끔 보아도 두 사람이 사랑에 빠진 것이 느껴질 만큼 다정해 보였다.

저녁에 집에 돌아와서 식사를 하는 동안 아내 야엘은 오늘 자기 하루가 어땠는지 이야기해 주었다.

"내가 오늘 이메일 보냈는데 읽어 봤어요?"

나는 말없이 그녀를 쳐다보았다.

"재미있는 이야기도 몇 가지 써 보냈는데 아직 못 읽었어요?"

"응, 이틀 동안 이메일을 열어 보지 않았거든."

나는 이렇게 말하고 최근에 들었던 재미있는 이야기를 떠올려 보았다. 나는 매번 이야기했던 내용을 다시 하곤 했지만, 아내는 늘 처음 듣는 이야기처럼 재미있게 들어 주었다. 그래도 이번에는 정말 새로운 이야기를 해 주고 싶어서 곰곰이 생각에 잠겼다. 그러다가 오늘 슈네이더만과 나누었던 대화를 생각하면서 그때 함께 나누었던 유머를 떠올렸다.

오늘 슈네이더만이 하던 방법대로 나도 한번 해 봐야겠다고 마음을 먹고 이야기의 가방을 열어 보았다. 30번은 람메드이니까 운전 학원의 자동차이고…… 지그재그…… 술에 취한 학생…… 그리고 맥주. 나는 그 이야기를 정확하게 떠올려서 아내에게 들려주었다. 31은 '안 돼요, 안 돼요, 안 돼요'이니까 커다란 쓰레기통 뚜껑이고…… 병 뚜껑…… 정신병자들…… 카페. 나는 이 이야기도 아내에게 들려주었다. 32는 레브, 즉 심장이니까…… 다윗과 골리앗 이야기였지. 이런 방법으로 이야기를 기억해 낼 수 있다니, 나는 정말 놀랍기도 하고 흐뭇하기도 했다.

유태식 외국어 공부법

새로운 언어를 공부하기 위해서는 어떤 방법이 효과적인가?
새로운 단어를 모국어에 넣어 기억하면 어떤 점이 좋은가?

파비오는 깨끗한 흰 행주로 투명한 와인 잔을 닦은 뒤 나무로 짜서 붙인 천장 선반에 걸어 놓았다.

"잘 지냈어요?"

나는 검정 코트를 벗으면서 인사를 건넸다. 그도 웃으면서 인사하고는 정원 쪽으로 눈짓을 했다. 정원의 한 귀퉁이, 둥근 탁자 옆에 제롬이 함께 공부하는 친구 이츠하크와 마주 서 있는 모습이 보였다. 제롬은 이츠하크보다 머리 하나쯤 키가 커 보였고, 이츠하크는 제롬보다 체격이 더 좋았다.

"저 친구들 공부하고 있는 건가요?"

"공부하는 중이라고 하던데……. 그런데 공부를 하기 전에 장난을 치던데요."

파비오가 웃으면서 말했다.

329

"장난을 쳐요?"

"네. 꿀을 넣은 차를 갖다 주었는데……. 꿀이 공부에 도움이 된다고 했나요?"

"네. 그런 얘기 했어요. 이타마르도 그렇다고 했고요."

슈네이더만이 말했다.

"음……."

파비오는 에스프레소 커피를 만드는 기계에 새 필터를 꽂았다.

"어쨌든 제롬이 이츠하크와 공부를 하면서 그에게 뒤지지 않으려고 애쓰는 모습을 봤어요. 책을 눈으로만 읽지 않고 소리를 내서 읽던걸요. 이스라엘의 국가 예산에 관한 내용이라고 하던데."

"그게 정말이에요? 장난을 치면서 이스라엘의 국가 예산에 대해 이야기를 나누었다고요?"

"이츠하크가 '예산과 지출'이라고 하니까 제롬은 '국가 보조금, 정부'라고 하는 것 같았어요. 자, 밖으로 나가 볼까요?"

파비오는 이렇게 말하고는 다른 손님들의 주문을 받으러 나갔다. 제롬과 이츠하크는 나를 본 순간 이야기를 멈추고 손짓을 했다.

"잘 왔어. 마침 쉬려던 참이야."

제롬이 말했다.

"잘돼 가나?"

내가 물었다.

"아주 잘되어 가고 있어. 벌써 두 시간 반 동안 서서 공부하고 있는 거야."

"왜 앉아서 공부하지 않고 서서 해?"

제롬은 실망스럽다는 듯한 얼굴로 나를 바라보았다.

"에란은 벌써 다 잊어버렸어? 한 달 전에 빅토르 위고, 모차르트 등이 서서 걸작을 만들었다는 이야기 잊었어?"

"그 방법을 써 보았는데 공부가 잘되더군요."

이츠하크의 말이었다.

"전 세금에 대한 내용을 공부할 때 이렇게 서 있으니 졸음을 쫓을 수 있어서 좋았어요."

"난 슈네이더만과 랍비 다하리에게서 배운 내용을 실제로 적용해 보려고 노력 중이야."

제롬이 내 얼굴을 뚫어지게 들여다보면서 말했다.

"어디서 영감을 얻을 수 있는지 볼래?"

제롬은 책상 위에 놓인 두 장의 사진에 눈길을 주며 말했다.

"이건 내가 영감을 얻는 사진이야."

제롬은 리처드 브랜슨의 사진을 가리켰다.

"그리고 이건 이츠하크가 영감을 얻는 사진."

제롬은 두두 피셔의 얼굴이 들어 있는 사진을 가리키며 말했다.

"두두 피셔가 영감을 주나요?"

나는 이츠하크에게 물었다.

"저는 그의 맑은 노래가 좋아요. 그의 노래를 듣고 있으면 제 자신이 솟아오르는 것 같은 느낌이 들곤 해요."

맑은 노래 이야기를 하고는 있지만, 이츠하크의 목소리는 낮고 탁해서 그리 좋은 목소리라고 할 수는 없었다.

"난 그저 내가 좋아하는 리처드의 얼굴에 승리의 미소가 가득한 걸 보려는 것뿐이야."

제롬은 이렇게 말하고는 더 이상 덧붙이지 않았다.

"대단하네. 너희들이 서서 공부하는 건 랍비가 추천한 대로 현인들의 초상화를 보면서 영감을 떠오르게 하는 것이로군. 다른 내용은 없나?"

"꿀 넣은 차에 대한 내용도 있잖아요."

파비오가 거들었다.

"맞다. 그건 우리들 나름대로 만든 방식인데, 헤브루타식으로 공부를 시작하기 전에 10분 정도 서로 떨어져 앉아서 신문이나 책을 읽고 10분 뒤에 꿀을 넣은 차를 마시면서 경영에 관련된 내용에 대해 이야기를 나누는 거야."

제롬은 북을 치듯 살짝 탁자를 연달아 두드리는 이츠하크를 돌아보면서 말했다.

"우리는 논쟁을 벌이면서 서로의 의견에 동의하지 않는 방법을 사용해. '왜 그렇지?' '왜 이렇게 하면 안 되는 거야?' '이게 아니라 다른 것이었다면 어땠을까?' '누가 결정한 거지?' '누가 그렇게 말했지?' 이런 식으로. 나도 공부를 하면서 느끼는 건데 슈네이더만의 방법이 정말 많은 도움이 된다고 생각해."

"그럼 손은 왜 늘어뜨리는데?"

나는 줄곧 그게 궁금했다.

"아, 그거."

제롬과 이츠하크가 거의 동시에 대답했다.

"그건 스트레스를 받는 상황에서 하는 행동이야."

"스트레스를 받는 상황이라고요?"

파비오가 물었다.

"네. 시험을 보면서 기억해 둔 내용이 생각날 듯 말 듯할 때 받는 그런 스트레스 말이에요."

제롬이 대답했다.

그런 상황에서 스트레스로부터 벗어나기 위해 손을 늘어뜨리고 손가락을 뒤로 꺾어 보는 거죠."

"손가락을 뒤로 꺾는다고?"

"응. 잘 봐."

이츠하크가 두툼한 손으로 제롬의 손가락을 잡고 뒤로 꺾듯 젖혔다. 제롬은 손가락이 아픈지 자신의 입술을 깨물었다. 그때 이츠하크는 큰 소리로 이렇게 물었다.

"생활용품의 순환 과정을 단계별로 말해 보면?"

제롬이 얼굴을 찡그리자 이츠하크는 약간 느슨하게 손가락을 풀어 주었다. 제롬이 소리 질렀다.

"하차브 도에크, 하차브 도에크."

"그게 대체 무슨 뜻입니까?"

파비오는 어리둥절한 얼굴로 제롬을 바라보았다.

"물건이 시장에 도착할 때까지의 단계를 말하는 거예요. 하차브 도에크란 하디라(보급), 츠미하(성장), 바그루트(성숙), 드이하(쇠퇴)를 줄인 말이죠."

이츠하크는 손을 놓아 주고 제롬의 어깨를 두드리며 말했다.

"잘했어 제롬. 지금 보신 것처럼 저는 제롬에게 스트레스를 주는 테스트를 하는 역할이었고, 제롬은 그 스트레스를 떨쳐 버리면서 자신의 기억 속에서 바른 답을 찾아내려고 노력했어요."

파비오는 이 무모한 방식에 어이가 없는지 입을 다물지 못하고 있었다. 이츠하크가 내게 물었다.

"한번 해 보시겠어요?"

"아니, 나라면 차라리 한 학기 학점을 포기할 것 같은데요."

제롬은 휴대전화가 울리자 서둘러 전화기를 귀에 갖다 댔다. 그동안 우리는 자리를 바꾸기 위해 탁자 위에 놓아 두었던 각자의 물건을 의자 아래로 치웠다.

"시, 시."

제롬은 계속 전화 중이었다.

"푸에도…… 에크리르 우나 콘트락트 파라…… 아…… 트레스 세인토스…… 아…… 피세즈……."

제롬은 스페인어로 통화하고 있었다. 우리는 조용히 그가 통화를 마치기를 기다렸다. 제롬은 통화가 끝나자 이마의 땀을 닦으며 힘 빠진 얼굴로 말했다.

"파비오, 스페인어 좀 가르쳐 주세요. 정말 미치겠어요. 이렇게 더듬거리는 제 자신이 너무 부끄러워요."

파비오는 탁자를 닦다가 물었다.

"일반적인 수업과 유태식 수업 가운데 무엇을 원하나요?"

"유태식 수업이란 건 뭐죠?"

"음…… 그건 특별하게 유태식으로 언어를 배우는 걸 말하지요. 유태인들은 여러 가지의 언어를 자유자재로 말하는데 이 방식을 많이 쓰고 있지요. 제롬도 한번 해 보겠어요?"

파비오가 그에게 제안하자 제롬은 기분 좋은 표정으로 대답했다.

"물론이죠."

"그럼 잠시만 기다리세요. 나도 내 일을 맡아 줄 사람을 찾아보고 올 테니 여러분도 이타마르를 기다리고 있으세요. 이타마르가 곧 도착할 겁니다."

우리는 탁자를 몇 개 더 붙여서 둥근 원을 만들었다. 곧이어 온 이타마르와 파비오도 함께 앉았다.

"말하자면 이런 겁니다. 스페인어로 수천 개의 단어를 공부하고 기억하려면 모국어인 히브리어로도 공부를 하고 기억하는 거죠."

"그게 뭐가 다르지요? 성서는 히브리어로 쓰여 있고 회당에서 기도할 때도 히브리어를 사용하고 유태인들은 항상 히브리어를 쓰고 있잖아요."

이츠하크는 의아하다는 듯 물었다. 파비오는 머리를 저었다.

"그렇죠. 그런데 그 얘기가 아닙니다. 히브리어는 성스러운 언어라고 여겨졌기 때문에 기도를 하거나 성서를 기록하는 데 사용했어요. 히브리어는 유태인들이 유년기부터 사용하는 모국어가 아니었고 일상생활에서 쓰이는 언어가 아니었지요. 사업을 할 때, 서로의 의견을 나눌 때나 슈퍼에서 물건을 구입할 때 유태인들은 그들이 살고 있는 곳의 언어, 즉 아랍어, 페르시아어, 독일어, 프랑스어 등을 사용했어요. 세월이 지나고 세대가 바뀌면서 사람들은 반드시 회당에 가서 성서를 읽어야만 한다고 생각지 않았지만 히브리어만은 잘 지켜 냈지요. 히브리어는 이처럼 성스러운 언어로 수천 년 동안 잘 지켜져 왔고 살아남았기 때문에 현재 이스라엘의 국어로 사용되는 겁니다. 사람들에게 일상 언어로 쓰이지 않았던 히브리어가 어떻게 지켜질 수 있었을까요? 전 세계에 흩어져 있던 유태인 공동체들은 무척 예외적인 전략을 세웠어요. 그들은 자신들이 살고 있는 지역에서 사용하는 언어와 성스러운 히브리어를 잘 조화시켜서 새로운 언어를 만들어 냈습니다. 그들이 현실 생활 속에서 사용하고 있는 언어에 히브리어 단어를 섞어 사용해서, 히브리어가 사멸되지 않도록 지켜 낼 수 있었던 거죠."

"이디시어와 같군요."

내 말에 파비오가 고개를 끄덕였다.

"그래요. 그렇지만 그것보다 훨씬 전에 유태인들이 바빌로니아에 포로로 끌려간 후, 유태인들은 그곳에서 살면서 그곳 사람들의 언어인 페르시아어를 유태식 페르시아어로 사용했습니다."

"유태식 페르시아어란 게 뭡니까?"

이츠하크가 물었다.

"그건 페르시아어에 히브리어 단어를 섞어서 사용하는 겁니다. 그후에 랍비 예후다 하레비와 유태인들은 그들 사이에서 유태식 아랍어를 사용했고, 그 후로 유태인이 발명한 두 개의 새로운 언어는 이디시어와 라디노어였습니다."

파비오는 카페에 붙어 있는 몇 장의 사진에 적힌 라디노 단어를 가리키며 말했다.

그는 잠시 눈을 감고 카페에서 흘러나오는 노래에 귀를 기울였다. 노래를 부르는 가수의 목소리가 어디선가 귀에 익은 듯했다. 이츠하크가 물었다.

"스페인어로 노래하는 건가요?"

"거의 그렇다고 할 수 있습니다."

파비오가 미소 지었다.

"저 노래는 라디노어로 부른 겁니다. 라디노어는 유태식 스페인어지요. 히브리어와 고대 스페인어, 더 정확하게 말하자면 카스틸리아니트어가 잘 조화되었다고 볼 수 있습니다."

파비오는 눈을 뜨면서 몸을 일으켜 세우고 앉았다.

"이런 공통의 목적을 위해 전 세계에 있는 유태인들은 하나로 뭉치게 되었어요. 히브리어를 지키면서 전통도 지키고 유태식 스페인어도 만들었습니다. 1492년에 가톨릭으로 개종하지 않은 유태인들은 페르디난도 왕과 이사벨 여왕에 의해 스페인에서 쫓겨났어요. 이 시기에 추방된 유태인들은 10만~20만 명에 이릅니다. 이때 추방된 유태인들은 런던, 암스테르담, 함부르크, 이탈리아, 콘스탄티노플 등지에 새로운 유태인 공동체를 세워서 계속 자신들이 사용했던 언어를 썼답니다. 유태식 스페인어는 15세기의 스페인어, 즉 중세 말기에 사용했던 카스틸리아니트어에 히브리어 단어가 혼합된 언어입니다. 문학은 라디노어로 꽃을 피웠고 유태식 스페인어를 쓰는 공동체에 유태인들이 생활하는 지역의 언어인 터키어나 그리스어 단어도 유입되었습니다."

"라디노어로 된 문장을 하나 예를 들어 주세요."

제롬이 파비오의 이야기 중간에 말했다.

"그럴까요."

파비오는 잠시 카페의 벽을 쳐다보더니 초현실주의적인 그림을 가리켰다. 수백 명의 사람들이 기쁜 듯한 얼굴로 무언가를 기다리고 있는 모습이 그려진 그림이었다. 그림 아래 이런 글이 쓰여 있었다.

Kasa uno es sadik en sus ojos.

"콜 아담 차딕 베에이네이 아츠모.(모든 사람은 그들 스스로를 정의로운 사람으로 여긴다.)"

그가 번역하는 걸 듣고 제롬이 말했다.

"히브리어로 차딕(정의로운 사람——옮긴이)이라는 단어를 그대로 썼군요."

"그렇습니다. 그게 바로 제가 이야기했던 내용입니다. 히브리어와 스페인어의 조화를 엿볼 수 있지요. 다른 예를 더 들어 볼게요."

파비오는 펜을 집어 들고 종이에 이렇게 적었다.

Arova pitas y beza mezuzot.

"피타빵을 훔치고 메주자에 입맞춘다."

파비오가 번역했다. 제롬이 보물 찾기라도 하는 듯 즐거워했다.

"히브리어인 피타(유태인들이 먹는 둥근 주머니 모양의 빵——옮긴이)와 메주자라는 단어가 그대로 들어 있네요."

파비오는 다른 문장을 쓰기 시작했다.

"이 문장에서도 히브리어 단어를 찾아보세요."

Vino kon tale y livro de tefila.

파비오가 문장을 소리 내어 읽었다.

"어디 보자. '트필라(기도)'라는 단어가 있고 '리브로'라는 단어는 '책'이라는 뜻인데."

제롬이 분명치 않은 듯 고개를 갸우뚱했다.

"Tale는 탈리트(유태인들이 기도할 때 두르는 두건——옮긴이)예요. 이 속담의 뜻은 누구든 배울 내용에 대해 미리 잘 준비를 해 두면 무언가 좋은 일이 생기게 된다는 겁니다."

El Yeserara no desha repoza.

제롬은 쓰여 있는 내용을 보더니 잘 모르겠다는 듯 고개를 저었다.

"아는 단어가 하나도 없어요."

"Yeserara라는 단어와 비슷한 단어가 떠오르지 않나요?"

"예를 들어 보세요."

"어딘지 모르게 '예체르 하라아(악한 것을 좋아하는 성향——옮긴이)' 하고 비슷하지 않나요?"

"아, 맞다!"

"악한 본능은 사람을 불편하게 한다."

파비오가 번역을 해 주었다. 문득 내가 물었다.

"현재 라디노어를 말하는 사람들은 몇 명이나 됩니까?"

"나를 빼고 몇 명인지 묻는 건가요? 가수 요람 가온과 대통령이었던 이츠하크 나본도 라디노어를 사용했어요. 2, 3만 명 정도 될 겁니다. 아쉽게도 라디노어는 죽어 가는 언어예요. 다음 세대에는 라디노어로 말하는 사람들이 없을 겁니다. 나만 그 잔재를 지키고 있는 중이죠."

"그러면 '카페 이디시'라는 이름으로 식당 하나 내실 생각은 없으세요?"

이타마르가 제안했다.

"이디시어도 갈수록 사라지고 있잖아요."

"맞아요. 그래도 어쨌든 그 두 언어로 인해 히브리어가 살아남게 되었으니 큰 의미가 있는 일이지요. 사실 소설가였던 모리스 새뮤얼도 '이디시어는 언어가 아니라 히브리어를 지키기 위한 전략이다.'고 말했죠. 이디시어가 아슈케나짐(유럽 계통) 유태인들의 언어였다면 라디노어는 세파라딤(스페인, 북아프리카 계통) 유태인들의 언어였다고 할 수 있어요."

제롬은 종업원에게 손짓을 한 뒤 조금 기다리다가 말했다.

"파비오 씨 이야기를 듣고 함께 이야기를 나누는 게 정말 좋아요. 그런데 이곳의 주인이 앉아 있는데도 종업원은 빨리 오질 않네요."

이타마르가 다음으로 말했다.

"라디노어 다음에 이디시어가 나타났지요? 이디시어는 히브리어와 독일어가 조화를 이룬 언어이고요."

"맞습니다. 그런데 놀라운 것은 이디시어가 라디노어보다 그 역사가 더 오래됐다는 겁니다."

파비오의 말에 제롬이 놀라 물었다.

"정말이에요? 나는 17세기경에 만들어졌다고 생각했는데."

"이디시어로 쓰여진 책 중 가장 오래된 것으로는 13세기에 쓰여진 것이 있습니다. 그런데 이디시어가 정리되어 그 모습을 갖추게 된 것은 유태인 이민자들이 프랑스 북부를 떠나 라인 강변에 자리를 잡은 11세기경으로 보고 있지요. 이디시어는 많은 유태인들이 모여 살았던 독일의 중심부와 쾰른, 프랑크푸르트 지역의 독일어와 히브리어가 잘 조화된 언어입니다."

"이디시란 무슨 뜻을 담고 있나요?"

이츠하크가 물었다.

"처음에는 새로운 언어를 '아슈케나짐어'라고 불렀는데 후에 이디시라고 부르게 되었어요. '이드(Jid)' 즉, 유태인이라는 뜻과 '도이치', 독일어라는 뜻이 합성된 거죠. 그걸 줄여서 유태식 독일어라고 하는 겁니다. 이디시어는 전략이기도 했지만 언어로서의 역할도 충실히 해냈어요."

파비오는 열정적으로 이야기하다가 잠깐 손을 떨어뜨리고는 깊은 생각에 빠진 듯했다.

"아슈케나짐 유태인들의 이 언어는 숱한 폭력, 눈물, 고통, 학살과 끔찍한 2차 대전을 경험한 언어입니다."

그는 잠시 침묵을 지키면서 복잡한 감정의 소용돌이를 잠재우려고 노력하는 것 같았다.

　"이디시어는 이제 우리의 영혼을 우수에 젖게 하는 언어로 바뀌어서 남아 있어요. 이디시어는 유태인의 감정과 영혼뿐만 아니라 유태인들의 아픔, 기쁨, 유머, 삶에 대한 본능을 담고 있지요. 이디시어가 점점 사라지는 위기에 처해 있지만 아직도 사람들은 이디시어로만 표현이 가능하고 이디시어로 말을 해야 그 의미가 더 분명한 것들이 있다고들 합니다. 사실 우리가 현재 쓰고 있는 단어 중에는 반드시 이디시어를 써야만 단어의 뜻이 정확하게 전달되는 것들이 많이 있어요. 모든 유태인들은 이디시어를 할 줄 알아요. 러시아에서 독일, 뉴욕, 또는 부에노스아이레스로 옮겨 다니는 유태인도 가는 곳마다 만나는 유태인들과 이디시어로 대화를 할 수 있습니다. 유태인들은 어느 곳에서든 이디시어를 사용하니까요. 그래서 샬롬 알레이헴, 아이작 싱어, 페레츠 등 많은 유태인 작가들이 이디시어로 작품을 썼어요. 이디시어로 연극도 하고 신문과 잡지를 펴내기도 했고요. 대학에서 이디시어를 가르치기도 하죠. 그리고 제2차 세계 대전이 일어나기 전까지 전 세계의 유태인 중 60퍼센트에 해당되는 1,100만 명의 유태인들이 이디시어를 사용했습니다."

　파비오는 종업원이 음료수를 담은 쟁반을 들고 오는 모습을 보고 잠시 이야기를 멈췄다. 그는 자리에서 일어서서 한 손에 그 무거운 쟁반을 들고 균형을 잘 잡는 종업원에게 미소를 지어 보였다. 그들은 함께 우리에게 음료수를 나눠 주었고 종업원은 곧 주방으로 돌아갔다.

　"여종업원이 새로 왔군요. 그래서 서비스가 남다른 것 같아요. 아직 이스라엘 손님들에게 지친 것 같아 보이지 않는걸요. 2주 정도 지켜봐야겠어요."

제롬이 흥미롭다는 듯 말했다. 파비오는 커피를 한 모금 마신 뒤 이야기를 계속했다.

"유태인들은 또한 성서에 나오는 히브리어 단어를, 무신론적이면 서 인기가 많았던 이디시어에 사용하는 것이 성서에 전혀 해가 되지 않는다고 생각했습니다. 사실 이디시어의 15~20퍼센트는 히브리어 단어이고 70퍼센트는 독일어, 나머지 10퍼센트는 슬라브어, 헝가리 어, 루마니아어로 이루어진 언어입니다."

"예를 들어 보세요."

파비오는 커피잔을 탁자 위에 내려놓았다.

"그런데 한 가지 흥미로운 점은 히브리어로 글씨를 쓰는 것은 매 우 중요시했다고 합니다. 글자를 잊지 않기 위한 방법이었죠."

파비오는 이츠하크에게서 종이를 한 장 받고는 제롬의 펜을 빌린 후 글씨를 써 내려갔다.

"자, 여기 간단한 예가 있습니다."

파비오는 우리에게 글씨를 쓴 종이를 보여 주면서 말했다.

"마마 라샨이란 모국어. 이디시어로는 이렇게 말해요. 마마는 독 일어로 '엄마'라는 뜻이고 라샨은 히브리어로……."

"라숀, 언어라는 뜻이군요."

이츠하크가 말했다.

"이렇게 이디시어는 기본적으로 독일어와 히브리어를 알맞게 잘 섞어서 사용하는 언어라는 겁니다."

파비오가 이야기를 마쳤다. 제롬이 물었다.

"저는 스페인어를 배우고 싶은데 그럼 어떻게 해야 하나요?"

"우리가 히브리어에 외래어를 함께 사용하는 것처럼, 미국인이나 독일인들도 '아멘'이나 '샤바트(안식일)'라는 히브리어 단어를 알고 있어요. 어떤 게 있을까. 타림 텔레폰 레방크(은행에 전화를 하세요). '텔레폰'이나 '방크'라는 단어는 전화, 은행이란 뜻으로 히브리어가 아니지만 외래어로 히브리어에서 함께 쓰고 있어요."

"베이글도 외래어인데 영어에서 온 건가요?"

제롬이 물었다.

"베이글은 독일어로 Beugel, '둥근 빵'이란 뜻이에요. 찰스 라파포트라는 신문기자가 '나는 이디시어로 열 개의 언어를 말할 수 있다.'고 한 적이 있지요. 맞는 말입니다. 유태인들은 이런 유태식 방법으로 열 개의 언어를 배울 수 있죠. 이디시어에는 히브리어에서 온 단어가 4,000개 정도 있고 라디노어에는 히브리어에서 온 단어가 800개 가량 되지요. 이 수에 무슨 의미가 있는지 궁금하시죠? 한번은 《뉴욕 타임스》에서 자사가 발행하는 잡지를 대상으로 잡지 기사 속에 반복 사용되는 단어의 수를 조사한 적이 있다고 합니다. 그 단어의 수가 600개였다고 하죠. 영어 잡지를 읽으려면 영어 단어를 600개 정도는 알아야 한다는 겁니다."

파비오는 다시 펜을 들고 생각에 잠겼다.

"600개의 단어를 익히기 위해서는……."

파비오는 머릿속으로 잠깐 계산을 하는 것 같았다.

"한 달 30일 동안 하루에 단어 20개는 공부해야겠네요. 30일 동안 그 정도 공부한다는 건 한 달 동안 매일 신문을 읽으면서 하루에 20개의 단어를 익혀야 한다는 겁니다."

파비오는 제롬을 바라보며 싱긋 웃었다.

"하루에 20개의 단어를 어떻게 외우고 또 그걸 어떻게 기억하느냐고 물어보려고 했지요?"

"네. 잘 알고 계시네요."

"유태식으로 스페인어를 공부하려면 새로운 스페인어 단어를 히브리어 문장에 넣어서 기억하는 겁니다. 스페인어로 '디네로', 돈이라는 단어를 배운다고 치면, 돈이라는 단어가 들어 있는 히브리어 문장에 스페인어 '디네로'를 넣는 겁니다. 지갑에 디네로가 얼마나 있나요? 전 은행에 디네로가 무척 많아요. 이렇게 문장마다 새로운 단어를 넣어서 기억하는 겁니다."

파비오는 또 다른 예를 들어 보았다.

"이번에는 '옴브레' 남자 또는 사람. 이 단어를 살펴보도록 할까요."

"저 옴브레 정말 멋지다. 저기 서 있는 저 옴브레 보이니? 저 옴브레는 디네로도 많아 보이지 않니?"

제롬은 재미있는 방법을 찾았다는 듯 계속 연습했다.

"그래요. 바로 그렇게 하는 겁니다. 그렇게 새로운 단어를 계속해서 문장에 넣어 보는 거예요. '부자'라는 단어는 스페인어로 '리코'예요. 한번 해 볼래요?"

"저 옴브레는 리코처럼 보이네요."

제롬은 그 방법이 쉽게 이해가 되는 모양이었다. 제롬이 스페인어를 공부하는 모습을 보고 나는 여덟 살 된 딸 갈리가 친구들과 놀면서 영어를 섞어 쓰던 모습이 떠올랐다.

"여기서 이것 가지고 놀자. 플리즈. 인형 바꿀래? 플리즈, 플리즈. 난 이 빨간 머리 바비 인형 가지고 놀고 싶어. 플리즈."

나는 갈리에게 플리즈가 무슨 뜻인지 아느냐고 물어보았다. 갈리는 '해 주세요'라는 뜻인 것 같다고 대답했다. 갈리는 정확한 뜻은 모르고 있었지만 어림짐작으로 그 단어를 문장에 넣어 사용하고 있었던 것이다. 나는 파비오에게 이 이야기를 해 주었다. 파비오는 자신의 방식과 비슷한 것이라고 말했다.

"새로운 단어를 문장에 넣어 계속해서 쓰다 보면 그 단어와 친숙해집니다. 그렇게 하는 동안 단어를 쉽게 익히게 되고 자연히 기억에도 도움이 됩니다."

"그 원리는 이해가 되는데 그렇게 단어를 익히다 보면 한 단어를 정확하게 배워야 한다는 점에서는 미흡하다는 생각이 드는데요. 리코라는 단어는 '부자'라는 뜻의 남성명사인데 '리카'라는 여성명사도 있잖아요."

이타마르가 문제를 제기했다.

"기본적으로는 당신 생각이 맞습니다. 이 방법은 쉽게 새로운 언어를 접하기 좋은 방법이지요. 전문적이고 정확하게 배우려는 사람들은 기초부터 탄탄하게 동사, 시제, 남성명사, 여성명사로 나누어 배우는 게 옳다고 생각합니다. 그렇지만 이 방법은 새로운 언어를 시작할 때 도움이 됩니다. 이런 방법으로 단어를 익히면서 시작하면 조금 더 어려운 내용도 쉽게 공부할 수·있는 힘이 생기고 기본적으로 할 수 있다는 자신감을 갖고 출발하기 때문입니다."

"기본적인 단어만 알면 새로운 곳에 가서도 잘 적응할 수 있겠어요. 헝가리어 단어를 50~100개 정도만 알면 부다페스트에 여행 가도 별 어려움이 없을 거란 이야기군요."

내가 파비오의 말을 정리했다. 제롬이 고개를 흔들었다.

"그렇지만 말을 할 때 실수라도 하면 창피하잖아."

나는 아내의 얼굴이 떠올라 웃으면서 제롬에게 말했다.

"내 아내 야엘도 너처럼 완벽하게 말하고 싶어 하는 사람이야. 실수하는 걸 두려워하고. 자기 말을 알아듣지 못하면 무시당한다는 생각을 하기도 하지."

"응, 맞아. 나도 그런 건 질색이야."

"우리가 함께 파리에 여행을 갔을 때 야엘은 호텔을 예약하고 지하철에서 표를 사고 박물관이 언제 문을 여는지 물어보는 것도 모두 프랑스어로 말했어. 사실 야엘은 프랑스어를 멋지게 하기 위해 몇 년간 공부를 했거든. 가끔 내가 프랑스어를 몇 마디 하려고 하면 야엘은 쥐구멍이라도 찾고 싶어 했지. 내 발음이 너무 엉망이라면서 말이야. 그렇지만 지하철 매표소에서 내가 '두 비에 실부플레'라고 하면 모두 알아듣고 표를 두 장 주더라고. 길게 예의를 갖추면서 말하지 않고 간단하게 말해도 쉽게 의사소통을 할 수 있었던 거야. 카페에서도 카페오레 커피와 초콜릿 크루아상을 주문했는데, 스파게티와 오렌지 주스 같은 엉뚱한 걸 가져다주지 않더라고. 발음은 조금 엉성할지 몰라도 의사소통에는 전혀 문제가 없었던 거지."

파비오는 고개를 끄덕였다.

"말을 배울 때는 부끄러워하거나 실수를 두려워해서는 안 된다고 생각합니다."

"단어를 잘 기억하기 위한 다른 방법도 있습니다. 그 방법을 다루고 있는 책을 몇 권 읽었는데, 슈네이더만이 말했던 랍비 아리에의 방법이 생각나네요. 그 내용은 서로 관계를 지어 연상하는 거예요. 스페인어로 '페드라'는 '돌'이라는 뜻인데 히브리어의 '푸드라'와

발음이 비슷합니다. 히브리어의 '푸드라'는 파우더, 즉 가루라는 뜻이기 때문에 돌이 부서져서 가루가 된다고 기억하면 쉽지요."

파비오가 제롬을 돌아보며 물었다.

"봄베로란 '소방수'란 뜻인데 연상되는 것이 있나요?"

"Bomb! 폭탄요."

제롬이 즉시 떠오르는 사물을 대답했다.

"폭탄은 불이 붙게 되고 그래서 소방수가 필요하니까요. 또 뭐가 있을까. 이트리요트(국수)라는 단어를 리사의 방법으로 생각해 보면, 이트리요트의 철자는 히브리어의 첫 글자인 '알렙'으로 시작되기 때문에, 알렙을 대표하는 '배'에 연결시켜야 해요. 그런데 이트리요트와 배를 어떻게 연결하면 좋을까요?"

"이탈리아에서 구입한 국수를 배에 가득 싣고 오는 거지."

이타마르가 대답했다.

"이타마르, 정말 대단해. 난 이렇게 상상해 봤어. 배를 타고 국수가 생산되는 바다를 항해하는데 이스라엘에서 나는 국수를 이탈리아에 가서 파는 거야. 어째 너무 애국자 같은 상상인가?"

"아니, 대단한 상상력인걸."

나는 제롬의 기를 살려 주었다.

우리는 말없이 요람 가온의 노래를 두 곡 더 듣고 나서 서로의 얼굴을 바라보았다. 이때 파비오가 오늘 저녁 시간을 마무리하는 이야기를 꺼냈다.

"옛날 유태인들이 이디시어를 사용한 것은 히브리어를 지키고 기억하기 위해서였지만, 요즘 이디시어로 말하는 목적은 그때와는 조금 차이가 있습니다. 한 여자가 어린 아들을 데리고 버스를 타고 가는 중이었어요. 그녀는 아들에게 이디시어로 이야기를 하고, 그 아들은 히브리어로 대답을 했어요. 그 모습을 지켜본 한 남자가 이렇게 물었지요. '지금 이스라엘에 살고 계시면서 왜 이디시어로 말을 하나요? 히브리어로 하시지 않고. 히브리어가 우리의 모국어 아닙니까.' 그녀는 이렇게 대답했지요. '당신 말이 맞아요. 하지만 난 그저 우리 아들이 유태인이라는 걸 잊지 않게 해 주려고 그러는 거랍니다.' 라고요."

사람들의 얼굴과 이름을 기억하기

사업 관계로 수많은 사람을 만나다 보면
나중에 명함을 보고 누군지 알 수 없는 경우가 있다.
사람의 이름에서 특징을 발견하고 기억하라!

여름이 되자 제롬은 기말고사를 끝내고 사업차 한 달 동안 여행을 떠났다. 먼저 산타 도밍고와 하바나에 들러 셔츠를 만드는 업자들과 만나, 그가 가져간 새로운 셔츠에 대해 의논했다. 제롬은 그의 겨울 셔츠를 '열대 지방의 겨울'이라고 불렀다. 두툼한 면으로 만든 셔츠의 색이 눈을 녹이고 마음을 따뜻하게 만든다는 뜻이었다.

제롬은 그곳에서 뉴욕으로 날아가 3,000개의 지점을 가진 카운트 다운과 서브마린 매니저를 만나 계약서에 서명을 했다. 돌아오는 길에는 영국, 스페인, 독일, 이탈리아에 가서 그곳의 의류 수입업자들을 만났고, 그들 중 일부와 사업 계약을 맺기도 했다. 파리에서는 패션 전시회를 방문해서 전 세계 젊은이들의 유행을 살펴볼 기회를 갖기도 했고 사업에 도움이 되는 많은 사람들을 만나기도 했다.

제롬은 명함 200장을 준비해 갔는데 이틀 만에 모두 나누어 주었을 정도였다고 했다. 제롬은 이제 자신의 삶이 나아지기 시작한다며 기분이 좋아져서 돌아왔다.

전화 통화를 할 때 제롬은 카페 라디노에서 다시 함께 모이자고 했다. 처음에는 제롬, 이타마르, 나 이렇게 셋이 모였는데 이제는 모임이 커져서 파비오와 이츠하크까지 참석하고 있다. 제롬은 이번에는 요셉 하임 슈네이더만과 랍비 다하리도 초대하자고 했다.

"한 가지 더 확실하게 알아야 할 내용이 있어. 여행 중 사업 관계로 새로운 사람들을 많이 만났는데 그 사람들의 이름을 4분의 1만큼도 기억을 못하겠어. 그들이 무슨 이야기를 했는지, 그들의 얼굴이 어떻게 생겼는지 전혀 생각이 나지 않아. 사람들의 얼굴과 이름을 잘 기억할 수 있는 유태식 방법이 있을까?"

그 이야기를 들었을 때 나는 도움 될 만한 답이 생각나지는 않았지만, 그 질문이야말로 제롬에게 실생활에서 중요하다는 생각이 들었다. 그래서 나는 모임을 갖자고 제안했고, 그 내용에 관련된 전문가를 초대해야겠다고 생각했다.

이타마르의 생일이 지나고 며칠 뒤 월요일 오후에 모임을 가졌다. 파비오는 여름을 맞아 7월의 뜨거운 열기를 날려 보내기 위해 카페 정원에 커다란 선풍기를 갖다 놓았다. 우리는 두 개의 탁자를 붙여 함께 앉았다. 일곱 명의 남자와 함께 제롬이 초대한 리사가 함께 자리했다.

"여자들이 대체로 남자들보다 사람들의 얼굴과 이름을 더 잘 기억하잖아. 그래서 혹시 도움이 될까 해서 리사도 오라고 했어."

제롬은 리사를 초대한 이유를 이렇게 말했다.

우리는 이타마르를 위해 잔을 들었고 랍비는 그를 축복했다.

랍비가 제롬에게 물었다.

"대학에서 한 학기 끝나고 성적은 나왔나?"

"가르쳐 주신 기억력 기술이 제게 도움이 됐는지 궁금하신 거죠?"

제롬은 웃으면서 랍비를 쳐다보았다.

"아니, 당연히 도움이 됐을 거라고 생각해. 난 그저 자네가 잘 지내고 있는지 공부는 잘되고 있는지 알고 싶었던 것뿐이야."

"아, 고맙습니다. 그런데 아직 시험 결과가 나오지 않았어요. 아마 다음주쯤에 결과를 알게 될 거예요. 결과가 나오면 꼭 알려 드릴게요."

"외국에서 사업이 잘 풀리고 있다는 이야기는 들었네."

랍비는 내게 들은 이야기를 제롬에게 말하며 자랑스럽다는 듯 고개를 끄덕였다. 제롬은 부끄러운지 손을 내저으면서 머리를 긁적이며 겸손하게 대답했다.

"아닙니다. 아직 아무것도 성공적인 결과를 얻은 건 없어요. 미팅은 모두 잘 이루어졌는데 그 결과는 앞으로 두고 봐야지요. 제 물건이 아직 가게에 나와 있는 것도 아니거든요. 사실 아직 만들어진 상태도 아니에요. 실물을 만들려면 몇 주는 걸릴 거예요. 먼저 쿠바와 도미니카 공화국에서 물건을 만들어서 9월에 도매상과 수입상들에게 보내면 셔츠는 10월이 되어야 가게에 선을 보이게 될 겁니다. 그런데 경쟁도 만만치 않아요. 저처럼 셔츠를 만들어 파는 사람들이 수천 명은 되는데 모두 좀 더 나은 곳에 진열하려고 하니까요."

제롬은 가방에서 명함을 몇 장 꺼내 읽고 나서 고개를 갸우뚱거리며 랍비에게 말했다.

"사업상 여러 사람을 만나다 보면 상대의 얼굴과 이름을 잘 기억하지 못해서 당황할 때가 더러 있어요. 사람들의 이름과 얼굴을 잘 기억할 수 있는 방법이 없을까요?"

그는 랍비에게 명함을 보이면서 이렇게 말했다.

"이름만 보고는 이 사람이 어떻게 생겼는지 전혀 떠오르지 않아 요."

랍비는 손가락으로 탁자를 가볍게 두드리다가 슈네이더만에게 물었다.

"솔로몬 왕은 후궁을 천 명이나 두었는데 어떻게 그들의 이름을 모두 기억할 수 있었을까?"

슈네이더만이 웃으면서 대답했다.

"네. 성스러운 책에 사람들의 얼굴과 이름을 기억하는 방법이 나와 있습니다."

"자, 그럼 사람들의 이름부터 시작해 볼까."

랍비가 제롬을 보며 말했다.

"사람들은 자신의 이름을 부르거나 기억해 주고 존경심을 표하면 좋아하지. 솔로몬 왕도 '아름다운 이름이 보배로운 기름보다 낫다.' 고 말했다네. 이름은 그 사람을 가리키는 것이고 우리가 죽고 나서 좋은 이미지든 나쁜 이미지든 이름으로 남지. 하느님께서는 다윗에 게 '네 이름을 창대하게 하리니 너는 복의 근원이 될지니라.' 고 말씀 하셨다네. 우리의 조상인 아브라함에게는 이렇게 말씀하셨지. '내가 너로 하여 큰 민족을 이루고 네게 복을 주어 네 이름을 창대하게 하 리니.' 이시야후라는 예언자도 사람들의 이름이 갖는 의미가 크다고 했는데, 그 이유는 우리 모두 이름과 사람에게 존경심을 갖고 예의 바르게 대해야 한다는 거라네. 그런데 우리는 기본적으로 사람들의 이름에 대해서는 별로 관심을 갖지도 않고 그다지 중요하게 생각하지도 않는 실수를 범하고 있다네. 누군가를 만나서 이야기를 나누고 헤어진 다음 몇 분 지나서야 그 사람의 이름이 뭐였더라? 하고 생각하는 경우가 더러 있지."

랍비가 이마를 훔치면서 말했다.

"그러나 언제나 그런 것만은 아니네. 만남을 갖기 전에 그 사람의 이름이 무엇인지 관심을 갖게 되면 그런 경우가 줄어들게 되지."

나는 랍비의 의견이 마음에 들었다. 동시에 왜 사람들이 이름에 큰 의미를 두지 않고 관심을 두지 않는지 그 이유가 머릿속에 떠올랐다.

"대체로 이름은 부모로부터 받은 것이잖아요. 스스로 어떤 노력을 기울여서 얻은 게 아니죠. 그래서 사람들은 이름을 그리 중요하게 생각하지 않아요. 각자 자신의 이름을 선택했다면 어떤 이유에서 그 이름을 정했는지 알아보는 것도 심리학적으로 흥미로울 겁니다. 이름은 우연히 얻어진 것이지만 그것이 삶 속에서 얼마나 중요한지는 모두 잘 알고 있을 거예요."

랍비는 이야기를 듣고 나서 빠르게 말했다.

"그건 삶을 대하는 자세라고 생각하네. 다윗은 아들의 이름을 솔로몬이라고 지었는데 그 이유를 이렇게 설명했지. '그 이름을 솔로몬이라 하리니 이는 내가 저의 생전에 평안과 안정을 이스라엘에게 줄 것임이니라.' 다윗처럼 부모들도 자녀들에게 그들 나름대로의 의미와 뜻이 담긴 이름을 준다고 생각하네."

랍비는 자신의 생각에 대해 조금 더 설명을 했다.

"우리가 하얀 불과 검정 불에 대해 이야기를 나눌 때 흰 종이에 검정색 글씨로 가득 채우는 내용을 이야기했지. 모든 사람들이 이 세상에 태어나는 그 순간은 흰 종이 상태야. 인생을 살아가면서 그 위에 하느님께서 주신 검정색 글씨로 채워 가는 거라네. 글씨를 쓸 때 잘 정리를 하면서 쓰기도 하고 붙여 쓰기도 하고 띄어 쓰기도 하고, 흰 여백이 남기도 하고 종이 전체를 모두 채우기도 하지. 이름도 마찬가지라네. 이름이 그 사람과 맞을 때도 있고 전혀 안 어울릴 때도 있지. '이츠하크'라는 이름은 '웃게 된다'는 뜻인데, 그 이름을 가진 사람의 삶이 비참할 수도 있고 무척 밝을 수도 있다네. 부모님께서 주신 이름에 따라 사람의 운명이 달라지는 걸까, 아니면 다른 길을 찾을 수 있는 걸까."

랍비는 파비오가 특별히 준비한 차를 한 모금 마시고 나서 이야기를 계속했다.

"그런 이유로, 이름을 바꾸고 원하는 이름을 선택하는 사람들도 있다네. 그들은 이름을 바꾸면 자신의 미래도 달라진다고 생각하지. 그래서 하느님께서도 아브람을 아브라함으로, 야곱을 이스라엘로 바꾸셨다네. 모세도 호세아 벤 눈을 여호수아라고 칭했지. 여호수아라는 이름은 '구한다'는 뜻을 내포한 이름이므로, 하느님께서 전쟁 중에 이스라엘을 구하신다는 의미를 갖고 있는 거야. 어쨌든 이름에 관심을 갖고 존경심을 표하고 누가 그 이름을 주셨는지도 기억해야 해. 이름은 스스로를 나타내는 또 하나의 나라는 생각을 가져야 하지."

이타마르는 랍비의 의견에 동의하고는 다른 나라 사람들의 예를 들어 이야기했다.

"미국의 인디언들은 이름이란 걸 그 사람 전체를 구성하는 데 꼭 필요한 구성 요소의 일부로 보았어요. 이름을 부를 때 화나게 하거나 이름을 잘못 부르면 그 상대에게 정신적으로 고통을 준다고 생각했지요. 중국에서는 이름이 악령을 막아 준다고 여겼고 콩고에서는 전쟁이나 사냥을 나간 용사가 집으로 돌아오기 전까지는 그들의 이름을 말하는 것을 금했다고 합니다."

"유태인들도 인디언들과 같지 않아?"

제롬이 물었다.

"이름마다 의미가 있잖아요. 의미가 전혀 없이 아무개라고 부를 순 없으니까요. 오르(빛), 기(계곡), 펠레그(시냇물), 마아얀(샘물), 마즈라카(분수), 미클라혼(샤워), 미트리야(우산)과 같이 모든 이름에는 의미가 있어야 하는 것 아닌가요?"

랍비는 웃으면서 고개를 저었다.

"법으로 정해져 있는 것은 아니라고 생각하네. 그렇지만 이스라엘 사람들 거의 대부분의 이름에는 의미가 담겨 있지. 모세도 파라오 공주가 '물에서 건져 내었다'는 뜻의 이름을 지어 주었지. 레아는 아들을 출산할 때 너무 긴장해서 '레우!(봐요) 벤!(아들)'이라고 외쳤어. 그래서 아들의 이름을 르우벤이라고 불렀다네. 또한 태에 쌍둥이가 있었는데 달이 차서 먼저 나온 자는 붉고 전신이 털로 덮여 있어서 이름을 에서라 하였고 후에 나온 아우는 손으로 에서의 발꿈치를 잡고 나와 야곱이라고 불렀지."

"인디언들은 스테이크를 구운 정도를 나타내는 것처럼 웰던(잘 익은)이라고 부를 수도 있겠네요."

제롬이 농담을 했다.

"이칙이라는 이름도 이츠하크에서 온 거라네. 많은 이름에는 하느님을 기억하고 우리에게 삶을 주심에 감사하는 뜻이 담겨 있지. 요한난, 요람, 아비엘, 엘리야후, 이시야후 등이 그 한 예가 되는 이름이라네."

"자연에서 온 이름도 있어요. 도브(곰), 츠비(사슴), 에얄(영양), 드보라(꿀벌) 같은 이름은 자연에서 따온 이름이죠. 누리트(작은 빛), 리라흐(백합), 라케페트(시클라멘), 바라크(번개), 쭈르(암석) 등의 이름도 있어요."

리사가 말했다.

"오프라라는 이름도 있잖아. 오프(닭) 라(나쁜). 이런 뜻 아닌가?"

제롬이 유명한 여가수의 이름을 가지고 농담을 했다.

"오프라는 '오페르'라는 남자 이름의 여성형이고, 오페르는 어떤 지역의 이름이라네."

랍비가 내용을 정정해 주었다.

"성서에 나오는 이름 중에는 그 뜻이 그리 유쾌하지 못한 것들도 있다네. 켈레브(개), 코쯔(바늘), 타하트(엉덩이), 티노페트(쓰레기) 같은 이름도 있지."

"타하트(엉덩이)라는 이름도 있나요?"

이츠하크가 놀라서 믿어지지 않는다는 듯 물었다.

"그 사람에게 그 이름이 맞기 때문에 그렇게 붙인 걸까요? 길에서 만나 인사를 할 때 '안녕하세요? 개 선생님. 아들 쓰레기는 벌써 일곱 살이겠네요.' 이렇게 안부를 묻겠네요."

슈네이더만은 그 이야기를 듣다가 참고 있던 웃음을 터뜨렸다.

"그런데 아리에(사자)가 어떻게 레야브로, 모세는 모이즈로 불리게 됐나요?"

내가 묻자 이타마르가 대신 대답했다.

"그건 시대적인 상황에 따라 변했다고 볼 수 있어. 그 시대에 맞게 이름에 변화를 주어 부르기도 했거든."

"그렇게 이름이 변한 건 헬레니즘 시대부터 시작되었다네."

랍비가 덧붙였다.

"필론이라는 유태인의 조카가 티베리우스 알렉산더였는데, 그는 로마가 이스라엘을 통치하던 시기에 예후다 지역의 감독관이었다네. 회당의 수장의 이름은 테오도투스였지. 미드라시에 보면 이렇게 그리스식 이름을 사용한 예가 분명히 드러난다네. 알렉산드라, 안드리아스, 피커 등 그 예를 쉽게 찾아볼 수 있지."

"성은 어떤가요? 성을 사용하기 시작한 건 그보다 훨씬 후였다고 읽은 적이 있습니다."

내 물음에 랍비와 이타마르는 동시에 대답을 하려고 하다가 서로의 얼굴을 보며 양보했다. 이타마르가 손을 내밀어 먼저 하라는 표시를 하자 랍비가 이야기를 시작했다.

"과거에는 요셉이나 다비드라는 이름을 주고 이름 뒤에 그들의 아버지 이름을 붙였네. 다비드 벤 이샤이(이샤이의 아들 다비드), 솔로몬 벤 다비드(다윗의 아들 솔로몬), 여호수아 벤 눈(눈의 아들 여호수아)이라고 했는데 그게 성으로 쓰인 거지. 고향 이름, 직업 이름, 가족의 특징을 이름으로 붙이는 경우도 있었다고 하네. 스페인계 유태인의 이름 중에는 '아불라피아'라는 성이 있는데 그 뜻은 '물리학자'를 가리킨다네."

"가족의 특징이란 어떤 걸 말하는 건가요?"

이츠하크가 물었다.

"예를 들어 가족의 수가 적다든가 특별한 전통이 있다든가. 유태인들은 살던 곳에서 쫓겨날 때 그곳의 이름을 성에 붙이기도 했다네.

알칼라이는 '알쿨라'라는 도시 이름에서 비롯되었고, 스피노자는 '아스피노사'에서, 톨라데누는 '톨레도'에서 찬아니는 '찬아'에서 비롯된 이름이라네."

"아슈케나짐들의 이름은 어때요?"

이츠하크가 물었다.

"로젠바움이나 골드스미스라는 이름은 아슈케나짐들의 이름이죠?"

"그거라면 이제 아슈케나짐의 대표에게 차례를 넘기겠네."

랍비는 이타마르에게 손을 내밀며 이야기를 권했다.

"제 혈통은 4분의 3만 아슈케나짐인걸요. 그래도 제가 알고 있는 내용을 말씀드리죠."

이타마르가 이야기를 시작했다.

"그 원리는 아슈케나짐들도 비슷한데 그들은 18세기에 이름을 명명하는 법을 발전시켰어요. 대부분의 사람들은 야곱 벤 이츠하크(이츠하크의 아들 야곱)와 같이 아버지의 이름을 성으로 사용했어요."

"왜 가족들 고유의 성을 사용하지 않았을까?"

제롬은 커피에 설탕을 넣고 저으면서 물었다.

"그렇게 하는 게 편했나 보지. 그들은 이름이 알려지지 않게 조용히 지내면서 간섭을 받지 않으려고 했어. 그런데 1787년 오스트리아의 황제 요제프 2세가 성을 정리하라는 명령을 내렸고, 1809년에는 법으로 정해져서 프랑크푸르트, 바덴 유태인들은 프랑스, 프러시아, 러시아처럼 성을 사용해야 했지."

이타마르는 차근차근 설명했다.

"성을 정리하라는 명령을 내리게 된 것은 세금을 인상하고 유태인들을 군대에 징집하기 위해서였어요. 그렇게 해서 그들은 유태인들의 돈을 걷어 가는 방법을 알게 된 거예요. 그들은 예쁜 이름은 많은 돈을, 미운 이름은 적은 돈을 내게 했어요."

"예쁜 이름은 어떤 게 있어?"

내가 물었다.

"로젠탈, 디아멘트, 아델슈타인 등은 예쁜 이름에 속했고 아쌀코페프(멍청이), 샤마레츠(뚱보), 비렘바렌데트(애벌레 태우기) 등은 미운 이름에 속했는데, 그 뜻을 살펴보면 반유태주의가 저절로 느껴지는 이름들이야. 헝가리에서는 유태인들을 네 그룹으로 나누어서 성을 붙이도록 했지. 바이스(흰색), 슈바르츠(검정색), 클라인(작은), 그로스(큰) 이렇게 성을 정해 주었어."

"잠깐만. 그럼 슈워제네거는 무슨 뜻이야?"

제롬이 물었다.

"검정색, 흑인이라는 뜻이야."

이타마르가 웃으면서 대답했다. 제롬은 믿어지지 않는다는 듯 이타마르를 쳐다보았다.

"검정색, 흑인이라고? 유태인인데 그런 이름을 받다니. 그보다는 흰색 백인이 더 낫겠는데."

이타마르는 계속 설명했다.

"그러나 아슈케나짐 유태인들은 다른 시기, 다른 여러 곳에서 스스로 성을 고를 수 있었어요. 스페인에서는 직업과 관련된 성으로 바카(빵 굽는 사람), 샤레이바르(소설가), 플라이셔르(리듬), 파르바르(화가), 진거(가수), 스피박(슬라브어로 유태교 회당의 독창자) 등이 있어요. 벤 아브라함이 독일어로 아브람손으로, 슬라브어로는 아브라모비츠로 바뀌었고 출신 지역에 따라 베를린스키(베를린), 런던, 슐레징거(슐레치아), 폴락(폴란드), 리트박(리타인)으로 부르기도 했죠. 쿠르츠(짧은), 브라운(밤색), 랑게르(긴), 바이스는 독일어에서 온 것이고 비알릭은 슬라브어로 '희다', 겔러는 '노랑색'을 뜻하지요."

"그렇지만 이스라엘이 독립하면서 성을 히브리어로 찾아 쓰게 됐 잖아요."

이츠하크가 말했다.

"일부 사람들은 히브리어로 이름을 바꿨습니다."

이타마르가 고개를 끄덕였다.

"유명 인사 중에서 보자면 다비드 가린은 다비드 벤 구리온으로, 블라디미르 자보텐스키는 제에브로, 엘리에젤 펄만은 엘리에젤 벤 예후다(현대 히브리어를 완성시킨 학자—옮긴이)로, 시어도어 헤르첼은 벤야민 제에브 헤르첼로 바꾸었지요. 베렐 카찰손과 골다 메이어 등 몇 명의 정치 지도자들은 그들의 이름을 그대로 유지하고 싶어 했고요."

"골다 메이어가 '금'이란 뜻의 자하바 메이어라니 재미있군. 도브 (곰)라는 이름을 가진 세 명의 각료와 회의를 하는 골다 메이어는 '골다와 세 마리의 곰'이 되겠네."

제롬은 농담을 하면서 웃었다.

"그건 그렇고 유태인 이름 중에서 가장 긴 것이 뭔지 알아?"

이타마르가 물었다.

"슈워제네거."

제롬이 재빨리 대답했다.

"미안하지만 틀렸어. 카체넬렌보겐이야. 영어 철자대로 쓰면 Katzenellenbogen."

"그 이름의 뜻이 뭔가?"

랍비가 물었다.

"고양이의 팔꿈치라는 뜻이에요."

이타마르가 웃었다.

파비오가 커피를 더 주문하려고 여종업원을 불렀다. 랍비만 차를 부탁하고 모두 커피를 주문했다.

"이름에 대한 이런 이야기가 있습니다. 한 초등학교에 랍비가 방문했는데, 한 소녀가 랍비의 관심을 끌기 위해서 그런 건지, 계속해서 랍비를 '야곱, 야곱'이라고 불렀어요. 이를 본 교장 선생님이 '리브가, 야곱이라고 부르면 안 되지. 그럼 예의가 없는 거란다. 랍비 슈네이오르라고 불러야지.'라고 말했어요. 그 장면을 본 랍비가 소녀를 보고 웃으면서 말했지요. '애야, 내게 할 말이 있니?' 소녀는 대답했지요. '네, 제 남동생 이름도 슈네이오르예요.'"

한 쌍의 관광객이 땀을 흘리며 마당으로 들어오더니 선풍기 앞에 앉았다. 여자는 선글라스를 벗고는 손에 들고 있던 지도를 가방에 집어넣고 있었다.

"여러분이 이야기한 내용을 모두 이해했습니다. 사람들의 이름에서 그 의미를 찾고, 그 사람과 이름의 의미를 연결지어 생각해야 한다는 거로군요?"

제롬이 결론을 내렸다.

랍비는 수염을 만지면서 우리를 쳐다보았다. 우리는 모두 랍비가 새로운 강의를 시작하기를 기다리며 그의 얼굴을 바라보았다.

"여호와 하느님이 흙으로 사람을 지으시고."

랍비는 성서의 한 부분을 인용했다.

"생기를 그 코에 불어넣으시니 사람이 성령이 되었느니라. 그 이후 사람에게는 서로 다른 특별한 영혼이 생기게 되었다네. 각자 다른 성격과 얼굴, 신체를 갖게 됐지. 좋은 사람, 나쁜 사람, 차분한 사람, 다혈질인 사람, 키가 큰 사람, 작은 사람, 뚱뚱한 사람, 마른 사람, 예쁜 사람, 조금 덜 예쁜 사람 등이 존재하지."

"그중에는 유태인처럼 생긴 사람들도 있어요. 등이 약간 굽고 코는 매부리코에 귀 끝이 뾰족한 얼굴을 한……."

제롬이 농담을 던지자 랍비가 정색하고 말했다.

"반유태주의에 따르면 그렇게 말할 수도 있겠지. 나를 제외하고는 여기 있는 여러분 중 코가 특별하게 긴 매부리코는 없어 보이는데……. 사실 여기 있는 자네들은 유태인처럼 보이지 않는군."

랍비는 이렇게 말하면서 파비오를 멀찍이 떨어져서 바라보았다.

"물론 그건 일반적인 이야기지만. 반유태주의자들은 얼굴이 잘생긴 유태인들이 많다고 말해. 다윗 왕은 눈이 잘생겼고 영국의 유태교 수장인 랍비 다비드 로젠도 용모가 수려하다고 하지. 벤야민 네타냐후와 랍비 이츠하크 페레츠도 빼놓을 수 없지."

"죄송하지만……."

제롬이 잠깐 할 말이 있는 것 같았다.

"또 재미있는 이야기가 떠올랐는데 지금 그 이야기를 해야겠어요."

"그렇게 하게. 자네에게 지금 가장 중요한 일은 그 이야기를 빨리 들려주는 거라는 걸 알고 있으니까."

"고맙습니다. 빨리 끝내죠. 비행기에 한 남자와 여자가 함께 타고 있었어요. 여자는 남자를 흘끔흘끔 쳐다보다가 더 이상은 참지 못하겠다는 듯 그 남자에게 물었어요. '유태인이죠? 그렇죠?' 남자는 미소를 지으며 고개를 흔들었지요. '아뇨, 전 유태인이 아닙니다.' 여자는 5분 지나서 다시 그 남자에게 물었어요. '정말 유태인이 아닌가요?' '정말 아니에요.' 남자가 대답했지요. 2분 지나 다시 여자가 고집스럽게 묻는 거예요. '정말 유태인이 아닌가요? 아니면 유태인이라는 게 싫은 건가요?' '전 정말 유태인이 아니라니까요. 개신교도예요.' 남자는 인내심의 한계에 이르렀지요. 세 시간 지나 또 그 여자가 남자에게 와서 같은 질문을 하자 남자는 결국 대답했어요. '당신 말이 맞아요. 전 유태인이에요. 이제 됐습니까?' 그 여자는 그를 이리저리 쳐다보더니 '거참 이상하네. 전혀 유태인처럼 생기지 않았는데.' 라고 하더래요."

이타마르는 소리 내어 웃으면서 손으로 탁자를 두드렸다.

"죄송합니다. 계속하세요."

제롬이 랍비에게 말했다.

"이 이야기처럼 이름과 외모를 서로 연관 지어 생각해 볼 수 있겠네. 외모보다 정신, 즉 성격이나 첫인상이 더 중요할 수도 있다네. 이름과 사람을 네 종류로 나눠 볼 수 있지. 좋은 이름에 바른 행동을 하는 사람, 나쁜 이름에 나쁜 행동을 하는 사람, 나쁜 이름에 바른 행동을 하는 사람, 좋은 이름에 나쁜 행동을 하는 사람으로 나눌 수 있어. 다시 말해서 그 사람에게 맞는 이름이 있고 맞지 않는 이름이 있다는 거야."

랍비는 다리를 포개고 앉아 다시 생각에 잠겼다가 말했다.

"사람을 만나면 먼저 이름에 관심을 갖도록 하게. 그러고 나서 그를 잘 쳐다보고 첫인상에 대해 생각해 보게. 처음 만났을 때 느낌이 어땠는지 생각해 보는 거지. 귀여운지, 따뜻한지, 차가운지, 잘 웃는지 살펴보게. 모세도 얼굴을 살펴보고 60만의 군사를 뽑았다고 하네. 사람들을 만날 때 이 사람은 왜 다른 이름이 아닌 이 이름으로 불리고 있을까 생각해 보는 거야. 이름이 첫인상에 어떤 영향을 미치는 건 아닐까? 가장 중요한 것은 어떤 이름이 그 사람에게 잘 맞고, 잘 맞지 않는지를 아는 거라네. 이사야 예언자는 '그들의 안색이 스스로 증거한다.'고 했다네. 얼굴 표정이나 이름으로 얼마든지 질문에 대답을 할 수 있지."

"예를 들어 주실 수 있어요? 그게 어떤 방법으로 가능한지 알고 싶네요."

제롬이 물었다. 랍비는 잠시 생각을 하고 나서 말했다.

"멜라메드(가르친다)라는 이름의 선생님이 찡그린 얼굴로 당신을 가르친다고 가정하지. 얼굴을 찡그리는 선생님이 좋은 교사가 될 수 있을까? 난 그렇지 않다고 생각하네. 얼굴을 찡그린다는 것은 가르치는 것을 좋아하지 않는다는 뜻이니까. 그 교사를 생각할 때는 찡그리는 얼굴이 떠오르게 될 것이고 그건 이름과 이어지지. '아, 그 찡그리는 선생님의 이름이 멜라메드(가르친다)였지! 하고 말일세."

"요시크, 요셉 하임 같은 이름은 어떻게 기억할까요?"

제롬은 슈네이더만을 보며 웃었다. 랍비가 조심스럽게 말했다.

"그건 자네가 슈네이더만을 어떻게 생각하느냐에 달렸네. 그에게서 어떤 인상을 받았는지 생각해 보게."

제롬은 다시 슈네이더만을 한참 동안 쳐다보다가 이렇게 말했다.

"착한 마음을 가졌고 똑똑하면서 재미있어요. 풍부한 상상력으로 저를 많이 도와주었고요. 제게 정말 소중한 선물을 주었지요. 시험 기간 중에 그가 알려 준 방법을 사용했더니 기억도 더 잘할 수 있었어요."

제롬은 고개를 끄덕이면서 슈네이더만을 쳐다보고는 말했다.

"요시크, 고마워."

"결국 그가 도움이 됐다는 이야기군."

랍비가 요약해서 말했다.

"그럼요."

"달리 표현하자면 그가 자네의 삶에 뭔가를 더해 주었다고 하는 편이 더 나을까."

"그렇죠! 삶에 플러스가 되어 주었어요."

제롬은 이마에 주름살이 생길 정도로 심각한 얼굴을 했다. 그러다가 무언가 깨달은 듯 갑자기 손뼉을 쳤다.

"요셉 하임! 삶에 뭔가를 더해 준다는 뜻이 바로 네 이름의 의미였군. 정말 너는 이름과 잘 맞는 사람이야."

이번에는 이츠하크가 물었다.

"이름을 사람의 신체나 외모와 관련지어 생각할 수 있다고 하셨죠?"

"아, 그거요. 저도 그 방법을 많이 사용합니다."

파비오가 끼어들며 말했다.

"텔레비전에서 사울 야알롬이라는 국회의원을 처음 보았는데 이름과 잘 어울린다는 생각이 들 정도로 살이 찐 모습이었어요. 야알롬 (다이아몬드)을 많이 가진 부자처럼 보였고 먹고 싶은 것은 무엇이든지 먹을 수 있는 사람으로 보였습니다."

"좋은 예로군. 그렇지만 너무 지나치게 이름과 외모를 연관지어 생각할 필요는 없다네. 외모의 특징에 초점을 맞추는 건 가능하지. 전도서에도 '사람의 지혜는 그 사람의 얼굴에 광채가 나게 하나니' 라는 구절이 나온다네. 광채는 눈빛을 반짝이게 하고 얼굴 전체를 환하게 보이게 한다는 뜻이지. 이스라엘 왕 아하시야는 신하들로부터 엘리야 예언자가 '털이 많은 사람' 이라는 말을 듣고 그가 엘리야임을 확인했지. 솔로몬은 아가서에서 '네 머리털은 길르앗 산기슭에 누운 염소 무리 같구나.' 라고 노래했고. 내가 예를 든 사람들의 얼굴과 성격을 연결시켜 생각해 보게."

랍비가 다시 이야기하던 주제로 돌아갔다.

"하느님께서는 에제키엘 예언자에게 약속하셨지. '내가 그들의 얼굴을 대하도록 네 얼굴을 굳게 하였고 그들의 이마를 대하도록 네 이마를 굳게 하였으되' 라고 말일세. 강한 얼굴과 강한 이마를 뜻하는 거라네. 다윗 왕은 군대의 용사들을 '그 얼굴은 사자 같고 빠르기는 산의 사슴 같으니' 라고 표현했지. 이 구절에서도 사람의 얼굴을 보는 것만으로 그들의 용맹함을 저절로 느낄 수 있지 않나."

"저는 사람들의 눈을 통해 그 사람을 알 수 있다고 생각합니다."

이타마르가 말했다. 리사도 동의했다.

"맞아요. 선한 눈을 가진 자는 복을 받으리니, 악한 눈이 있는 자가 얕잡아보고 꾸짖음, 조롱이 있다……."

"간단히 말해서 우리에게 선한 눈이 있으면 눈에서 빛이 나고, 악한 눈이 있으면 부모님들이 그의 이름에 '빛' 이라는 의미를 붙여 주었어도 세월이 지나면서 그 빛이 꺼지게 된다는 뜻이네."

랍비가 설명했다.

"다프나는 키가 크고 짧은 머리예요. 이런 특징을 가진 그녀를 기억하려면 어떻게 하면 좋을까요?"

랍비는 제롬을 쳐다보며 물었다.

"자네에게 무언가 좋은 생각이 있나?"

"네. 저는 다프나(히브리어로 월계수를 뜻함——옮긴이)가 머리에 월계수 관을 쓰고 있는데, 그 월계수 관 때문에 머리가 더워서 머리카락을 자르라고 충고했다는 걸 기억하겠어요."

그 대답을 듣고 이타마르는 이렇게 질문했다.

"그럼 외국어로 된 이름은 어떻게 기억할 거지?"

그것은 조금 어려운 질문이었다.

"아, 그거요. 제가 어떻게 하는지 말씀드릴게요."

슈네이더만이 말하면서 제롬을 가리켰다.

"제롬이란 이름처럼 특별히 무언가를 가리키는 의미가 없는 경우라면, 저는 그 이름과 가장 비슷한 단어를 생각합니다."

제롬은 슈네이더만의 이야기에 귀를 기울였다.

"제롬이란 이름은 무게의 단위인 '그램'과 스펠링이 비슷해요. 제롬, 그램. 비슷하죠, 그렇지 않아요?"

슈네이더만이 우리를 돌아보며 물었다. 이츠하크가 웃으면서 고개를 끄덕였다.

"그래. 잘 어울리는 단어로군."

"왜 잘 어울린다고 생각하세요?"

슈네이더만이 눈을 반짝 빛내며 물었다.

"제롬은 많이 말랐잖아. 그래서 몸무게를 킬로그램이 아니라 그램으로 재야 할 것 같아서 말이지."

"맞아요. 저도 그렇게 생각했거든요."

제롬은 두 사람을 번갈아 보더니 언짢은 듯한 얼굴을 하고 슈네이더만을 가리켰다.

"슈네이더만, 너는 나보다 더 마르고 키도 작잖아. 네 이름 요셉 하임은 뭔가 '삶에 보태는, 더하는' 것이란 의미를 가지고 있지. 내가 보기에 너야말로 몸무게를 좀 더 더해야겠어."

"개인적인 감정이 섞인 이야기는 아니잖아."

내가 나서서 말렸다. 제롬은 이해가 가지 않는다는 듯 반문했다.

"개인적인 감정이 없었다고? 그럼 왜 다 같이 나에 대해 그런 식으로 이야기하는 거지?"

"우린 모두 너를 좋아해. 네가 깡마른 데다 꺽다리에 푸에르토리코인들 같은 셔츠를 입고 다녀도 우린 너를 좋아한다고."

리사는 한 손으로 입을 막고 웃었다. 리사도 제롬의 셔츠를 보고 같은 생각을 하고 있었던 모양이다.

"왜 웃는 거야?"

"아, 그런데 내가 너에게 꼭 이야기하려던 것이 있어."

싸움이 나기 전에 이타마르가 제롬에게 재빨리 말했다.

"네 성, 좀머는 독일어로 '여름'이라는 뜻이야. 너는 여름 셔츠의 왕이잖아."

그 이야기만은 마음에 든 듯, 제롬은 얼굴이 다시 밝아지면서 웃음을 띠었다.

"이제야 나를 제대로 평가하는 사람이 나타났네."

종업원이 음료수를 들고 와서 각자에게 나누어 주었다. 제롬은 몇 장의 명함을 우리에게 보여 주며 명함에 쓰여 있는 이름을 말했다.

"짐이라는 이름은 어떻게 기억하면 좋을까?"

"짐의 지프를 타고 가고 있다고 상상해 봐. 짐과 지프. 비슷하지?"

제롬은 명함을 보며 다른 이름을 골라 물었다.

"버나드 베네딕트라는 이름은?"

"그건 쉽지. 세인트 버나드라는 강아지의 목에 통이 매달려서 흔들리는 모습을 생각해 봐."

제롬은 고개를 끄덕이면서 명함을 넘겼다.

"빌 가드너. 가드너가 '정원사'라는 뜻이니까 빌 클린턴이 정원사와 함께 정원 일을 한다고 상상해 보는 건 어떨까?"

제롬은 이야기를 마치자마자 다시 명함 쪽으로 눈을 돌렸다.

"그런데 다른 사물이나 특징과 도저히 연결할 수 없는 이름도 있잖아. 그럴 땐 어떤 방법을 쓰면 좋을까?"

제롬이 우리에게 묻자 랍비가 도움을 주었다.

"그 사람에 대한 별명을 지어 보게. 탈무드 시대의 이름처럼 힐렐 하자칸(수염 있는 힐렐), 아지라 하차이르(젊은 아지라), 아바 아리하(긴 아바), 솔로몬 하카탄(작은 솔로몬) 등의 이름이 있지."

"그 사람의 성격이나 특징이 담겨 있는 별명도 있어요. 우리를 예로 들면 키가 큰 이츠하크, 귀여운 파비오, 지혜로운 랍비 다하리, 제롬은 승리의 제롬이라고 부르는 거예요."

슈네이더만이 이야기했다. 제롬은 자신에게 긍정적인 별명을 붙여주자 얼굴이 약간 붉어졌다.

"다른 방법도 있어요. 일종의 생략이라고 볼 수 있는데 앞의 머리 글자만 사용하는 거예요."

"이름의 머리글자만 따서 기억한다고?"

이츠하크가 의아하다는 듯 물었다.

"네. 람밤은 랍비 모세 벤 미문, 라샤이는 랍비 슐로모 이츠하키, 랄바그는 랍비 레비 벤 가르손, 라샬은 랍비 슐로모 로리의 약자예요."

"라마드는?"

"라마드요?"

슈네이더만은 그건 잘 모르겠다는 표정을 지으며 제롬을 쳐다보았다.

"랍비 므나세 다하리잖아."

제롬은 랍비 다하리를 가리키며 말했다. 랍비가 고개를 끄덕였다.

"멋진 약자로군. 내 맘에도 드네."

이번에는 내가 제롬의 약자를 붙여 주었다.

"그럼 가즈는 어때? 제롬 좀머를 줄여서."

"가즈, 그거 좋은데."

제롬이 약간 들뜬 목소리로 말했다.

"전에 하이파 출신의 야곱 슈바르츠라는 청년을 만난 적이 있는데, 그는 만나는 사람마다 그 사람의 성격이나 행동 등의 특징에 맞춰서 이름을 약자로 줄인 후 짧은 글짓기 형식으로 이름을 기억하는 버릇이 있었어요. 야곱이 군대에서 일란이란 청년을 만났는데, 그는 무척 못된 짓을 많이 한 사람이라서 일란이란 히브리어 이름에 '나는 정상적인 아이가 아닙니다.(아니 옐레드 로 노르말리.)'라는 의미를 넣어 기억한다고 했어요. 이프라흐라는 청년은 매사에 부정적인 데다 전과도 있는 사람이었다고 해요. 그래서 그는 '자유롭게 나다니는 많은 범죄자들(에쉬남 포쉬임 라빔 호프쉼)'이라고 기억했고 아브리 젤이라는 청년은 리더십이 강하고 의욕이 넘치는 청년이어서 '이 대단한 사람은 어디에서 온 걸까(에흐 바아 로쉬 가돌 레올람)?'라고 기억했다고 합니다."

"정말 재미있는 방법이군."

랍비가 고개를 끄덕이며 말했다.

"나는 그 방법을 쓰자면 이타마르라는 이름은 '항상 머릿속이 가득 차 있는 대단히 유식한 사람'이라고 기억할 거야."

제롬이 말했다.

이타마르는 그 이름 풀이에 만족한 듯 고개를 끄덕였다.

"그거 고맙네."

남녀 한 쌍이 우리가 있는 정원으로 나오려다가, 에어컨이 작동 중인 카페 안으로 다시 들어갔다.

에필로그

마지막 만남

　잠시 눈을 감고 생각에 잠겼던 랍비가 눈을 뜨면서, 이해했다는 듯 고개를 끄덕였다.

　"사람을 사귈 때 겉을 볼 것이 아니라 그 내면에 관심을 가지고 사귀어야 합니다. 저는 그런 태도야말로 사람을 기억하는 데 큰 도움을 준다고 생각합니다. 관심을 가지고 사람을 대하면 그 사람과 나의 공통점, 차이점, 특징에 대해 알게 되거든요."

　슈네이더만의 말을 듣고 랍비가 이야기를 계속했다.

　"그렇군. 공통점이나 특징을 찾고 나면 더 쉽게 기억할 수 있지. 관심을 갖고 살펴보면서 알게 된 특별한 점은 기억에 오래도록 남는 법이야."

　이타마르는 공책을 한 장 뜯어서 지금까지의 내용을 정리했다.

372

이름에 관심을 가진다.

관심을 갖고 첫인상을 살펴본다.

이름과 용모, 성격과의 관계를 알아본다.

별명을 짓거나 인물의 특징과 이름에 맞는 삼행시 등을 짓는다.

카페 라디노에 손님들이 가득 차서 파비오의 종업원들은 주문을 받고 서빙을 하느라고 바빴다. 그래도 파비오는 자리에서 일어나지 않고 우리의 대화에 열중했다.

모임이 끝나갈 무렵 랍비는 제롬의 사업에 대해 다시 물었다.

"9월쯤에 셔츠를 판매할 준비가 될 거라고 했나?"

"네. 11월에는 가게에서 판매를 시작할 겁니다. 12월에는 겨울 광고를 하고 봄, 여름 판매가 끝나서 다음 해 7월이 되어야 판매 결과가 성공적인지 알 수 있을 겁니다."

"어떻게 그 결과를 알게 될까?"

"내년 7월에 제가 부자가 되면 성공한 겁니다."

제롬은 농담처럼 말하며 웃었다.

"자네가 긍정적인 사고를 가진 건 좋은데……."

랍비는 사업에 관해서는 잘 이해가 되지 않는다는 얼굴이었다.

"존경하는 랍비님, 제게 사업만이 중요한 문제는 아닙니다."

랍비는 이마에 주름살이 파일 정도로 심각한 얼굴을 하고 제롬의 이야기를 들었다.

"그러면 무엇이 문제란 말인가?"

"그보다 더 큰 행복이 있습니다."

우리는 모두 제롬의 말뜻을 잘 이해할 수가 없어서 서로의 얼굴을 번갈아 가며 쳐다보았다. 그때 제롬은 얼굴을 돌려 사랑으로 가득 찬 눈빛으로 리사를 바라보았다. 제롬은 살며시 리사의 손을 잡고 이렇게 말했다.

"존경하는 랍비님, 저는 사업이 성공하는 것도 중요하지만 그보다 먼저 행복한 남자가 되고 싶습니다."

제롬은 어리둥절해하는 우리를 둘러보았다.

"우리 결혼하기로 했어요."

리사가 조금 떨리는 목소리로 말했다. 그녀의 눈가에 작은 이슬 방울이 반짝였다.

우리는 모두 놀라 얼마 동안 말없이 침묵을 지키며 앉아 있었다. 파비오가 가장 먼저 자리에서 일어나 제롬을 축하해 주었다.

"진심으로 축하합니다."

우리 모두 일어나서 제롬과 악수를 나누는 동안 파비오는 종업원을 불러 일렀다.

"1985년산 자르댕 포도주 한 병 얼른 가져와요."

"파비오, 그 포도주는 꽤 비싼 건데. 그렇게까지 할 건 없어요."

그렇게 말하며 제롬은 웃었다.

우리는 모두 기쁜 마음으로 포도주 잔을 높이 들고 건배했다.

모임이 끝나고 카페를 나오면서 나는 제롬의 어깨를 툭툭 쳤다.

"네가 결혼을 한다니⋯⋯. 그걸 누가 믿겠어?"

"내가 결혼한다는 게 그렇게 안 믿어져?"

"리사는 정착촌에 사는 종교인이잖아."

나는 전에 제롬이 리사를 만났을 때 주고받았던 대화를 떠올리며 말했다.

"그래, 그렇지만 정말 좋은 사람이야."

제롬은 확신에 찬 목소리로 말했다.

나는 그들과 헤어져 주차한 곳으로 가면서 뒤를 돌아보았다. 골목길을 빠져나가는 제롬과 리사의 다정한 뒷모습이 눈에 들어왔다. 그 모습을 보고 나는 나 자신에게 물었다.

"누가 비종교인과 종교인이 결혼할 수 없다고 정했지?"

어느새 제롬과 리사가 결혼을 발표한 지 1년이 되었다. 그동안 우리는 각자 조금씩 바뀐 삶을 살고 있었다. 이타마르는 미국 버지니아에 있는 카네기 멜론 대학에 초청을 받아 그곳에 가서 2년 동안 강의를 할 예정이어서 그 준비를 하느라고 바빴다.

파비오는 네비임 가에 작은 비스트로 식당을 냈다. 식당 이름은 '이디시카이트'라고 했다. 카페 라디노는 이제는 찻집이 아니라 세파라딤 유태인들의 음식을 전문으로 파는 식당으로 변했다. 그곳은 음식 맛에 있어서 별점을 4개나 받는 식당으로 자리를 잡았다. 카페 라디노는 연회를 하는 장소로 이용되기도 해서, 올해 7월에는 좀머 집안의 제롬과 골드만 집안의 리사가 결혼식을 올릴 예정이었다.

제롬과 리사 두 사람은 조금도 망설임 없이 카페 라디노에서 결혼식을 하기로 결정했다. 카페 라디노는 제롬에게는 많은 가르침을 주고 지적인 깊이를 갖게 해 준 집이다. 그는 이곳에서 슈네이더만에게 기억력을 향상시키는 유태인식 요령을 배웠고, 이츠하크과 헤브루타식 공부를 하기 시작했으며, 리사에게 프로포즈를 했고 좋은 친구들을 만나 유익한 이야기도 나누었다.

리사와 제롬이 결혼식에 초대한 하객은 200명이었다. 요셉 하임 슈네이더만은 남녀가 함께 참석하는 파티에 가는 것이 부담스럽다며 축하 인사만 전해 왔다.

나는 결혼식에서 무척 반가운 사람을 만날 수 있었다. 그는 바로 리사의 삼촌인 새뮤얼이었다. 그는 벨기에서 결혼식에 참석하기 위해 이곳 예루살렘까지 날아왔다.

파비오는 카페 라디노를 중세의 성처럼 꾸몄다. 입구에서는 악사들이 연주를 하며 하객을 맞이했다. 신부 리사는 어머니가 바느질해서 만들어 준 흰 웨딩드레스를 입었고, 제롬은 흰 셔츠에 넥타이를 매고 양복을 입고 있었다. 양복은 눈에 띨 만큼 특이한 밝은 보라색이었다. 나는 제롬의 머리 모양이 마음에 들었다. 그는 곱슬거리는 머리를 짧게 잘라 점잖고 진지해 보였다.

결혼식의 후파(유태인들이 결혼할 때 머리 위에 치는 사각으로 된 작은 막——옮긴이)를 정원에 설치하여 파티는 새벽까지 계속되었다. 모든 사람들의 얼굴이 기쁨으로 가득 찬 것을 볼 수 있었다.

하객들이 신랑, 신부에게 축하 인사를 하고 하나 둘씩 자리를 떴다. 음악도 흥겨운 음악에서 다비드 다우르와 안드레아 보첼리의 노래로 바뀌었다. 종업원들이 탁자 위에 있는 나머지 음식들을 치우느라 분주하게 오고 가는 모습이 눈에 들어왔다.

가까운 친구들은 마지막까지 남아서 음료수와 음식을 탁자 위에 준비하고 둥그렇게 둘러앉았다. 제롬은 신부 리사 곁에 앉았는데 그의 셔츠는 얼룩이 져 있있다. 나는 제롬의 어깨와 머리를 두드리며 말했다.

"정말 멋진 결혼식이야. 무척 감동적이었어."

"고마워."

제롬은 대답을 하면서 이마의 땀을 닦았다. 이타마르가 말했다.

"네 양복도 훌륭해."

"무늬나 장식 없이 단색으로 해 달라고 주문했거든."

제롬은 매고 있던 넥타이를 우리 쪽으로 내밀어 보여 주었다. 넥타이에는 동물 모습을 한 정치인들의 그림이 그려져 있었다. 곰 모양의 포에드 벤 엘리에젤, 거북이 모양의 아리엘 샤론, 기린 모양의 클린턴, 담비 모양의 부시 등이 넥타이에 그려져 있었다. 그가 쓰고 있던 키파에는 양복 입은 토끼와 웨딩드레스를 입은 토끼가 함께 춤추는 그림이 수놓여 있었다.

"특별히 결혼식에 맞는 것으로 해 달라고 주문했어. 아마 이런 키파는 세상에 단 하나밖에 없을 거야. 나중에 대통령 남편이 되면 경매에 내서 100만 달러 정도 받을 거야."

제롬은 리사의 손을 꼭 잡고 말했다.

"누가 그걸 살까?"

내가 물었다.

"내가 사겠소."

새뮤얼이 우리 쪽으로 다가오면서 말했다. 제롬은 일어나서 의자를 한 개 가져다가 자신의 의자 옆에 놓았다.

"앉으세요."

제롬이 새뮤얼에게 의자를 권했다.

"고맙군요."

새뮤얼이 우리들을 돌아보며 눈인사를 하고 자리에 앉았다.

"새뮤얼, 당신이 가르쳐 준 지혜가 제 인생에 큰 영향을 미쳤어요.

그리고 제게 편지를 전해 달라고 부탁했던 일은 정말 감사드려요."

제롬이 잔에 남아 있던 포도주를 한 모금 마시면서 말했다. 새뮤얼은 의미심장한 미소를 지으면서 그를 바라보았다.

"리사에게 편지를 전해 달라고 부탁하셨기에 우린 만날 수 있었습니다. 제게 정말 귀한 선물을 주셨다고 생각합니다."

새뮤얼이 조카 리사를 쳐다보면서 뭔가 눈짓을 해 보였다. 리사는 가방을 열어 작은 봉투를 꺼내어 제롬의 손에 그것을 건네주었다.

"우리가 처음 대학 도서관에서 만났을 때 당신이 제게 전해 주었던 그 봉투예요."

리사가 제롬에게 말했다. 제롬은 그 봉투에서 카드를 꺼내어 읽더니 리사와 새뮤얼의 얼굴을 번갈아 가며 쳐다보았다. 리사는 제롬의 손에 있던 카드를 가져다가 소리 내어 읽기 시작했다.

"사랑하는 리사야, 제롬이라는 청년을 한번 만나 보도록 해라. 내가 보기에 좋은 청년 같더구나. 성공을 빈다."

"이런 내용이 쓰여 있었다니 정말 믿어지지가 않아."

제롬은 머리를 흔들면서 말했다.

"그 편지와 함께 용돈 300달러를 넣어 보냈는데."

새뮤얼이 웃으면서 말했다.

"그렇지만 가장 중요한 목적은 제롬, 당신을 만나게 하려고 보낸 겁니다."

제롬은 조금 흥분해서 물었다.

"아니, 그럼 나를 겨우 한 번 만나고 나서 리사에게 중매를 해야겠다고 생각한 건가요? 내가 만났던 사람들 중 자신의 가족이나 친척을 소개해 주려고 했던 사람은 단 한 명도 없었는데."

제롬은 눈물까지 글썽이며 말했다. 그는 약간 취한 것 같았다. 어쨌든 그는 새뮤얼이 리사와 자신을 이어 준 것을 무척 고마워했다.

"리사와 제롬은 성장 배경이 그다지 비슷하진 않은데요."

내가 새뮤얼에게 말했다.

"아, 그건 별로 중요하지 않아요. 두 사람은 성격이 비슷하니까."

새뮤얼이 설명했다.

"서로 마음이 통하고 사랑하면 되는 겁니다. 서로의 관심사나 성장 배경이 그리 중요하다고 생각진 않아요."

제롬이 의자에서 일어나 새뮤얼을 껴안자 새뮤얼은 잠시 멋쩍은 듯했지만 곧 제롬을 껴안으며 그의 등을 가볍게 두드려 주었다.

"파리에서 우리가 헤어졌을 때 제롬이 당신과 계속 연락할 수 있을까 물었어요."

내가 이렇게 말하자 제롬은 고개를 끄덕였다.

"맞아, 내가 그런 얘기 했지."

"자, 이제 이 질문을 할 때가 된 것 같군. 제롬, 당신은 유태인의 지적 우수성이 어디에서 비롯되었다고 생각합니까?"

새뮤얼이 제롬에게 물었다. 제롬은 망설이지 않고 대답했다.

"가족입니다."

"맞았어요. 그런데 그걸 어떻게 알았지요?"

"첫째, 왠지 결혼식에 어울리는 답이라는 생각이 들었어요. 둘째, 저는 리사를 사귀면서 모든 일이 다 잘 풀리고 있어요. 공부도 사업도 자신감이 생겼고 실제로도 잘되고 있어요. 그래서 왜 이렇게 일이 술술 풀리나 생각해 봤는데 그 이유가 바로 리사였어요. 리사와 함께 있기 때문에 모든 일이 다 순조롭게 이루어지고 있다고 생각해요. 전

이제 혼자가 아니라 리사와 같이 있잖아요. 그게 제 삶에 큰 영향을 미친다고 생각해요. 좀 더 진지해졌고 전보다 의무감도 더 느끼고 일도 예전보다 더 효율적으로 처리한다는 생각이 들어요. 이 정도로밖에 설명을 할 수가 없는데 리사가 제 일이나 공부에 도움을 주기 때문에 그런 것만은 아니에요. 그녀가 제 곁에 있다는 것만으로도 제겐 정신적으로 큰 도움이 된다고 생각해요. 지금까지 느껴 보지 못했던 가득한 기쁨을 삶 속에서 느낀다고나 할까요."

제롬이 사랑스럽다는 듯한 눈빛으로 아내 리사를 바라보며 이야기하자 리사는 부끄러운 듯 고개를 숙였다.

나는 그때 사랑하는 아내 야엘을 떠올렸다. 아내는 결혼 생활 내내 내게 늘 조력자가 되어 주었다. 아내는 내가 어리석은 행동을 했을 때, 달리 갈 데도 없으면서 직장을 그만두기로 결정했을 때, 카페에 앉아 며칠을 꼬박 책 쓰는 일에만 몰두했을 때, 불투명한 미래에 대해 고민할 때 항상 내 곁에서 힘과 사랑을 주었다.

나는 마음속으로 말했다.

'야엘, 사랑해.'

집에 돌아가면 아내에게 제대로 말하리라고 다짐했다. 이렇게 말하고 나면 아내가 "그렇다면 설거지를 하고 유치원에 가서 아이를 데려와요."라고 할지 모른다. 그래도 나는 아내에게 사랑한다고 말할 것이다.

다음으로 랍비가 말했다.

"제롬, 자네도 말했지만 실제로 가정에서 가족이 주는 도움이야말로 지적인 능력을 높이는 데 적지 않은 영향을 미친다는 연구 결과가 있다네. 주변에 있는 가장 가까운 사람들의 도움과 격려는 그 사람의 지적 능력이나 사고 능력을 계발시키는 데 많은 영향을 미치지. 그건 모든 제한을 부숴 버리는 로켓과도 같은 추진력을 갖는다네. 랍비 하눌라이는 '부인이 없는 사람은 기쁨도 축복도 좋은 일도 없다.'고 했고 현인들은 '토라 즉 성경도 없다.'고까지 했지."

"성경도 없다는 말은 무슨 뜻인가요?"

"혼자인 사람은 부인이 있는 사람보다 성경을 공부하는 능력이 떨어진다는 뜻이라네. 부인의 내조를 받으면서 공부를 하면 공부를 더 잘할 수 있다는 거지. 여자들도 마찬가지야. 대학에서 학위를 받기 위해, 또는 전문가 과정을 공부할 때 남편의 도움을 받으면 공부를 더 잘할 수 있다네."

랍비는 이야기를 마치고 빈 잔을 찾았다.

"랍비 아키바는 24년 동안 공부를 하고 나서 집에 돌아왔는데, 사람들은 그의 아내가 랍비 아키바에게 가까이 다가가지 못하도록 했다고 하네. 그러자 랍비 아키바는 사람들에게 이렇게 말했지. '당신들이 공부한 것, 내가 공부한 것 모두 내 아내의 것입니다. 내가 배운 모든 것을 당신들에게 가르쳤는데 그것은 모두 내 아내 덕입니다.'라고 말일세."

제롬은 머리를 끄덕이며 포도주 병을 흔들어 보였다.

"포도주 드시겠어요?"

제롬이 새뮤얼에게 물었다.

"마시고말고."

이타마르는 제롬에게 우리가 준비한 특별한 선물을 전하자는 눈짓을 내게 보냈다.

"제롬, 줄 것이 있어."

나는 자리에서 일어서면서 재킷 주머니에서 작은 선물을 꺼내어 제롬에게 건넸다. 제롬은 포장을 열어 겉장이 반짝이는 금빛으로 덮인 작은 책자를 꺼냈다. 제롬은『천재가 된 제롬』이라는 책의 제목을 큰 소리로 읽으면서 웃었다.

그는 책장을 펼쳐 목차를 살피고 난 뒤, 다시 책장을 넘기다가 깜짝 놀랐다. 커피 얼룩이 묻어 있는 냅킨이 책장 사이에 끼워져 있었는데, 거기에는 손글씨로 이렇게 적혀 있었다.

상상력으로 예언하기.
상상력의 힘으로 비논리적인 것을 논리적으로 바꾸기.

"이 냅킨 생각나!"
제롬은 놀란 듯 두 눈을 꿈뻑거렸다. 내가 대답했다.
"그 냅킨 맞아."
제롬은 추억이 깃든 물건이라도 발견한 듯 감회에 찬 얼굴로 냅킨을 만지작거렸다. 냅킨은 한쪽 귀퉁이가 찢어져 있었고 그 위에는 이렇게 쓰여 있었다.

생존의 원칙
한곳에 머무르지 말고 항상 정신적, 육체적으로 방랑하라. 편안함을 느끼며 안주해서는 안 된다.

"지난 2년 동안 정신적으로, 육체적으로 별로 변한 것이 없다고는 도저히 말 못하겠군."

382

제롬은 알겠다는 듯 머리를 끄덕이며 다음 장으로 넘어갔다.

영원히 공부하는 것은 쉼 없이 의문을 가지고 질문하는 것.

"그래. 파리에 있는 테라스 카페에서 그 이야기 나누었던 기억이 나네."

반드시 새로운 것을 발명할 필요가 없다. 이미 존재하는 것을 필요한 곳에 적절하게 활용한다.

긍정적인 이미지를 가진 닮고 싶은 인물을 정하고, 내게 영감을 주는 그 인물이 행한 대로 따라하면서 배운다. 보완할 점이 있으면 새롭게 보완하여 행한다.

그리고 책 속에는 집중력과 기억력을 강화하기 위한 유태식 학습법이 일목요연하게 나와 있었다. 제롬은 그 항목들을 하나씩 읽어 내려가기 시작했다. 이 내용은 지난 한 해 동안 제롬이 우리와 함께 배운 내용을 요약해 놓은 것이었다.

(1) 기억에 의존하고 그 기억에 대해 확신을 갖는다.
(2) 글씨는 흰 종이에 검정색으로 분명하게 쓴다.
(3) 친구와 함께 소리 내어 토론하며 공부한다.
(4) 기쁜 마음으로 걸어다니고 몸을 움직이며 공부한다.
(5) 마음이 내키고 영감이 떠오르는 곳에서 공부한다.

(6) 생각을 혼란스럽게 하는 걱정이나 고민거리로부터 벗어나야 한다.

(7) 집중할 수 있는 방법을 생각한다. 기도, 노래, 또는 동기 부여를 시켜 주는 것들이 필요하다.

(8) 쉽고 재미있는 내용으로 이야기한다.

(9) 피곤한 상태로 5시간 공부하기보다 머리가 맑은 상태로 2시간 공부한다.

(10) 공부를 할 때 리듬과 흐름이 있는데, 그 리듬이 깨지면 완전하게 쉬는 시간을 갖는다.

(11) 중심 단어를 통해 떠오르는 주제와 아이디어들을 정리한다.

(12) 중심 단어를 연결지어 이야기를 만든다.

(13) 주제를 연대순이나 그룹으로 나누어 정리한다.

(14) 머리글자만 따서 사용한다.

(15) 수없이 반복하면서 기억한다.

"와!"

제롬은 탄성을 지르며 책을 닫았다.

"이건 정말 귀중한 재산이 될 거야. 이 냅킨, 이 책 모두 믿을 수 없군."

그는 약간 떨리는 목소리로 말했다.

"궁금해서 묻는 건데 유태식 방법으로 3년 안에 박사학위를 따고 5,000만 달러를 벌도록 해 주겠다는 건 어떻게 되었나요?"

새뮤얼이 물었다. 제롬이 미소를 지으면서 이타마르를 쳐다보았다.

"아, 그건요. 전 아직 학사학위를 공부하는 중이라서 박사학위까지 따려면 시간이 더 필요해요. 랍비 다하리와 요셉 하임 슈네이더만이 가르쳐 준 방법으로 공부를 하니까 공부가 무척 쉬워졌어요. 짧은 시간에 많은 양의 공부를 집중해서 할 수도 있고 기억력도 좋아졌고요. 그리고 친구와 함께 공부를 하니까 더 능률적이에요."

제롬은 이츠하크를 가리켰다.

"1학기 때 경제학은 한번 죽을 쑤었지만 다른 과목들은 모두 시험을 잘 치렀어요. 평균이 85점이에요. 이츠하크는 83점이고요."

"오, 그거 축하할 만한 일인걸!"

새뮤얼의 얼굴은 놀라움과 기쁨으로 가득했다.

"그리고 앞으로 3,000만 달러를 더 벌려면 1년은 있어야겠고요."

제롬의 말에 놀란 우리가 서로의 얼굴을 바라보는 동안 잠시 침묵이 흘렀다.

"그럼 벌써 2,000만 달러를 벌었단 말야?"

이타마르가 믿을 수 없다는 표정을 지었다.

"이츠하크, 네 생각은 어때? 이야기해도 되겠지?"

제롬이 그의 동업자에게 물었다. 이츠하크는 우리를 쳐다보며 말했다.

"제롬이 2년 동안 2,000만 달러를 벌었다면 왜 저와 동업자로 함께 일할 생각을 하겠어요? 사업이 잘되는데 굳이 제가 필요할까요?"

제롬의 수입, 그 숫자는 조금은 과장된 것이라는 생각이 들었다.

"제롬은 회사의 규모를 더 늘릴 생각이에요. 사업이 잘 진행되고 있으니까요. 그리고 수입은 그 액수에 가깝지요."

"모두 하느님께서 도와주신 덕이에요. 미국에서는 날개 돋친 듯

팔리고 있는데, 우리는 유행에 뒤처지지 않도록 신경을 쓰고 있어요."

새뮤얼은 제롬이 성공을 거두고 있다는 말에 기쁨을 감추지 못했다.

"제롬의 어떤 점이 놀라운지 압니까? 사업이 잘된다는 것도 아니고 성적이 좋은 것도 아닙니다. 다만 제롬이 다른 방법을 시도하고 노력했다는 점에 놀란 것이지요."

새뮤얼은 포도주를 한 모금 들이키며 흐뭇한 표정으로 제롬을 바라보았다.

"의심이나 비판을 하기보다는 우선 시도하고 노력해 보려는 자세가 중요해요. 제롬 당신은 유태교에 대해서도 잘 알지 못하고 종교인도 아니니까 분명 우리가 이야기한 내용에 대해 의심을 가졌을 텐데, 그 내용들을 직접 실천에 옮길 때 두렵지 않았나요?"

"한번은 탈무드를 가져다가 내용을 살펴본 적도 있었어요."

"탈무드를 살펴봤다고?"

내가 놀라서 물었다.

"그래. 깊이 있게 이해하진 못했지만 학교에서 선생님들이 가르쳐주지 않은 내용을 조금은 이해할 수 있게 됐어. 지혜와 지적인 능력을 키우고 기억력을 증진시키는 것들에 대해서 알게 됐지."

제롬은 잠시 침묵을 지켰다가 모두를 향해 입을 열었다.

"성경에 대해 해박한 지식과 지혜를 가지고 있다 해도 다른 사람들 눈에 그리 똑똑해 보이지 않는 경우도 있어요. 아는 것이 많아 보이지만 실은 지성적이지 못한 사람들도 있고요. 정말 중요한 건 자신이 가진 지혜나 지식을 주위 사람들을 위해 쓰는 겁니다. 지식의 양이나 외적인 아름다움, 금전적인 부 따위는 하느님이 보시기에 전혀 중요한 게 아니에요. 그것들을 다른 사람을 위해 어떻게 사용하는지가 중요합니다."

2년 동안 공부를 하고 나서야 비로소 제롬은 삶의 진실과 그 의미를 발견한 것 같았다.

"이제 우리의 공부도 여기서 마무리를 해야 할 것 같군."

내가 이타마르에게 말했다.

"제롬은 점점 더 똑똑해지고 있잖아."

"공부를 하면서 배운 것들을 직접 해 보면서 자신을 훈련했던 게 도움이 되었나요? 유태교에 조금 가까워졌다는 걸 느낄 수 있다거나?"

새뮤얼이 물었다.

제롬은 잠시 눈길을 바닥으로 떨어뜨린 채 생각에 잠겼다가 곧 고개를 들어 말했다.

"유태교는 무척 지혜롭고 매력적이에요. 저는 이번 공부를 통해서 열린 사고를 갖게 되었다고 생각합니다. 그렇게 되기까지는 여러분께 듣고 배운 내용을 훈련했던 것이 많은 도움이 됐어요. 그런 훈련이 유태인들의 사고를 이해하는 계기가 되었다고 생각해요. 랍비 다하리나 요셉 하임 슈네이더만처럼 훌륭한 사람들을 만날 수 있었다는 게 무척 기쁩니다. 그들을 만나지 못했다면 그들의 세계에 대해서도 알지 못했을 테니까요. 그리고 무엇보다 유태인에게 더욱 가까워질 수 있는 계기가 생겼잖아요."

제롬은 아내의 어깨를 감싸 안았다.

"유태인 여자에게 가까워졌으니 말입니다."

그렇게 말하며 제롬은 리사에게 입을 맞추었다.

파비오는 마지막 의자를 탁자에 올리면서 카페 라디노의 창문이
모두 닫혔는지, 불이 켜진 곳은 없는지 둘러보았다.

제롬과 리사가 신혼 첫날을 지내기 위해 먼저 자리를 떠난 뒤 남아
있던 사람들도 모두 돌아가고 나와 파비오만 남았다. 파비오가 팔짱
을 끼며 물었다.

"유태인 두뇌의 비밀을 파헤친 책은 시중에 벌써 나왔습니까?"

"유감스럽게도 저는 아직 책의 겉장도 만져 보지 못했습니다. 제
롬에게 준 것 말고는요."

"어쨌든 책값이 너무 비싸지 않았으면 좋겠군요."

"왜요?"

"비싼 책을 그냥 달라고 하면 좀 미안하니까 그렇지요."

파비오가 웃었다.

예루살렘이 새로운 아침을 맞이하고 있었다. 조금씩 아침 햇살이
비칠 때 나는 서늘한 공기와 아침 이슬을 맞으며 걷기 시작했다. 걸
어가는 동안 머릿속에서 줄곧 이 노래가 생각나서 흥얼거렸다.

　　한 사람이 아침에 일어나 문득 생각했지
　　자기들이 하나의 민족이라고.
　　그리고 걷기 시작했다네.

나는 갑자기 나 자신이 하나의 민족이란 생각이 들었다. 책 쓰는
것을 마쳤기 때문에 이런 느낌이 드는 것일까? 아마도 간밤에 좋은

사람들과 멋진 시간을 보내서 그런 것인지도 모른다.

　나는 계속 걸었다. 집에 도착할 때까지 줄곧, 유태 민족이 행진하듯 힘 있게 걸으면서 앞으로 나아갔다.

옮긴이 박미영

이스라엘 히브리대학교 교육대학원 석사를 마치고 주한 이스라엘 대사관 행정관, 이스라엘 교육문
화원 원장을 지냈다. 건국대학교 히브리학과에서 강의했으며 현재는 건국대학교 교육공학과 강사로
출강 중이다. 저서로 『유태인 부모는 이렇게 가르친다』가 있으며 『새 친구가 이사 왔어요』, 『다섯 개
의 풍선』, 『신기한 요술씨앗』 등 유태 동화를 우리말로 옮겼다. 『한국인의 사랑』에서 한국 시를 히브
리어로 공동 번역했다.

천재가 된 제롬

1판 1쇄 펴냄 2007년 3월 14일
1판 3쇄 펴냄 2007년 3월 26일

지은이   에란 카츠
옮긴이   박미영
편집인   이지연
발행인   박근섭
펴낸곳   (주) 황금가지

출판등록   1996. 5. 3. (제16-1305호)
주소   135-887 서울 강남구 신사동 506 강남출판문화센터 5층
전화   영업부 515-2000 / 편집부 3446-8773 / 팩시밀리 515-2007
홈페이지   www.goldenbough.co.kr

값 12,000원

ⓒ (주) 황금가지, 2007. Printed in Seoul, Korea

ISBN 978-89-6017-003-2 03320